Sorcha de Mallaig
de Diane Lacombe
est le sept cent soixantième ouvrage
publié chez
VLB ÉDITEUR.

La collection « Roman »
est dirigée par Jean-Yves Soucy.

Tous les personnages ainsi que les situations décrites dans ce roman sont purement fictifs. Toute ressemblance avec des personnes connues ou inconnues, existant ou ayant déjà existé, ne peut être que pure coïncidence.

Si vous désirez envoyer un courriel à Diane Lacombe, écrivez-lui à l'adresse suivante : *dianelacombe@vl.videotron.ca*

Un site est consacré à l'univers romanesque de Mallaig : *www.edvlb.com/dianelacombe/*

VLB éditeur bénéficie du soutien de la Société de développement des entreprises culturelles du Québec (SODEC) pour son programme d'édition.

Gouvernement du Québec – Programme de crédit d'impôt pour l'édition de livres – Gestion SODEC.

Nous reconnaissons l'aide financière du gouvernement du Canada par l'entremise du Programme d'aide au développement de l'industrie de l'édition (PADIÉ) pour nos activités d'édition.

Nous remercions le Conseil des Arts du Canada de l'aide accordée à notre programme de publication.

SORCHA DE MALLAIG

De la même auteure

La châtelaine de Mallaig, Montréal, VLB éditeur, coll. « Roman »,
   2002.
L'Hermine de Mallaig, Montréal, VLB éditeur, coll. « Roman »,
   2005.

Diane Lacombe

SORCHA DE MALLAIG

roman

vlb éditeur

VLB ÉDITEUR
Une division du groupe Ville-Marie Littérature
1010, rue de La Gauchetière Est
Montréal (Québec) H2L 2N5
Tél. : (514) 523-1182
Téléc. : (514) 282-7530
Courriel : vml@sogides.com

Maquette de la couverture : Nancy Desrosiers
Illustration de la couverture : d'après une œuvre de John Waterhouse intitulée *Lady Claire*
Cartographie : Julie Benoit

Données de catalogage avant publication de la Bibliothèque nationale du Canada

Lacombe, Diane, 1953-
    Sorcha de Mallaig
    (Roman)
    ISBN 2-89005-868-9
    I. Titre.

PS8573.A277S67	2004	C843'.6	C2004-940051-7
PS9573.A277S67	2004		

DISTRIBUTEURS EXCLUSIFS :

• Pour le Québec, le Canada
et les États-Unis :
LES MESSAGERIES ADP*
955, rue Amherst
Montréal (Québec) H2L 3K4
Tél. : (514) 523-1182
Téléc. : (450) 674-6237
*Filiale de Sogides ltée

• Pour la Belgique et la France :
Librairie du Québec / DNM
30, rue Gay-Lussac
75005 Paris
Tél. : 01 43 54 49 02
Téléc. : 01 43 54 39 15
Courriel : liquebec@noos.fr
Site Internet : www.quebec.libriszone.com

• Pour la Suisse :
TRANSAT SA
C. P. 3625
1211 Genève 3
Tél. : 022 342 77 40
Téléc. : 022 343 46 46
Courriel : transat-diff@slatkine.com

Pour en savoir davantage sur nos publications,
visitez notre site : **www.edvlb.com**
Autres sites à visiter : www.edhomme.com • www.edtypo.com
• www.edjour.com • www.edhexagone.com • www.edutilis.com

À Hélène, ma grand-mère,
qui m'a précédée sur la route de l'écriture
et à toutes celles qui, comme elle,
ont inventé des héroïnes de tous les jours.

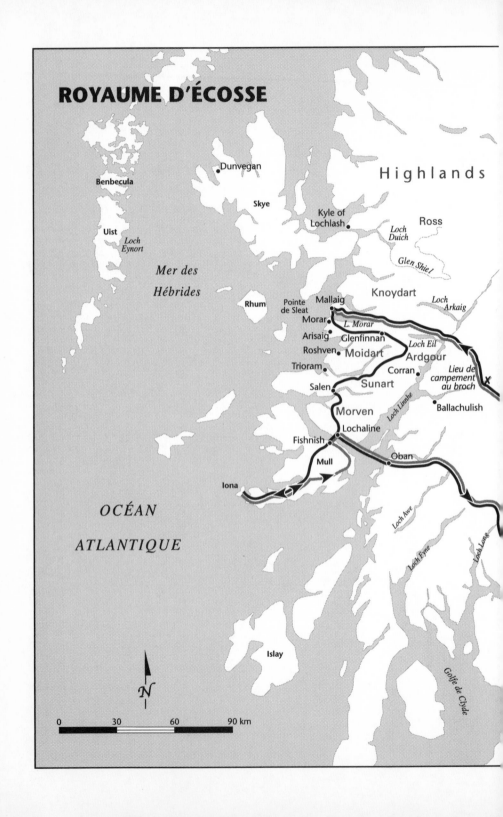

ROYAUME D'ÉCOSSE

Highlands

Benbecula

Dunvegan

Skye

Kyle of
Lochlash

Ross

Loch
Duich

Uist

Loch
Eynort

Glen Shiel

Mer des
Hébrides

Knoydart

Loch
Arkaig

Rhum

Pointe
de Sleat

Mallaig

Morar

L. Morar

Loch Eil

Arisaig

Glenfinnan

Roshven

Moidart

Ardgour

Loch
Duich

Trioram

Corran

Lieu de
campement
au broch

Salen

Sunart

Loch Linnhe

Ballachulish

Morven

Lochaline

Fishnish

Oban

Mull

Iona

OCÉAN

Loch Awe

ATLANTIQUE

Loch Fyne

Loch Long

Islay

Golfe de Clyde

N

0   30   60   90 km

Lowlands

Aberdeen

Crathes

Perth

Loch Lomond

Riv. Teith

Stirling

Dumbarton

Glasgow

Riv. Clyde

Édimbourg

Borders

Écosse

Irlande

Angleterre

LÉGENDE

Highlands   Région

● Dunvegan   Lieu, bourg, cité

Skye   Île

Ross   Comté

Itinéraire de Baltair

Itinéraire de Sorcha

PREMIÈRE PARTIE

1437-1440

Chapitre premier

Se découvrir un oncle

Je levai les yeux de ma broderie et vis que ma mère s'était assoupie dans son fauteuil. Sa coiffe avait glissé et l'un des pans frôlait sa bouche, frémissant à chacune de ses expirations. On aurait dit un pavillon en déroute qui battait au vent. Je trouvai cela amusant et ne pus m'empêcher de sourire. Nous étions seules dans la chambre, fort heureusement. On n'aurait pas permis que je rie d'elle. Je reposai mon ouvrage et me levai. Il faisait sombre et, comme je m'apprêtais à allumer la lampe de suif sur la table, j'entendis des bruits dans la cour. Un équipage entrait. Je me précipitai à la fenêtre, trop tard pour apercevoir les arrivants, car ils avaient déjà contourné la tour. J'entendis le bruit des sabots décliner en direction des écuries.

Était-ce mon père qui revenait d'expédition ? Je l'espérais tant. La vie était si morne en hiver quand il n'était pas à Morar. Nous étions le 22 février et cela faisait quinze jours qu'il était parti avec le chef MacNèil. À ma connaissance, mère n'avait reçu aucune nouvelle de lui, ce qui n'était guère étonnant : mon père mettait un point d'honneur à mêler le moins possible sa vie familiale à ses affaires. Je crois que cela tenait à un événement datant de bien avant ma naissance, alors que mon père n'était pas au service du clan MacNèil et que mes parents ne se connaissaient pas encore.

Le chat sauta sur le rebord de la fenêtre, en toucha le verre du bout de son museau noir, imprimant aussitôt une petite marque de buée dans le givre, puis il vint me quêter une caresse. Je le pris dans mes bras en lui grattant les oreilles d'une main et le remis au sol, dans la jonchée humide et odorante. À cause de la vilaine habitude qu'il avait prise de jouer avec les lacets de ma robe, on m'interdisait de le garder sur moi. Je trichais souvent : rien ne m'attirait plus que son poil chaud et doux. Je ne détestais pas non plus le piquant de ses petits crocs sur le bout de mes doigts quand il me mordillait.

Je revins à la table et m'emparai du fusil aux extrémités recourbées et du silex que je battis tout près de la mèche de la lampe. De jolies étincelles jaillirent aussitôt et mirent le feu dans le réceptacle de verre. Je refermai la porte de la lampe le plus délicatement possible, mais le bruit de la clenche réveilla ma mère.

« Que fais-tu là, ma fille ? me dit-elle en se redressant. Il est trop tôt pour allumer. Combien de fois devra-t-on te dire d'épargner les mèches ? »

Elle réajustait maintenant sa coiffe et son surcot, maugréant sur le même sujet :

« Éteins cette lampe. Nous y voyons très bien ici. Attendons-nous quelqu'un ? Non. Personne ne s'est annoncé et, si ton oncle ne mange pas avec nous, nous serons encore seules pour souper. Tu sais bien, Sorcha, que nous devons donner l'exemple de l'économie domestique à la maisonnée. Sinon, qui le ferait ? Il te faut vite apprendre cela. Si tu n'as pas le souci de ces choses, tu ne pourras pas faire un bon mariage. Ne fais pas la sourde oreille. Je te vois et je sais ce que tu penses sur le sujet. Sache que la princesse Marguerite avait treize ans quand elle a épousé le dauphin Louis, l'an dernier. Alors, à dix ans, tu n'es pas trop jeune pour te préparer à ta destinée. Ne l'oublie pas, Sorcha, tu es fille de noble. »

Contrariée, je détournai mon regard et m'abstins d'apprendre à ma mère qu'un équipage venait d'arriver. Je ne prêtai qu'une oreille distraite à la sempiternelle question des mariages dont elle raffolait. Il me semblait que notre condition n'était pas celle de la famille MacNèil, qui, elle, à n'en pas douter, faisait partie de la noblesse. Les prétentions de ma mère quant à nos titres au sein du clan m'irritaient. Je n'eus pas le temps d'éteindre la lampe, car la porte de la chambre s'ouvrit à la volée et mon oncle Innes fit irruption dans la pièce, l'air atterré. Je suspendis mon geste et jetai un coup d'œil derrière lui. Deux gardes de l'escorte de mon père et une servante se pressaient à l'entrée, avides de nouvelles. Mais de lieutenant Lennox, point. J'eus soudain le pressentiment qu'il était arrivé quelque chose à mon père.

« Le roi est mort ! annonça mon oncle de but en blanc tout en cherchant des yeux un siège. Avant-hier, à Perth, dans le couvent des frères noirs. Il a été transpercé de vingt coups de dague. Une abomination ! Un assassinat !

– Dieu du ciel ! » s'exclama ma mère, croisant les mains sur sa poitrine.

Mon oncle s'était effondré sur un banc et ma mère s'était levée en même temps, fort ébranlée. Je les regardais l'un et l'autre, me demandant ce qui leur causait une si grande émotion. Je ne connaissais pas grand-chose du roi d'Écosse. Je savais seulement qu'il était impopulaire auprès des seigneurs des Highlands qui se moquaient de ses goûts pour le luxe et se plaignaient de ses impôts élevés. J'avais une idée extrêmement vague de ce qu'étaient le luxe ou un impôt, par contre, vingt coups de dague, ça, j'arrivais assez bien à l'imaginer. Dans tous les récits de chevalerie, on transperçait toujours l'ennemi de ce chiffre magique. Cela m'apparaissait donc dans l'ordre des choses pour le roi des Écossais.

« Innes, d'où tenez-vous cela ? dit ma mère avec difficulté.

– De votre mari, ma sœur. Il arrive à l'instant de Mallaig. Vous voyez, Graham est finalement passé aux actes… le scélérat ! »

Me jetant un coup d'œil contrarié, il s'adressa à moi :

« Sorcha, ma chérie, tu devrais descendre dans la salle et attendre ton père. Va, va. Laisse-nous… »

Je ne me le fis pas dire deux fois et quittai la chambre à toute vitesse. Trouver mon père : voilà en effet ce que je devais faire. Lui me dirait ce qu'il fallait penser de tout cela. J'avais encore au cœur un malaise que seule sa vue dissiperait. L'assassinat du roi m'importait cent fois moins que le retour sain et sauf de mon père au domaine.

Je dévalai l'escalier qui menait à la salle où je repérai mon père du premier coup d'œil : il me faisait dos, penché devant l'âtre, les mains tendues au-dessus des flammes. Il avait déposé ses gants sur la première pierre, pour les faire sécher. Ses longues heuses de bœuf, raidies de gel, retroussaient aux orteils. Avec les éperons qui pendaient derrière, je trouvais que ses pieds ressemblaient à des serres. Je m'approchai doucement en fixant son visage.

J'avais appris à ne pas le distraire de ses méditations et à l'aborder discrètement. On le disait vieux. Moi, je ne pensais pas que cinquante-deux ans fût vieux. J'avais toujours vu le lieutenant Lennox les cheveux gris, la moustache aussi, le dos légèrement voûté et la démarche pesante. Je croyais que c'était là les attributs normaux d'un laird, propriétaire d'un domaine de plusieurs hectares et d'un troupeau de cent têtes de bœufs.

S'avisant de ma présence, il tourna lentement la tête de mon côté, me fit un sourire que démentait son front soucieux, puis reporta son regard sur les flammes en marmonnant une salutation. Je m'approchai, le saluai à mon tour et m'accroupis à ses pieds.

« Bonsoir père, commençai-je tranquillement. Dites-moi, aurons-nous un autre roi ? Oncle Innes dit que le roi est mort. Lui et mère en sont très malheureux. Êtes-vous malheureux aussi ?

– Je ne suis pas malheureux, Sorcha, bien que ce soit triste ce qui est arrivé », me répondit-il.

Il se pencha au-dessus de moi, tendit les bras et me souleva de terre. Je m'agrippai immédiatement à son cou, le cœur ravi. Ma mère n'aimait pas qu'il me prenne ainsi et le lui reprochait chaque fois, prétextant que je n'étais plus un enfançon. Il prit place dans son fauteuil et m'installa sur ses genoux en poursuivant ses commentaires sur l'événement.

« Oncle Innes et ta mère sont bouleversés parce qu'ils ont peur de ce qui va arriver maintenant. Vois-tu,

Sorcha, d'après ce que l'on sait, celui qui aurait assassiné le roi avait des complices dans les Highlands. Les répercussions du meurtre pourraient être désastreuses pour un des clans, dont celui de ta mère.

— Mais pas pour le clan MacNèil, père, n'est-ce pas ? »

Je savais que nous faisions partie du clan MacNèil de Mallaig et que son chef, le seigneur Iain, effectuait plusieurs missions pour le compte du roi dans les Highlands. On disait aussi que dame Gunelle, son épouse, entretenait depuis plusieurs années une correspondance assidue avec la reine. Grâce aux relations de mon père, laird et premier conseiller des MacNèil, notre famille ne devait pas être exposée aux représailles que l'assassinat du roi soulèverait parmi les clans des Highlands. Du moins, c'est ce que je croyais.

Mon père plissa les yeux et se mordit les lèvres. Sa réponse tardait à venir et je commençai à m'en inquiéter. Alors que je me concentrais sur sa bouche et serrais les revers de son pourpoint humide, impatiente qu'il reprenne la parole, il émit une explication que je ne compris pas sur le coup.

« Pas pour le clan MacNèil. Tu le sais, Sorcha, les MacNèil sont parmi les plus fidèles sujets du roi dans les Highlands. Le seigneur Iain va probablement participer aux recherches pour retrouver les coupables s'ils viennent à se réfugier chez des Highlanders. Dans les prochaines semaines, il sera très important pour tout le clan que rien ne puisse semer le doute sur son allégeance et le placer du côté des ennemis de la Couronne.

— Je vois, père », murmurai-je.

En réalité, à ce moment précis, je n'avais aucune idée de la menace qui planait sur le clan MacNèil, ni de cet incompréhensible tourment qui assaillait mon père, ma mère et mon oncle. Je quittai donc les genoux de mon père et gagnai les cuisines, attirée par la bonne odeur de galettes au miel qu'on y cuisait et décidée à oublier la question de la mort du roi, qui me dépassait complètement.

Ce n'est que le surlendemain que je saisis ce que mon père avait voulu me dire ce soir-là. Ce 24 février 1437, je me levai à l'aube, comme à tous les jours, et me rendis aux matines dans le bourg en compagnie de ma mère, de mon oncle Innes, de notre servante Finella et de l'écuyer qui menait notre voiture. Il faisait un froid à pierre fendre et je pestais contre ma cape qui était trop mince et trop courte pour me garder au chaud. Pourquoi n'avais-je pas comme damoiselle Ceit, la fille du seigneur MacNèil, un grand manteau doublé de vair ? Pourquoi n'avais-je pas non plus de souliers fourrés ? N'étais-je pas, aux yeux de ma mère, fille de noble ? Que ne me vêtait-on pas selon mon rang ? Je ruminais sur mon habillement et ratai ainsi plusieurs moments importants durant l'office dans la petite église, notamment l'élévation, manquement dont j'aurais à me repentir plus tard.

Sur le chemin qui nous ramenait à Morar, je décidai d'entretenir ma mère de la question de mes habits et elle me fit réellement bon accueil. J'avais présenté ma revendication de manière à flatter son orgueil et à stimuler l'intérêt qu'elle portait à toutes les marques confirmant le haut statut dans un clan, dont la tenue vestimentaire n'était pas la moindre. Quand nous pénétrâmes dans la cour, j'avais presque obtenu la promesse que l'on revoie le contenu de mon coffre, mais nous fûmes interrompues brusquement.

Un homme de la garde de mon père se rua sur notre équipage en réclamant de toute urgence ma mère et mon oncle Innes. Un cheval, que je ne reconnaissais pas, était dans un coin. De ses naseaux écumants et de ses flancs luisants de sueur s'élevaient des petits nuages de condensation ; cet animal avait dû arriver chez nous après une course. Mon oncle sauta de voiture et aida ma mère à descendre. Je restai là, assise avec Finella un court moment, vaguement inquiète. Je regardais ma mère et mon oncle se précipiter à l'intérieur du manoir et je me demandais quel genre de visiteur pouvait bien provoquer une telle agitation chez ses hôtes.

Je n'eus pas le loisir de rencontrer ce visiteur, propriétaire du cheval, car la salle était vide au moment de mon entrée. Ils étaient tous montés dans la chambre et la porte au bout de l'escalier était close. Finella semblait indifférente à l'événement ; elle se défit de sa cape et se mit tranquillement à son métier à tisser en m'invitant au travail d'un ton las.

D'un âge respectable, notre servante avait servi l'ancien maître de Morar, messire Aindreas, frère de Baltair l'Ancien, lequel avait dirigé le clan MacNèil avant le seigneur Iain. Je n'avais pas connu ce chef décédé bien avant ma naissance, mais on chérissait encore sa mémoire et tous vantaient sa grandeur.

Pour ce qui est du Aindreas en question, on lui faisait bien mauvaise réputation dans le clan, dont il avait d'ailleurs été chassé, et, de sa domesticité d'alors, Finella était la seule représentante. Au bourg, on racontait qu'elle avait supplié mon père de la garder quand il avait racheté le domaine d'Aindreas avant ma naissance. Encore aujourd'hui, elle vouait au lieutenant Lennox une éternelle reconnaissance et une admiration qui frôlait parfois l'adoration. Et, en fait, il me semblait que ma mère était souvent agacée par les sentiments que Finella nourrissait à l'égard de mon père.

Quant à moi, j'aimais la compagnie de cette femme, car son bavardage incessant alimentait ma curiosité sur le passé de Morar et de Mallaig. Comme ma mère venait d'un comté plus au nord et n'avait pas connu le clan MacNèil avant son mariage, elle était peu renseignée sur son histoire. En outre, elle était de nature secrète et n'avait pas l'immense talent de conteuse que possédait Finella. Malgré les fréquentes allusions de ma mère à ce sujet, le départ de notre servante m'aurait beaucoup déplu. Comme mon père ne le souhaitait pas plus que moi, rien de ce côté n'aboutissait et Finella demeurait avec nous, en toute quiétude.

« Viens ici, Sorcha, me dit-elle. Viens m'aider. Si tu veux un manteau doublé comme tu le demandes à ta mère, tu devras mettre la main au métier.

– Je ne porterai pas de tartaine. C'est juste bon pour les plaids ou les manteaux de nos hommes d'armes. Je porterai de la laine peignée d'Édimbourg ou du velours de Palma, comme dame Gunelle et damoiselle Ceit. S'il faut broder, je le ferai et je choisirai une broche d'Aberdeen dans le coffre de père. Voilà ! »

Pour l'heure, je n'avais nulle envie de tisser. Il me fallait connaître ce qui se tramait là-haut, et j'allai m'asseoir sur la dernière marche, dans l'attente que la porte s'ouvrît. Quand cela se produisit enfin au bout de deux heures, je n'étais plus là. Ma patience avait été vaincue et j'avais quitté la salle vers d'autres activités.

Le jour était sombre en ce début de matinée à Mallaig et l'unique fenêtre du bureau laissait filtrer une pâle lumière, obligeant les occupants à travailler à la lueur d'une lampe. À la table, dame Gunelle s'occupait des affaires du domaine, penchée sur le livre de comptes. Seuls les bruits discrets de sa plume griffant le papier et le crépitement du feu meublaient le silence qui régnait dans la pièce.

Assis devant l'âtre, Iain MacNèil activait les braises du bout du tisonnier, l'esprit ailleurs. L'assassinat du roi occupait toutes ses pensées depuis une semaine. Le Parlement n'avait pas tardé à déclarer l'assassin, Robert Graham, hors-la-loi. Sa tête et celles de ses complices étaient mises à prix. En sa qualité de chef du clan MacNèil et au nom de la loyauté qui le liait à la couronne d'Écosse, le seigneur Iain brûlait d'engager ses troupes dans cette chasse à l'homme. La position stratégique de Mallaig dans les Highlands faisait de son clan un allié tout désigné pour entreprendre les recherches, s'il s'avérait que Graham cherchait refuge dans le nord du pays. En effet, on disait l'homme soutenu par de nombreux chefs highlanders, qui étaient insoumis et ennemis jurés du roi. Les clans highlanders constituaient, depuis le début de son règne, le talon d'Achille du roi d'Écosse.

En évoquant le décès du roi Jacques, qui avait fait un court séjour à Mallaig et qui l'avait reçu en audience une douzaine d'années auparavant, Iain MacNèil se sentit envahi d'amertume. Les liens précieux tissés lentement entre Mallaig et la cour d'Écosse pouvaient se rompre au moindre revers politique. Il tourna la tête vers son épouse et vit qu'elle l'observait.

« Je songeais au roi, ma dame, comme vous sans doute. Au roi et à sa veuve, votre correspondante, laissa-t-il tomber. C'était un couple uni, n'est-ce pas, et lui, il a été un bon roi malgré tout ce qu'on lui reproche.

– Certes, mon seigneur. Vous avez raison. Que Dieu ait son âme ! Qu'Il prenne sous son aile la reine Jeanne et ses enfants. Que va-t-il désormais arriver au royaume ? »

Dame Gunelle déposa sa plume et contempla ses doigts tachés d'encre. Elle regrettait de ne pas s'être rendue à Perth pour les funérailles du monarque. Elle aurait eu l'occasion de rencontrer la reine au lieu de lui écrire une longue missive comme elle s'était résignée à le faire. Un concours de circonstances l'avait rivée à Mallaig. D'abord la maladie de leur chapelain, le révérend Henriot ; puis un revers amoureux de leur fille Ceit qui passait son dépit sur tous les habitants du château ; finalement, cette menace latente qui pesait sur leur clan chaque fois que le pouvoir royal était contesté dans les Highlands. À ce chapitre, son époux était inflexible et ne s'octroyait aucun déplacement hors du domaine quand les relations devenaient tendues entre les clans du nord et le sien. Une attaque du château faisait toujours partie des perspectives à envisager à Mallaig. Ces jours-là, où il tenait à défendre lui-même son bien et ses gens, il déléguait son cousin Tòmas aux différents endroits où sa présence était requise. Ce fut le cas pour les funérailles du roi Jacques dans les Lowlands.

Au bout d'un silence, Dame Gunelle reprit le cours de sa pensée à haute voix :

« Je me demande ce qu'il adviendra du petit Jacques et de la reine mère, mon seigneur. À sept ans, l'héritier est trop jeune pour régner, il a l'âge de nos bessons. Savons-nous quel seigneur sera nommé régent ?

– Non, mais nous ne tarderons pas à le savoir. Dès le retour de Tòmas, nous serons fixés sur cette question. Sur cette question et sur celle de Robert Graham et de ses complices.

– Que voulez-vous dire, mon seigneur, croyez-vous qu'ils ont déjà été capturés ? Ou bien le Parlement a-t-il renoncé aux poursuites ? Croyez-vous au soulèvement de la population en leur faveur, comme on l'a laissé entendre ?

– J'ai du mal à imaginer Graham à la tête d'un coup d'État. Il a beau être l'oncle du roi, il n'en demeure pas moins que c'est un fieffé coquin. Nous savons tous que le roi s'était fait bon nombre d'ennemis dans toute l'Écosse, dont certains parmi ses propres seigneurs. Mais de là à ce qu'un homme puisse réunir aujourd'hui un groupe capable de renverser le Parlement… il faut voir. Entre la bouche et la cuillère, vient l'obstacle. »

Iain MacNèil posa son tisonnier contre la pierre de l'âtre et se leva. Malgré sa stature plutôt moyenne, la largeur de ses épaules accentuait l'impression de vigueur et d'invincibilité que sa physionomie dégageait. Ses cheveux et sa barbe, encore très noirs à trente-six ans, lui conféraient un air à la fois jeune et redoutable. Il fit quelques pas dans la pièce jusqu'à la fenêtre.

« À mon avis, poursuivit-il, Graham va quitter Perth si ce n'est déjà fait. Ses jours sont comptés et ses protecteurs aussi. La question est de savoir quand et où il refera surface dans le royaume. Et si c'est dans les Highlands, le chambellan pourra compter sur moi et nos hommes pour le débusquer. »

En disant cela, Iain heurta vigoureusement le volet de bois de la fenêtre. Au même instant, comme répondant à un signal, son fils Baltair passa la tête dans l'ouverture de la porte. Les cheveux hirsutes, les yeux noisette pétillants, la tête bien ronde, il gardait à douze ans quelques traits empâtés de l'enfance.

« J'irai avec vous, père ! clama-t-il en entrant dans la pièce d'un pas décidé. Vous me laisserez monter votre cheval pommelé et vous me confierez une dague. Je chevaucherai parmi vos chevaliers et nous irons venger le roi au nom du clan MacNèil ! »

Dame Gunelle ne put réprimer un sourire. Au château, son fils n'avait d'yeux et d'intérêt que pour son père. Baltair le Jeune, comme on l'appelait à Mallaig, épiait sans cesse son père où qu'il soit, au donjon, au corps de garde, aux écuries ou dans le bureau, et, durant ses fréquentes absences, le garçon ne tenait pas en place, rendant la vie insupportable à la domesticité du château.

« Tu n'iras nulle part, mon fils, répliqua Iain Mac-Nèil. Je ne t'équiperai d'aucune arme et tu continueras à monter ta petite jument. Et si tu t'entêtes à espionner les conversations que j'ai avec ta mère, malgré l'avertissement que je t'ai déjà servi à ce sujet, tu seras corrigé et confiné en classe tout le jour avec tes frères. »

Le jeune Baltair se figea sur place. L'expression de son visage passa de l'enthousiasme à la surprise, puis à la déception. Il dévisageait tour à tour son père et sa mère, ne sachant devant lequel plaider sa cause. Il choisit d'affronter son père.

« Vous faites erreur, père, si vous croyez que je vous espionne. Il n'en est rien. Si je ne suis pas en classe, c'est que je n'y ai pas leçon en ce moment et j'ai l'autorisation de notre précepteur pour vous rejoindre… »

Se plantant devant Iain MacNèil, il poursuivit sur un ton décidé :

« Trois de vos six chevaliers sont entrés en apprentissage à mon âge, comme vous-même, m'a-t-on dit. Je désire commencer le mien avec vous. Aussi, je crois que vous devriez reconsidérer ma proposition de vous accompagner. J'ajouterais que mes progrès à cheval vous surprendront quand vous aurez l'occasion de les constater et que ma petite jument ne me convient plus. D'ailleurs, je crois que nous devrions la redonner à Ceit : elle ne s'entend avec aucune autre monture de votre écurie. »

Le seigneur Iain se détourna pour cacher à son fils le sourire moqueur que cette tirade avait fait naître sur ses lèvres. Au fond, il était particulièrement fier de l'audace et de l'aplomb de son aîné. Il croisa le regard de son épouse et vit qu'elle partageait le même sentiment. C'est en se forçant à adopter un ton sérieux qu'il invita le jeune garçon à le suivre aux écuries. Dans sa voix, il y avait un accent de défi dont Baltair ne perçut rien. Au contraire, le fils exultait en emboîtant le pas à son père ; il redressa les épaules et passa devant sa mère en lui décochant un sourire vainqueur, de ceux qui avaient le don de l'amadouer.

Dame Gunelle hocha la tête en signe d'impuissance : cet enfant pouvait faire ce qu'il voulait d'elle, tant son pouvoir de séduction et sa finesse d'esprit étaient grands. Le père et le fils quittèrent le bureau et elle referma le livre de comptes avec lenteur, songeuse.

Que ces treize dernières années avaient filé vite ! Déjà son fils premier-né était prêt à se former à la carrière de chevalier. Une vie rude d'entraînement au maniement des armes, aux combats, aux expéditions, aux joutes de toute nature, s'ouvrait devant lui. Elle ne put s'empêcher de frémir en imaginant tout ce que son fils aurait à affronter, exigences de sa mâle condition.

Puis, avec indulgence pour elle-même, elle se remémora l'année 1424, cette bouleversante année qui l'avait complètement transformée. Au prix d'une grande maîtrise de sa part et de beaucoup de peines, cette année charnière dans sa vie avait fait d'elle une femme mariée contre son gré ; une jeune châtelaine aux lourdes responsabilités sur un domaine divisé ; une innovatrice dans un milieu inculte qu'elle avait réussi à ennoblir. Partie du nid douillet de sa famille de riches commerçants des Lowlands à dix-neuf ans, elle avait subi à son arrivée dans les Highlands le choc de la rencontre avec une culture et une langue différentes. Elle avait vite appris que la vie y était une lutte contre des trahisons de toute sorte et un affrontement perpétuel avec les clans et elle s'était retrouvée au cœur d'un échiquier de jeux politiques où le pouvoir et les influences s'exercent sur une grande famille avec acharnement. Mais surtout, dame Gunelle avait découvert que la vie à Mallaig était une vie où les armes dominaient souvent l'instruction et où, parfois, l'appartenance au clan l'emportait sur la foi en Dieu.

Voilà tout ce que la vie d'adulte réservait à une jeune âme dans les Highlands. Dame Gunelle, née Keith, épouse de Iain MacNèil et châtelaine de Mallaig, soupira. Son fils s'apprêtait à franchir le seuil qui le séparerait dorénavant de l'enfance et elle doutait que son époux lui rendît la partie facile dans cette étape.

Elle quitta la table pour couvrir les braises dans l'âtre, prit la lampe et quitta le bureau dont elle referma la porte doucement, comme si elle tournait la page sur un épisode de sa vie et de celle de son fils.

Ce n'est qu'au soir, à table, que j'entendis parler du mystérieux visiteur. Il ne partageait pas notre repas, comme tout visiteur normal, mais s'était retiré dans la chambre ouest. Je compris qu'il s'agissait d'un oncle que je n'avais jamais vu, le cadet de la famille de ma mère, du clan MacDonnel de Loch Duich, à une trentaine de miles, un lieu où je n'avais jamais mis les pieds. Étrangement, personne à table n'avait l'air enchanté de sa visite. Au contraire, les conversations entre mes parents et mon oncle Innes étaient tendues et on faisait allusion au visiteur à demi-mot. J'en déduisis que sa présence à Morar était indésirable et, dès ce moment, cet énigmatique visiteur piqua ma curiosité.

Quand l'occasion m'en fut donnée, je me hasardai à demander si cet oncle était malade. D'un air extrêmement agacé, ma mère m'ordonna aussitôt de me taire. Mon père serra les mâchoires et n'ouvrit pas la bouche. Mon oncle Innes, voyant bien que je n'obtiendrais pas de réponse d'eux, entreprit de m'offrir une explication, longue à souhait, comme toutes celles qu'il donnait lorsque son opinion était sollicitée. J'appris ainsi peu de chose tant le fil de son histoire était embrouillé. Le nom de cet oncle était Eachan. Il avait fait une longue route, était très fatigué et devait dormir le plus possible ; ne pouvait se rendre dans sa famille pour je ne sais quelle raison ; allait demeurer à notre manoir quelque temps ; enfin et surtout, personne ne devait savoir qu'il était ici, car il était recherché par des brigands. Cette dernière information me fascina par-dessus tout, alors qu'elle aurait dû m'alarmer, comme le ton de mon oncle Innes me le laissait entendre :

« Tu n'as rien à craindre, Sorcha, conclut-il. Si nous gardons un parfait silence sur la présence de Eachan à Morar, les brigands n'en sauront jamais rien et ils ne viendront pas nous inquiéter. Tu comprends cela. Tu ne voudrais pas que notre jeune frère, à ta mère et à moi, soit pris ou battu ou pire encore. Bien sûr que non, n'est-ce pas, Sorcha ? Nous pouvons compter sur toi ?

– Certes, mon oncle », répondis-je, hésitante.

Ce faisant, je fixais mon père, espérant qu'il interviendrait pour confirmer la version qui m'était présentée ou pour émettre une recommandation sur la façon de me comporter avec ce Eachan. Mais rien ne vint de ce côté. Le lieutenant Lennox évita mon regard, repoussa son bol et se leva ; il quitta la salle sans saluer personne, accompagné d'un silence généralisé.

Un moment, je fus tentée de le suivre. Il s'isolerait sans doute dans sa chambre pour le reste de la veillée. Mais, en jetant un coup d'œil à ma mère et à mon oncle, je sentis qu'il fallait s'en tenir là. Je n'en apprendrais pas davantage d'eux. On ne m'avait pas formellement défendu d'entrer en contact avec le visiteur, mais je présumais que cette interdiction allait bientôt m'être servie.

Aussi, je décidai de faire une petite expédition à la chambre ouest à l'insu de tous, le soir même, aussitôt que je pourrais m'éclipser en douce. À mon avis, c'était la meilleure façon d'en savoir plus long sur cet étrange oncle en fuite qui avait choisi notre manoir pour se cacher.

J'attendis que Finella se soit assoupie avant de quitter notre lit et, comme à chaque soir, ce ne fut pas très long. Je ne pris pas de lampe afin qu'on ne remarquât pas mes déplacements et je contournai la salle où ma mère et mon oncle veillaient. J'empruntai, à tâtons, l'étroit escalier à vis, mes mains trouvant naturellement des repères sur les murs familiers. Mon cœur battait fort et j'avais le souffle court durant l'ascension silencieuse et obscure vers la chambre ouest. Là-haut, le froid me glaça. J'étais pieds nus sur les dalles de pierre et je regrettai amèrement de ne pas avoir enfilé mes chaussons d'agneau avant d'entreprendre mon expédition. Quand je levai les yeux sur le palier, une vive excitation s'empara de mon cœur en alerte : de la lumière filtrait sous la porte de la chambre. Ainsi, le dénommé Eachan ne dormait pas, ce qui était fort encourageant. Je ne savais pas si j'aurais osé le réveiller pour assouvir ma curiosité.

Je heurtai d'abord discrètement la porte, puis un peu plus fortement, à quelques reprises. N'obtenant pas de réponse, j'entrouvris doucement. Il était là, assis sur son lit et me fixait. Ses longs cheveux roux tombaient dans son cou. Du bas de sa chemise, ouverte sur sa poitrine nue, sortaient deux longues jambes couvertes de poils et des pieds fort sales. Je revins à son visage barbu et ne sus que lui dire comme salutation. C'est lui qui parla le premier :

« Bonsoir, petiote ; tu veux me rencontrer… Tu es curieuse à ce que je vois… »

Comme je ne disais mot, il poursuivit en me détaillant d'un regard perçant :

« Laisse-moi deviner : tu es la fille de la maison. Sorcha. C'est cela, la fille de ma sœur, tu es ma nièce. C'est bien cela, n'est-ce pas ?

– En effet, je suis Sorcha, messire Eachan. La fille du lieutenant Lennox. Et vous êtes pourchassé, et vous vous cachez à Morar, car les brigands qui sont à vos trousses ne songeront jamais à vous chercher ici. C'est bien cela, n'est-ce pas ? »

Oncle Eachan partit d'un grand rire. Un rire de gêne et de nervosité, me sembla-t-il. Il se leva, allongea quelques pas sans but, puis revint à son lit où il reprit place. Il frappa du plat de la main sur le drap, à côté de lui, en guise d'invite à m'asseoir, geste qui fit vaciller la flamme de la bougie placée tout près. Je n'avais pas l'intention d'accepter cette invitation, mais je m'avançai tout de même dans la chambre. Mon intuition me disait que je venais de lui présenter, sur sa présence au manoir, une version des faits différente de la sienne. J'étais intriguée et je vis immédiatement dans ses yeux qu'il l'avait compris. Je repris :

« On m'a dit que vous avez fait une longue route. J'ai vu votre cheval fourbu dans la cour ce matin : il doit être bien vieux, car Loch Duich n'est pas très loin d'ici, messire mon oncle…

« – Ha, ha ! Tu n'es pas très futée pour ne pas faire la différence entre un cheval et un destrier. Sache que j'arrive de Perth : j'ai parcouru plus de cent vingt miles en deux jours et une nuit. Pas mal, hein ? Je ne m'appelle pas Eachan* pour rien, damoiselle ma nièce. Et ma monture s'appelle Grad**. Bien malin qui pourrait nous rattraper lorsque nous déguerpissons d'un lieu. »

Il leva le menton d'un air de défi, me dardant un regard ironique : je l'avais piqué au vif en parlant de son cheval dont il était visiblement très fier. Cet échange sur ses prouesses équestres ne m'avançait guère quant aux motifs de sa fuite. Mais je ne savais comment continuer mon interrogatoire. Le silence tomba entre nous et je jetai des coups d'œil furtifs autour, à la recherche d'un élément qui aurait pu relancer la conversation ou éclairer ma curiosité. Oncle Eachan profita de la pause pour soulever le drap, glisser les pieds dessous, s'étendre et rabattre son plaid sur ses épaules. Il me signifiait ainsi que la rencontre était finie. Je n'eus aucune difficulté à le comprendre et me retirai en lui souhaitant une bonne nuit.

Je quittai donc la chambre ouest comme j'y étais venue, sans bruit et sans lumière. Mes pieds complètement gelés me faisaient mal et je me hâtai vers l'escalier que je dévalai en sautillant afin d'être le moins possible en contact avec les marches glacées. Une fois recroquevillée dans mon lit, je pris mes orteils entre mes mains pour les réchauffer en songeant à la chevauchée d'oncle Eachan. C'est alors que me revint un détail de notre

---

* Eachan (mot gaélique) : cavalier.
** Grad (mot gaélique) : rapide.

conversation : Perth. N'était-ce pas là qu'on avait assassiné le roi la semaine dernière ?

Je me sentis tout à coup mal à l'aise. Une idée prenait forme dans mon esprit : si oncle Eachan était l'un des complices du meurtrier qui venait chercher refuge dans les Highlands, comme mon père l'avait prévu ? Cela expliquerait qu'il ne puisse rentrer chez lui où la garde royale irait le prendre en premier lieu. Car, j'en étais soudainement sûre, il n'avait pas de brigands à ses trousses, mais les justiciers royaux. Dans ce cas, nous commettions une faute grave en hébergeant le fuyard et nous nous placions ainsi du côté des ennemis de la Couronne. Voilà sans doute pourquoi mes parents lui réservaient un si étrange accueil... Et voilà surtout ce à quoi mon père faisait allusion le jour de son retour. L'explication que je venais d'échafauder me sembla la bonne et mon estomac se noua. Sur ces inquiétantes pensées, je sombrai dans un sommeil agité jusqu'à l'aube blanche.

L'air était sec et piquant dans la cour du château de Mallaig. Un vent constant soulevait la crinière de l'étalon pommelé que Baltair venait d'enfourcher pour une démonstration qu'il avait négociée la veille. Le jeune garçon savait que son père l'examinait et que rien, aucune maladresse ou hésitation, n'échapperait à son regard expert. Il lui fallait être à la hauteur : il se mordit les lèvres et se concentra. Aussitôt que l'écuyer lâcha la bride, Baltair redressa les épaules, pressa les flancs de l'animal de ses genoux et le fit tourner sur lui-même. Il entendit aussitôt son père le héler :

« À main droite, Baltair ! Un destrier se mène de la main droite, la gauche porte l'arme. »

Il eut à peine le temps de corriger l'erreur que, du haut des remparts, une sentinelle commanda l'ouverture de la porte d'enceinte. Baltair venait de perdre l'attention de son examinateur, car le seigneur Iain se retourna et cria en direction du bastion qui surmontait la porte :

« Qui va là ?

– Votre laird de Morar, mon seigneur, lui répondit-on. Messire Lennox. Il descend du plateau sud, sans escorte. »

Le seigneur Iain leva un sourcil et se porta à la rencontre de son laird d'un pas tranquille. Pourtant, de si bon matin et en solitaire, cette visite l'intriguait.

Jamais démarche n'avait paru plus pénible au lieutenant Lennox. Chaque pas de sa monture sonnait le glas dans son cœur. En pénétrant dans l'enceinte, il aperçut d'abord, au fond de la cour, Baltair monté fièrement sur un destrier pommelé. La vue du jeune héritier lui remémora l'époque où il s'était attaché à Mallaig, peu après sa naissance. Du coup, il mesura l'étendue des années passées au sein du clan MacNèil.

C'était à l'hiver 1426 qu'il avait racheté son contrat de son ancien maître, Nathaniel Keith, père de la châtelaine de Mallaig, pour se mettre au service d'Iain MacNèil. Ce dernier l'avait vite établi dans son clan et élevé au rang de premier conseiller. Depuis, une grande estime commune les unissait. En fait, le lieutenant était plus fidèle au chef MacNèil qu'il n'aurait pu l'être au roi d'Écosse.

Il prit une profonde inspiration avant de saluer son seigneur qui s'avançait vers lui :

« Mes salutations et celles de ma maison, mon seigneur. Dieu vous protège !

– De même pour vous et les vôtres, Lennox, lui répondit Iain MacNèil en s'emparant de la bride. Que fabriquez-vous sur le chemin si tôt ? Et sans vos hommes… Ne me faites pas languir, vous apportez des nouvelles et, à votre mine, elles ne sont pas très bonnes.

– Je ne suis porteur d'aucune nouvelle », déclara Lennox en descendant de cheval.

Il plongea le regard dans celui de son interlocuteur et poursuivit sur un ton grave :

« Mon seigneur, sauf votre respect, j'ai pris une décision dont je viens vous faire part. C'est le but de ma visite. Ce que j'ai à vous dire ne concerne que nous deux. Voilà pourquoi j'ai choisi de me présenter ici seul. Pouvez-vous me recevoir ?

– Certes, Lennox, lui répondit Iain MacNèil. Comme vous le constatez, j'assiste en ce moment à un exercice équestre… »

Se tournant vers son fils avec un sourire dans la voix :

« Ce n'est pas tout à fait au point. Le cavalier manque de pratique. J'y reviendrai plus tard. Venez, pour l'heure, nous serons à l'aise dans la salle d'armes. »

Baltair, qui s'était avancé, eut le temps d'entendre la dernière phrase de son père avant que les deux hommes n'entrent dans le donjon. Il eut une moue de dépit et mit pied à terre. Il prit sa monture et celle du lieutenant Lennox par la bride et s'en alla d'un pas raide vers les écuries. Des larmes d'amertume lui montaient aux yeux. Il se hâta de les refouler avant que l'écuyer qui venait à sa rencontre ne les voie. L'instant suivant, lorsque Baltair confia les bêtes à ce dernier, il avait déjà échafaudé un plan pour imposer sa présence à son père. Il pénétra dans le donjon d'un pas plus léger.

Court mais très haut de plafond, le hall était occupé par un large escalier qui menait aux étages du donjon et il comportait trois portes d'arche ; la plus grande ouvrait sur la grand-salle, la plus petite, sur le bureau et la troisième, sur un corridor menant au corps de garde. Baltair hésita à peine entre ce dernier et la grand-salle. Pour se rendre aux cuisines, à la chapelle, à la classe ou à la salle d'armes, il fallait passer par la grand-salle. C'était le lieu de vie du château, celui de toutes les rencontres, des repas, des réceptions, mais surtout, c'était la pièce de prédilection de sa sœur Ceit. Elle avait établi là ses quartiers pour mener sa cour auprès des visiteurs, tyranniser les domestiques et régenter les allées et venues des membres de la famille. Depuis quelques semaines, les sautes d'humeur de la jeune femme avaient même chassé leur mère dans l'aile ouest du donjon, celle des dames, où la paix régnait en permanence. Comme Baltair n'avait pas le goût de se faire intercepter par sa sœur, il opta pour le corps de garde. Mal lui en prit, car c'est là qu'il croisa Ceit.

La jeune femme savait qu'elle ne devait pas se trouver dans cette partie du château réservée aux chevaliers et hommes d'armes. Elle pouvait compter sur leur discrétion, car sa position intouchable de fille du seigneur lui donnait un certain ascendant sur eux. Mais avec son frère Baltair, il en allait tout autrement : le garçon commençait à prendre ses distances et il échappait de plus en plus à sa domination. Ceit choisit le parti de provoquer la rencontre. Elle secoua ses longues tresses rousses et se composa un air admiratif qui accentuait l'irrégularité de ses traits, une malformation de naissance.

« Tenez, voilà notre jeune seigneur ! Je suis venue observer votre démonstration. C'est d'ici que nous avons la meilleure vue sur la cour. Ça n'a pas duré très longtemps, il me semble. Je crois que vous n'êtes pas très à l'aise sur le dos de cet animal... »

Se tournant vers les hommes qui les observaient, elle ajouta d'un ton perfide :

« Messires Giles, Ruad, Aodan et le chevalier Keir m'en faisaient la remarque, justement.

– Je suis davantage à ma place sur le dos du pommelé que vous ne l'êtes dans cette pièce, ma sœur ! Si vous ne vouliez rien manquer de la démonstration, comme vous le prétendez, vous n'aviez qu'à prendre votre cape et à vous rendre dans la cour. C'est certainement là que la vue est la meilleure. »

Assez satisfait de sa réplique, Baltair tourna les talons et fonça vers la grand-salle avant que sa sœur n'ait le temps de riposter. Il avait surpris quelques mines gênées parmi les hommes qu'elle avait pris à témoin, et cela lui donnait des ailes : il interprétait leur attitude comme la preuve qu'il pouvait en imposer par ses commentaires.

Orientée plein nord, la vaste salle d'armes du château de Mallaig recevait peu de lumière de ses trois hautes fenêtres en arc d'ogive. Pour l'éclairer, des torches de suif fichées dans chaque pilier étaient allumées dès le matin et y brûlaient jusqu'au coucher. Faisant toute la largeur du donjon, cette salle servait de tribunal local quand le seigneur exerçait la justice sur ses terres, était le théâtre des cérémonies d'adoubement, et de prêt de serment des serfs. Mais surtout, c'était là qu'avaient lieu les entretiens privés du chef du clan. En somme, c'était le refuge d'Iain MacNèil.

Chaque fois qu'il y entrait, il ressentait la présence d'une force, presque palpable, indéfinissable, latente. Venait-elle du souvenir héroïque de ses aïeux, les chefs qui l'avaient précédé à la tête du clan ou, encore, du poids des responsabilités inhérentes à son rôle ? Une impression de solennité s'emparait toujours de son cœur dès les premiers pas qu'il faisait dans la salle, puis elle se dissipait peu à peu. Or ce matin-là, l'impression ne le quitta pas pendant toute l'heure que dura l'audience avec le lieutenant Lennox.

Il avait entraîné ce dernier tout près de l'âtre où ils avaient pris place l'un en face de l'autre sur des bancs droits. Un silence oppressant s'était aussitôt installé, que le seigneur MacNèil n'avait osé briser, car son laird et conseiller semblait troublé et abattu. Iain MacNèil le vit sortir de son pourpoint une pièce d'étoffe pliée qu'il déposa sur ses genoux avec des gestes lents, presque empreints de tendresse. La voix rauque et hachée par l'émotion du lieutenant Lennox s'éleva enfin, alors qu'il dépliait ce qui s'avéra un blason brodé aux armoiries du clan MacNèil.

« Mon seigneur, j'ai porté fièrement vos couleurs depuis onze années, parmi les plus belles de ma vie. J'ai reçu dans votre maison estime, honneurs et acquisitions. La place que vous m'avez désignée dans votre clan est à tous points de vue enviable et je souhaite en avoir été digne jusqu'à ce jour. Cependant, je dois la quitter et c'est à regret, croyez-moi, que je le fais. Demeurer avec vous serait vous trahir. »

La pause qui suivit était chargée d'une si grande tension que les deux hommes retinrent leur souffle. Iain MacNèil ne s'attendait pas à une telle déclaration de son laird. Doutes, questionnements, peur, tristesse se bousculaient en lui. Perdre Lennox, son bras droit, ancien lieutenant de la famille Keith et fidèle escorte de son épouse, l'homme mûr et infaillible qui avait été son seul soutien quand était venu le temps de prendre les commandes du clan à la mort de son père ? Cette idée était intolérable. Incapable de soutenir le regard douloureux de son laird, il s'obligea à fixer les mains immobiles, posées à plat sur le blason.

« Je suis responsable de ce qui se passe sur mon domaine, poursuivit lentement le lieutenant, car tout ce qui est fait à Morar est réputé être fait en mon nom. Or un événement survenu hier au manoir fait que je serai bientôt identifié comme un ennemi de la Couronne. Je sais ce qu'il en coûte que la réputation d'un clan et celle de son chef soient ternies par un des siens. Je ne puis le permettre pour vous qui étiez dans les bonnes grâces du roi depuis si longtemps. Alors, je n'ai d'autre choix que de renoncer à vos armoiries, mon seigneur. Jamais je n'accepterais de vous placer dans la position de devoir me bannir.

— Lennox, mon ami, êtes-vous bien certain qu'il n'y a pas moyen d'éviter cela ? insista le seigneur Iain. Êtes-vous si sûr que notre clan sera atteint par votre supposée déconfiture ?

– Aussi vrai Mallaig sera la place forte d'où partiront les troupes levées par le chambellan pour venger la mort du roi dans les Highlands, aussi vrai Morar sera ciblé comme un repaire. Je ne puis en dire plus, mon seigneur, je suis lié à la famille de dame Angusina, mon épouse. Aussi, faites-moi la grâce de respecter mon silence sur mes raisons. »

Iain MacNèil n'était pas homme facile à convaincre et il argumenta longtemps avec son laird pour trouver une solution et infléchir sa décision. Mais, à la fin, il dut se résoudre à accepter cette démission qui le déchirait. C'est la mort dans l'âme qu'il recueillit le blason azur et orpiment qui ornait depuis tant d'années le surcot de son grand ami et conseiller.

Chapitre II

Quitter le manoir

Je ne revis jamais ce curieux jeune oncle dont j'avais brièvement fait la connaissance, le soir du 24 février 1437. J'appris bien plus tard qu'il avait été pendu avec les complices de Robert Graham, l'assassin du roi. Ma curiosité d'alors m'avait coûté une nuit blanche, truffée de suppositions et d'inquiétudes peu appropriées à mon âge. Au matin, on avait décidé de mon sort : j'étais séquestrée dans ma chambre, sur ordre de mon père.

Privée d'explications, je ne pouvais que m'imaginer les raisons qui motivaient le lieutenant Lennox à limiter mes déplacements dans le manoir. Je les jugeai aussitôt en lien direct avec la présence de messire Eachan dans la chambre ouest. Finella, qui resta avec moi pendant les deux jours que dura ma réclusion, n'était guère renseignée sur ce qui se passait avec le visiteur. Cependant, elle apprit des autres domestiques que mon père s'était rendu seul à Mallaig et en était revenu fort abattu ; que ma mère avait pleuré sans discontinuer durant les deux jours ; que mon oncle Innes n'avait pratiquement pas quitté son frère dans la chambre ouest ; et que la garde du manoir avait été renforcée, comme à la veille d'une attaque.

J'avais épuisé tous les jeux, fait tous les travaux d'aiguille en cours, filé quelques fuseaux sur le rouet de Finella, abondamment prié et passablement caressé le chat, quand arriva enfin le dimanche libérateur. On vint nous chercher, Finella et moi, pour entendre la messe au bourg en compagnie de mes parents. Contrairement à l'habitude, oncle Innes ne nous escortait pas à cheval avec mon père. Il devait sans doute demeurer au manoir auprès de son frère Eachan.

Mille questions me brûlaient les lèvres, mais je n'osais les adresser ni à ma mère, ni à mon père qui chevauchait à portée de voix, de mon côté de la voiture. L'air fermé et rébarbatif de l'un comme de l'autre bloquait toute envie de converser avec eux. Je gardai donc silence durant tout le trajet, épiant les moindres signes susceptibles d'éclairer ma lanterne.

Je remarquai ainsi quelques détails qui m'étonnèrent : mon père ne portait plus les armoiries du clan MacNèil sur son surcot et ma mère était sortie sans parure ; la boucle en or qui refermait habituellement son pectoral de fourrure avait été remplacée par une autre en étain. Sur le parvis de l'église, elle ne mit pas la main à son aumônière pour en sortir un ou deux sous à offrir aux frères mendiants comme elle ne manquait jamais de le faire. Elle semblait très tendue, l'œil aux aguets, les lèvres pincées, redoutant peut-être qu'on ne l'abordât.

À notre entrée dans l'église, je me glissai tout près de mon père dans l'espoir qu'il m'entraînât avec lui en avant, du côté des hommes, ce qu'il faisait parfois, au grand déplaisir de ma mère. Il surprit mon manège et me lança un pâle sourire, d'un air presque douloureux. Mon cœur trembla. Je glissai ma main dans la sienne et elle disparut, emprisonnée dans son large gant. J'ignore pourquoi j'eus, à ce moment précis, l'impression que j'assistais à mon dernier office religieux avec lui.

Non loin de nous, je repérai quelques domestiques du château de Mallaig qui nous dévisageaient. Étrangement, je trouvai qu'ils affichaient des mines de suspicion. J'aurais aimé apercevoir damoiselle Ceit dont je ne me lassais pas de détailler la tenue. Depuis un an, elle fréquentait l'église du bourg plutôt que la chapelle du château pour ses dévotions, ce qui m'avait donné des occasions presque quotidiennes de la croiser. On disait qu'elle organisait des rencontres avec son soupirant à l'église communale, loin des regards de sa famille. Selon Finella, l'élu de son cœur était le fils du prévôt de Moidart. Dans mon souvenir, ce gentilhomme avait très fière allure. Mais, comme nombre d'autres avant lui, il avait préféré faire sa cour à quelque fille moins bien nantie mais pourvue de jolis traits au lieu du faciès ingrat qu'avait malheureusement la fille du seigneur Mac-Nèil.

En effet, toute bien vêtue qu'elle était et assurée d'une intéressante dot en tant que fille du chef, damoiselle Ceit n'avait pas encore trouvé de mari à dix-neuf ans. J'étais persuadée que sa laideur y était pour quelque chose. Je la jugeais en effet hideuse, et Finella prétendait qu'elle était presque sourde. Avec un tel manque d'attributs, je ne m'étonnais pas qu'elle perdît un à un ses prétendants.

À un moment donné, mon père, ayant sans doute surpris ma rêverie, se pencha vers moi et m'intima l'ordre d'écouter la messe. Je me concentrai aussitôt sur les psaumes que l'abbé récitait en latin d'une voix à peine audible et je me rapprochai discrètement de mon père. Mon épaule touchait son vêtement et je fermai les yeux pour goûter ce contact. Comme j'aspirais à parler avec lui ! Comme j'aurais aimé qu'il me dise ce qu'il pensait de messire Eachan et qu'il m'explique pourquoi j'avais dû garder la chambre deux jours !

« Dieu tout-puissant, murmurai-je, ouvrez la bouche de mon père. Qu'il me raconte ce qui se passe au manoir ! Que je sois digne de recevoir ses secrets et ses tourments, car je sais qu'il se morfond. N'êtes-Vous pas Celui qui libère les âmes ? Alors, libérez le lieutenant Lennox, je Vous en fais la prière, moi, votre fervente petite Sorcha de Morar.

— Sorcha, me glissa mon père à l'oreille, ce que tu demandes à Dieu, tu peux me le demander à moi. Ne viens-tu pas de l'implorer que je te parle ?

— Si fait, lui répondis-je en levant des yeux remplis d'espoir.

— Je vais te recevoir dès notre retour au manoir. Maintenant, entends les oraisons. Ne fais pas défaut au Créateur. »

La première chose que je vis en entrant dans le manoir, ce fut les coffres : celui de ma mère et le mien. Ils étaient sanglés et prêts à être chargés. Nous partions donc en voyage, songeai-je, mais pour où ? Ce qui m'intrigua davantage, ce fut, entassés tout à côté de la porte, des meubles de ma mère : son bahut, son prie-Dieu, deux chaises et son pupitre portatif avec le nécessaire pour écrire. Qu'est-ce qu'ils faisaient là ? Allait-on emporter tout ce mobilier en voyage ? Cela me paraissait invraisemblable. Mon attention fut vite détournée par mon père qui m'entraînait dans la salle pour notre entretien. Je sentis mon cœur s'emballer.

Il marcha droit à la niche de la fenêtre et s'installa sur le rebord, adossé au mur. Je m'assis naturellement en face de lui et j'attendis qu'il prît la parole. Son air grave me sembla de mauvais augure. Lorsqu'il commença à me parler, il tourna les yeux vers la fenêtre, si bien que je ne pus rien surprendre dans son regard qui m'aurait renseignée sur son humeur. J'appris en quelques minutes que nous quittions Morar, ma mère et moi, ce jour même, et que nous nous rendions au couvent Sainte-Marie, sur l'île d'Iona. Je pensai immédiatement à un pèlerinage au célèbre monastère, un vœu cher à ma mère et dont elle parlait souvent. Mais je fus vite détrompée. Il s'agissait plutôt d'un séjour d'une longueur indéterminée, ce qui expliquait qu'on avait descendu ses meubles avec les coffres.

Je m'imaginai que cette retraite à Iona avait pour but de me faire instruire et je m'en flattai. Ainsi donc, l'école du bourg que je fréquentais depuis quatre ans ne suffisait plus. J'étais devenue trop âgée pour côtoyer fils et filles de manants dans les mêmes classes. Mon père aurait pu choisir de me faire venir un précepteur, comme c'était la pratique au château de Mallaig ou, encore, de m'envoyer en éducation chez une duchesse ou une comtesse, comme il était coutume de faire avec les jeunes filles bien nées, ce qui d'ailleurs m'aurait énormément plu. À l'évidence, ces solutions n'avaient pas été retenues et le couvent allait être le lieu de mes prochaines classes.

Néanmoins, la perspective d'un intéressant voyage me captivait au point de reléguer au second plan mon enquête sur l'oncle Eachan. Je n'y repensai d'ailleurs plus. Je ne me formalisai pas non plus qu'on ait choisi, pour mettre en œuvre ce projet, un moment de l'année si peu propice aux déplacements sur les routes. Ces détails m'échappèrent complètement, toute tournée que j'étais vers l'expédition et ses promesses de découvertes. Ne m'en allais-je pas prendre la mer pour la première fois de ma vie et voir enfin le reste du monde ? Cette idée m'enchantait.

Le départ était imminent, car nous n'avions que deux jours pour nous rendre en voiture jusqu'au village de Corran, sur le loch Linnhe, où une barge nous embarquerait pour nous conduire à l'île d'Iona. Je n'eus pour ainsi dire plus le temps de m'interroger sur l'étrange et subite décision de m'envoyer étudier au couvent, car nous partîmes dans l'heure. Ma mère entra dans la salle au moment où l'entretien avec mon père se terminait et je me précipitai vers elle, désireuse de partager mon enthousiasme. Elle m'accueillit avec un sourire crispé. Elle avait eu le temps de se changer et portait ses vêtements les plus chauds : une houppelande doublée de lièvre sur un bliaud de laine et, entourant sa tête bien serrée, une guimpe de drap flamand. En examinant son visage, je me rendis compte qu'elle avait pleuré.

« Monte à ta chambre, Sorcha, me dit-elle. Finella va t'aider à te préparer pour la route. Tu feras tes adieux à ton père dans la cour...

– Comment ! m'écriai-je ébahie en me tournant vers mon père. Vous ne nous accompagnez pas ?

– Je ne le puis, ma fille, dit-il d'une voix triste. Je suis désolé. Vous serez escortées par mes hommes et un chevalier de Mallaig. Il n'y a aucun danger et Dieu vous protégera. Monte maintenant, fais ce que ta mère te demande. »

Du coup, toute ma joie s'envola. Certes, j'étais triste de m'éloigner de mon père et ce devait être la même peine qui affectait ma mère, mais un autre sentiment me tenaillait, indéfinissable, comme celui qui m'avait envahie à l'église communale un peu plus tôt ce matin-là. J'eus un pincement au cœur en gravissant les marches vers ma chambre et je ne fus même pas surprise d'y trouver Finella en pleurs. « Décidément, pensai-je, ce voyage ne se présente pas de très heureuse façon. »

Que les adieux avec les gens du manoir furent expéditifs ! Un vent humide balayait la cour, où nous étions entassés autour de l'équipage, la brise soulevait nos capes sous lesquelles le froid s'engouffrait. Était-ce cette bourrasque qui faisait larmoyer Finella, serviteurs et servantes, ainsi que mon oncle Innes, quand ils nous embrassèrent chacun à leur tour ? Possible. Nous échangeâmes nos vœux pour la nouvelle année*, tous conscients que nous ne serions pas ensemble pour cette fête. Quant à mon père, il salua très succinctement ma mère et s'autorisa à me faire une brève accolade en me murmurant tout bas :

« Que Dieu te garde dans Sa sainte protection, Sorcha, et qu'Il te fasse la grâce de te soutenir en tout temps,

_____

* Au Moyen Âge, l'année commençait le 25 mars en Écosse.

afin que tu sois et demeures digne de Lui et du nom que tu portes.

— Jamais je ne ferai quoi que ce soit qui puisse ternir votre nom, père. Je reviendrai d'Iona si instruite et si savante et d'une manière dont vous serez si fier que vous n'aurez pas à regretter de m'y avoir envoyée. N'est-il pas vrai, mère ? »

Ma question demeura sans réponse : ma mère s'était déjà installée au fond de la voiture, le visage fermé, les yeux baissés sur ses gants.

C'est ainsi que nous quittâmes Morar, ce dimanche 27 février 1437, dans une voiture chargée comme celle d'un marchand, escortées par quatre hommes d'armes et par le chevalier Alpin de la famille MacNèil. Aussi longtemps que l'angle de vue me le permit, je regardai le manoir s'éloigner lentement. Je ne me doutais pas alors que je n'allais jamais y revenir.

Sur tout le mur sud de la chambre du seigneur Iain, courait une immense tapisserie de laine, commandée à grands frais au marché d'étoffes de Hambourg. Elle était suspendue sur une tringle fixée au plafond par de longs crochets, de sorte qu'elle ne collait pas à la pierre du mur et ainsi ne moisissait pas. Une fente au milieu ouvrait sur l'unique porte de la pièce. Iain MacNèil ne quittait pas cette fente des yeux, tandis qu'il relatait à dame Gunelle sa rencontre de la veille avec le lieutenant Lennox.

Il désirait lui parler en tête-à-tête, prévoyant le choc que la perte de cet homme allait lui causer. Son épouse était en effet très attachée au lieutenant Lennox. Ce dernier, après avoir quitté jeune l'armée, avait continué de porter le titre de lieutenant et s'était mis au service de la famille Keith, au moment de la naissance de dame Gunelle.

Une autre raison motivait le seigneur Iain à s'entretenir en privé avec son épouse. La conversation qu'il avait eue la veille avec le lieutenant Lennox était extrêmement lourde de conséquences. Il voulait que son épouse soit la seule à connaître ces informations. Iain MacNèil accordait à son épouse une confiance absolue et il la tenait dans le secret d'un grand nombre de ses affaires.

« Mon seigneur, n'y a-t-il aucune manière qu'ils puissent demeurer sous votre protection, lui, dame Angusina et leur fille ? demanda dame Gunelle d'une voix oppressée.

– Je sais qu'il vous manquera et il me manquera à moi aussi, ma dame. N'en doutez pas ! Mais sa décision est estimable et la meilleure pour nous tous. Pour les siens aussi. En retournant au service de l'armée, il s'assujettit au Parlement. En envoyant son épouse et sa fille au couvent, il leur assure une protection qu'il n'aurait pu leur offrir lui-même. En cédant son domaine à la Couronne, il prend le pas sur la justice. Voyez, ma dame, d'où qu'on examine la situation, Lennox choisit la seule issue honorable. Je ne sais pas quand il quittera Morar, mais je doute que vous le revoyiez avant son départ... »

Accablée, dame Gunelle se leva de sa chaise et fit quelques pas. Elle savait que son mari avait raison, mais la séparation d'avec le lieutenant l'affligeait à tel point qu'elle avait du mal à raisonner. Elle s'approcha de l'âtre dont le linteau richement sculpté montait à la hauteur de son front. Elle caressa d'une main tremblante les volutes qui l'ornaient. Le grain de la pierre était chaud et sec et le miroitement des flammes le rendait presque vivant. Que n'aurait-elle donné pour que le lieutenant n'ait jamais épousé celle qui, par sa famille, l'obligeait à renoncer à son titre, à ses liens et à son domaine. Un flot de larmes montait du cœur de dame Gunelle, mais elle n'eut pas le temps de le déverser.

Son mari s'était emparé de la grande pelle à ramasser les braises et longeait le mur de tapisserie qu'il frappait à tout venant, d'un bras énergique.

« Que faites-vous là, mon seigneur ? lança dame Gunelle d'une voix inquiète.

— Je dépoussière, ma dame. Dieu sait ce qu'il en sortira ! Une servante, un chien, un chat, un rat peut-être ? »

« Aie ! Cessez ! » entendit-on bientôt. Le seigneur Iain suspendit son geste, la tapisserie ondula lentement et Baltair apparut à l'autre bout de la pièce, dans l'angle que le mur formait avec l'autre.

« Maintenant, auras-tu l'audace de m'affirmer que tu ne m'espionnes pas ? fit le seigneur Iain d'un ton courroucé.

— Père, je ne l'affirmerai pas, ce serait mentir, répondit Baltair avec l'air de défier son père. Et vous le savez, je ne mens pas. Je préfère être un espion qu'un menteur. Où voulez-vous me punir ? Ici, avec cette pelle, devant ma mère, ou avec un bâton dans la grand-salle, devant mes frères et les domestiques ?

— Ni l'un ni l'autre, Baltair le Jeune, répondit son père d'une voix coupante. Puisque tu te crois devenu un homme, tu auras sept coups de fouet que je te donnerai au corps de garde, devant mes chevaliers et gens d'armes. »

Au château, le fouet était réservé aux adultes. Le garçon blêmit et se mit à trembler légèrement en apprenant la sanction, mais il ne broncha ni ne baissa les yeux ; au contraire, il soutint le regard furibond de son père. Il entendit sa mère étouffer un cri et la vit se retourner vers l'âtre, masquant son visage derrière ses mains. Le long voile pourpre de sa coiffe oscillait doucement dans son dos. Alors, Baltair se surprit à penser que sa mère ne pouvait désormais plus rien faire pour lui. Il venait de passer du côté des hommes.

À la fin de la journée, notre équipage fit halte à mi-chemin de son itinéraire au château de Glenfinnan, la demeure d'un laird du clan MacNèil chez qui messire Alpin nous introduisit. Tandis que j'ouvrais grand les yeux en traversant les hautes pièces aux plafonds peints, fascinée par ce décor nouveau, ma mère s'entretenait avec la châtelaine, une femme élancée et fort élégante. Quand j'examinai avec attention les deux femmes, je notai que ma mère avait perdu son air mortifié et faisait montre d'une grande civilité, voire presque de gaîté en parlant de notre voyage. Je m'étonnai quelque peu de ce changement d'humeur, puis reportai mon attention sur les nombreuses personnes qui se trouvaient là.

Deux fillettes retinrent en particulier mon attention. Elles nous furent présentées comme Rhona et Sine, les filles de la maison, et, aussitôt, elles me prirent en aparté. Elles devaient avoir à peu près mon âge et je n'eus aucune difficulté à leur faire la conversation. Croyant que je fréquentais régulièrement le château de Mallaig, duquel Morar était le plus proche voisin, elles me questionnèrent avidement sur ses habitants, plus précisément sur Baltair le Jeune. Je les déçus beaucoup en avouant que je n'avais jamais vu aucun des trois fils du seigneur Iain. En revanche, j'aurais aimé partager mes impressions sur damoiselle Ceit, l'aînée de la famille, mais les deux filles de Glenfinnan ne la connaissaient guère. Tout ce que nous pûmes en dire n'ajoutait pas grand-chose à ce que je savais déjà sur elle.

On me fit souper avec les deux fillettes dans leur chambre, et je ne revis pas ma mère qui fut invitée à dormir dans la grand-salle avec les hôtes. Plus curieuse et plus encline au bavardage que sa sœur, Rhona me révéla les raisons de leur grand intérêt pour l'héritier MacNèil. Au cours de la soirée, je compris qu'elles voulaient toutes les deux l'épouser, tellement il était beau, riche et valeureux. Je manquai de pouffer de rire devant cette adoration béate pour un garçon sans barbe au menton. En pensant à ma mère, je me souvins du grand intérêt qu'elle portait aux mariages et reconnus que Rhona et Sine lui auraient donné beaucoup de satisfaction si elles avaient été ses filles.

Au moment de nous mettre au lit, nous nous tressâmes les cheveux pour la nuit, l'une derrière l'autre. Je fermais la marche, tressant Sine qui tressait Rhona. Elles se passaient un joli miroir incrusté de nacre que leur père leur avait offert et s'admiraient tout au long de l'opération. D'un magnifique blond, leurs cheveux ondulés mettaient en valeur leurs yeux bleus et encadraient harmonieusement leur figure ronde au teint rosé. Quand ce fut mon tour d'être nattée, c'est Rhona qui s'en chargea et elle me tendit le miroir. Je le mis devant mon visage et me comparai à elles deux. Avec mes cheveux raides et noirs, mon front haut et étroit, mes yeux bruns, mes pommettes saillantes et mon menton volontaire, je ne me jaugeai pas l'égale des deux beautés de Glenfinnan.

Du jour où il fut fouetté par son père, Baltair n'eut plus à espionner celui-ci. L'épreuve, loin de le discréditer, lui fournit l'occasion d'impressionner par son courage tous ceux qui y avaient assisté : chevaliers de la maison, hommes d'armes et, surtout, le chef du clan.

D'un pas mal assuré, le jeune garçon s'était avancé dans le corps de garde, suivi de son père muni du fouet. Légèrement tremblant, il s'était dévêtu seul devant l'assemblée des hommes muets et s'était résolument penché sur un tréteau, dans une attente faite à la fois d'inconscience et de crainte. Ce qu'il ne savait pas alors, c'est que le bourreau était habité par la même peur que lui.

Iain MacNèil regrettait de s'être laissé guider par la colère dans le choix de la correction de Baltair et il aurait donné beaucoup pour n'avoir jamais prononcé une telle sentence. C'est pourquoi il s'appliqua à fouetter le plus rapidement et le moins fort possible afin d'atténuer le supplice de son fils. Il tenta même d'abréger la punition en s'arrêtant au cinquième coup mais, à son grand désarroi, il fut rappelé à l'ordre par le garçon qui se mordait les lèvres pour ne pas crier.

« Père, vous ne pouvez arrêter maintenant, il manque deux coups…

— C'est suffisant pour le moment, avança prudemment le seigneur MacNèil.

— Je vous prie de me les donner de suite, père, répondit Baltair sans se retourner. Après, je ne sais lequel de nous deux ne pourra pas terminer la punition. »

Iain MacNèil pâlit et, en évitant de croiser le regard de témoins, il s'exécuta. Les deux derniers coups de fouet claquèrent dans un silence absolu, enveloppé du respect de dix-huit hommes admiratifs. Puis, Baltair ramassa ses vêtements en se retenant de gémir de douleur et quitta le corps de garde, tête baissée. Réfugié dans la chambre qu'il partageait avec ses frères alors en classe, il donna enfin libre cours à ses larmes. Ceit vint ensuite le rejoindre avec une pommade qu'elle lui appliqua doucement sur le dos, sans prononcer un seul mot. Un silence dont son frère lui fut reconnaissant.

Quand, quatre jours plus tard, le chambellan d'Écosse et ses hommes en expédition contre les assassins du roi arrivèrent à Mallaig, Iain MacNèil fit quérir son fils afin qu'il assistât aux entretiens dans la salle d'armes. Baltair se présenta, sérieux, la tête haute, le dos raide, les poings serrés, l'air résolu. Il resta debout, au fond de la salle, l'assemblée étant uniquement composée d'hommes d'armes, dont la moitié armoriés de la couronne d'Écosse et l'autre, à l'effigie du clan MacNèil.

Baltair apprit avec stupéfaction que l'un des assassins fugitifs avait trouvé asile à Morar, chez le lieutenant Lennox. Entre son père et le comte-maréchal qui dirigeait la garnison royale, il fut longuement question de la façon dont on interviendrait, du moment propice pour investir le manoir, de la part que prendraient les hommes du chambellan et ceux de Mallaig dans l'arrestation et, finalement, du sort qui serait réservé au maître de Morar et aux gens de sa maison.

En voyant son père insister pour mener lui-même l'assaut contre le manoir de Morar, Baltair comprit, malgré son jeune âge, dans quel impitoyable dilemme il était plongé. D'une part, il importait au chef du clan de démontrer sa foi et son appui inconditionnel à la Couronne et, d'autre part, il lui fallait minimiser autant que possible la complicité dont serait accusé le lieutenant Lennox, si l'on retrouvait bel et bien un des assassins du roi sous son toit.

La conversation que Baltair avait surprise dans la chambre de ses parents quelques jours plus tôt, et qui lui avait mérité le fouet, revêtit soudain sa véritable signification : le clan ne répondait plus du lieutenant Lennox, son père devait abandonner son principal conseiller, le manoir de Morar serait confisqué par la Couronne et le domaine, démantelé.

Les discussions se poursuivirent une bonne partie de l'après-midi et le garçon fut soulagé de voir son père aboutir à un compromis avec le comte-maréchal. Rien ne serait tenté avant le lendemain et la garnison royale demeurerait au château pour la nuit. Durant les pourparlers, Baltair avait senti le regard froid et énigmatique de son père peser sur lui à maintes reprises. Pourquoi l'avait-il fait venir ? Que lui voulait-il ? La même attitude se répéta au souper autour de la table où on l'avait fait asseoir parmi les chevaliers, ce qui avait provoqué une crise de jalousie chez ses deux frères, Dudh et

Malcom, âgés de huit ans, obligés de souper aux cuisines avec les servantes.

Pendant toute la soirée, il eut le pressentiment que son père attendait quelque chose de lui, mais il était bien en peine d'imaginer ce que c'était. Aussi se tenait-il discret, attentif aux conversations et observateur. Il décela ainsi chez les hommes du comte-maréchal une certaine méfiance envers ceux de Mallaig. On se surveillait du coin de l'œil, de part et d'autre, et dans la grand-salle les entrées et sorties de toute personne provoquaient de la nervosité dans les deux camps. Il régnait une tension presque palpable entre hôtes et invités, et Baltair cherchait à en percer la raison.

Comme il était coutume de le faire avec les visiteurs au château, les hommes du comte-maréchal furent invités à dormir dans la grand-salle. Quand vint le moment pour chacun de s'installer ou de se retirer pour la nuit, Iain MacNèil prit son fils à part, derrière un pilier, pour un entretien qui dura à peine trois minutes. D'une voix sourde où perçaient des accents d'angoisse, il lui demanda d'aller prévenir le lieutenant Lennox :

« Écoute bien, Baltair, je ne vais pas te répéter ce que j'ai à te dire. Alors, ouvre grand tes oreilles d'espion. En ce moment, nous sommes tous surveillés et j'ai un message à passer au lieutenant Lennox. C'est toi qui vas le lui porter s'il est encore à Morar. Tu es le seul à pouvoir sortir du château sans que cela paraisse louche. Prends la porte dérobée dans le mur d'enceinte ouest, ensuite la passerelle au-dessus du torrent et file au bourg en empruntant le chemin de la falaise. Là, enfourche la première monture que tu trouveras et galope à Morar. Dis au lieutenant que je prendrai la tête de la garnison royale qui entrera au manoir demain, je l'espère, sans coup férir. S'il y est, je devrai m'en saisir et il demeurera sous ma surveillance à Mallaig. Quant à ses beaux-frères, s'ils sont toujours là, ils seront capturés par le comte-maréchal et emmenés à Perth, sur-le-champ. Tu as compris ?

— J'ai compris, père, dit Baltair.

— Fais vite, il faut que tu sois de retour dans une heure ! Tu reviendras te coucher ici parmi les hommes, le plus discrètement possible. Personne ne doit savoir ce que tu fais. Maintenant, va, je t'attends ! »

Baltair crut bien que son cœur allait éclater tant son émotion était vive. Il avait très chaud et ses oreilles bourdonnaient alors qu'il se faufilait au fond de la cour vers la poterne ouvrant sur la passerelle. Il était investi d'une mission ! Voilà enfin que se dévoilaient les intentions de son père à son égard et il était le seul tenu dans le secret. Son père ne l'avait-il pas de nouveau traité d'espion en lui confiant le message ? Malgré le sérieux de la situation, Baltair se prit à sourire et redressa les épaules : « Il me traite comme un de ses hommes », songea-t-il avec fierté.

D'une main habile, il fit coulisser la chaîne qui actionnait la passerelle et elle s'abaissa rapidement dans un bruit métallique aussitôt couvert par le ressac des flots juste au-dessous. Là-haut, sur les remparts, aucune sentinelle ne remarqua la manœuvre. La descente vers la plage à travers les rochers fut également aisée. Au bourg, cependant, dénicher une monture s'avéra une tâche plus ardue que prévu et il perdit de précieuses minutes à inspecter les étables les plus proches où il n'y avait que des mulets. Il eut la bonne idée d'aller à l'échoppe du forgeron, car, avec un peu de chance, il savait y trouver là un ou deux chevaux à ferrer.

Il ne s'était pas trompé, mais il fut quand même surpris de la facilité avec laquelle il put s'emparer de la première bête à sa portée, lui passer la bride et l'entraîner dehors, le tout, sans éveiller âme qui vive. Gagner le manoir de Morar fut un jeu d'enfant et la courte chevauchée nocturne lui parut presque agréable malgré le froid pénétrant.

Le premier obstacle à sa mission se présenta dès son arrivée. Le manoir était entouré d'une palissade de bois fermée d'une porte à deux battants. Baltair avait oublié ce détail. À une heure aussi tardive, il semblait inutile d'appeler pour qu'on ouvrît. Il entreprit de longer le mur, à la recherche d'un moyen pour s'introduire à l'intérieur de l'enceinte. Il aperçut bientôt une brèche au ras du sol, suffisamment large pour lui livrer passage. Il mit pied à terre, enroula la bride de sa monture autour des branches d'un arbrisseau et se glissa sous la palissade.

Trois constructions se partageaient la cour : une écurie, un four et le manoir lui-même, un édifice de deux étages. Tous ses volets étaient clos et Baltair ne décela aucune lumière. Encore une fois, il hésitait à simplement frapper au vantail de la porte pour signaler sa présence. Aussi, choisit-il de contourner le manoir et d'essayer les différentes ouvertures qu'il rencontrerait. Il passa sous une fenêtre basse d'où il perçut nettement des pleurs. Il tendit l'oreille et détermina qu'il s'agissait d'une femme, ce qui l'encouragea immédiatement à frapper au volet. Il ne fut pas long à obtenir une réponse :

« Qui va là ? s'enquit une voix féminine inquiète.

– Baltair le Jeune, dame. Ouvrez-moi. Je dois parler au lieutenant de suite ! »

Finella entrouvrit lentement un volet et glissa un œil au-dehors. Il faisait trop noir pour qu'elle pût distinguer son interlocuteur, mais le timbre de voix de ce dernier trahissait son jeune âge et c'était suffisant pour la rassurer sur l'arrivant.

« Pauvre damoiseau, murmura-t-elle, mon maître n'est pas là. Il est parti hier à Stirling, pour se mettre sous les ordres de l'armée écossaise et se battre contre les Anglais. Je crois bien qu'il ne reviendra pas de sitôt et je me désole de son absence. »

Après un bref silence, elle poursuivit sur le même ton chuchotant :

« Ma maîtresse, dame Angusina et damoiselle Sorcha sont parties elles aussi, pour le couvent Sainte-Marie d'Iona. Et gardes, serviteurs et servantes ont tous été renvoyés. Il ne reste plus ici que messire Innes, le frère de ma maîtresse. Voulez-vous lui parler, mon jeune seigneur ?

– Vous êtes seule avec lui au manoir ? » s'enquit Baltair, poussé par la curiosité.

Finella se demandait si elle devait révéler la présence de l'autre messire, sur laquelle sa maîtresse lui avait fait promettre de garder le secret. Repensant à l'attitude fermée de son maître envers cet homme, elle se dit que le chef du clan MacNèil avait le droit de connaître le fait et elle résolut de se confier au fils.

« Nous avons un visiteur depuis maintenant une semaine. Un dénommé Eachan. Il serait apparenté à messire Innes et à ma maîtresse. Je crois qu'il est blessé, car il ne quitte pas la chambre. Mon avis est qu'il se cache de sa famille. Mais, je ne sais rien. Depuis deux jours, ils restent à l'étage, lui et messire Innes. Je suis toute seule en bas. Mon maître a dit qu'ils allaient peut-être partir et il m'a demandé de garder la maison. C'est bien ce que je fais. Pour combien de temps ?... ha ! C'est ce que j'aimerais savoir, par la sainte Trinité.

– Je vous remercie, dame, de m'avoir renseigné. Hélas, je ne peux m'attarder davantage. Dieu vous protège et vous garde en Sa sainte miséricorde ! souffla Baltair.

– Vous de même, mon bon jeune seigneur. Au revoir ! » eut-elle à peine le temps de lancer avant qu'il ne disparaisse.

Fort satisfait d'avoir accompli sa mission, Baltair refit le chemin inverse à pas feutrés, sortit du domaine et enfourcha le cheval. Fébrile, il pressa les flancs de la bête et fonça dans la nuit noire en direction du bourg.

Là-bas, il eut plus de difficulté à rentrer le cheval au bercail qu'il n'en avait eu à l'en sortir. En effet, son retour ne passa pas inaperçu : réveillé par le bruit des sabots une demi-heure plus tôt, le forgeron avait eu le temps de constater la disparition du cheval et il s'apprêtait à ameuter les voisins quand arriva Baltair.

« Ha ! Voilà le coquin qui m'a volé un cheval, clama-t-il. Je vais crier au voleur, mon bonhomme, et appeler le prévôt !

– N'en faites rien, messire, s'empressa de dire le garçon en mettant pied à terre. Je suis Baltair le Jeune, et je ne vous ai rien volé. Voyez plutôt, je vous rapporte le cheval que j'ai seulement emprunté.

— Tu n'es pas le fils du seigneur. Il possède son propre cheval. Tu es un petit mécréant qui se fait passer pour qui il n'est pas ! J'appelle !

— Non ! Taisez-vous, messire. Regardez-moi ! Vous me connaissez…

— Par tous les saints, s'exclama le forgeron en dévisageant Baltair, je ne vous avais pas reconnu ! Que faites-vous à pareille heure en dehors du château, sur ce canasson ? »

Baltair se sentit piégé. Il ne pouvait se permettre de dévoiler au forgeron le but de sa sortie. Il soutint le regard intrigué que l'imposant homme fixait sur lui, dans l'attente d'une réponse. Son cœur palpitait et ses mains devinrent moites. Dans un ultime effort de concentration, il trouva une excuse, qu'il espéra plausible.

« Voilà, messire. Je suis sorti en cachette du château pour me rendre au domaine du lieutenant Lennox… heu, pour voir sa fille. Je n'ai pas l'autorisation de mon père, aussi, je vous serais très reconnaissant de ne rien lui dire quand vous le verrez.

— Ha ! c'est qu'il est précoce, notre jeune seigneur… Comme le fut son père ! Il n'a pas douze ans et il courtise une fille, de nuit ! »

Le forgeron s'esclaffait en se tapant sur les cuisses, à grand renfort de rires gras entremêlés de jurons. Il en pleurait presque et Baltair, désemparé et insulté, ne savait que dire pour le faire taire. Il prit le parti de l'apostropher, ce qui était la solution la plus expéditive :

« Plaît-il, messire le forgeron ! J'ai douze ans faits. Si ma requête vous incommode, dites-le simplement. Vous n'êtes pas obligé de vous moquer de moi. D'ailleurs, je ne vous dérangerai plus avec cela, car damoiselle

Sorcha a quitté Morar. Je devrai me contenter de lui écrire désormais. Adieu ! »

Le ton de Baltair produisit son effet. Le forgeron se ressaisit et fit un louable effort pour retrouver son sérieux. Prenant les brides du cheval, il offrit son concours au garçon :

« J'allais vous le dire, mon jeune seigneur. Damoiselle Sorcha est partie dimanche dernier avec sa mère pour un pèlerinage à Iona, paraît-il. C'est ce que les femmes du bourg racontent. Ne vous fâchez pas, je ne voulais pas vous blesser. Que voulez-vous qu'un brave homme comme moi comprenne dans les amours d'un seigneur ? Rien, bien sûr… Ne vous inquiétez pas pour votre père, je garderai le secret. De plus, si vous voulez acheminer des lettres en douce au couvent, je peux vous arranger cela. Je connais bien un des passeurs pour l'île d'Iona.

– Je vous remercie, répondit aussitôt Baltair, soulagé. Je vais y réfléchir. Il faut que je file, messire. À bientôt ! »

En regagnant le sentier de la falaise, Baltair se mordit les lèvres. Il n'avait pas l'habitude d'inventer des histoires pour couvrir une bêtise et celle qu'il venait de servir au forgeron l'embêtait. Pourquoi avait-il parlé d'une fille qu'il n'avait jamais vue, ne connaissait que de nom et à qui il venait en plus de s'engager à écrire ? « Ce forgeron est assez malin pour m'obliger à continuer la plaisanterie, songeait-il. Il va falloir maintenant que j'écrive à la gamine pour camoufler la mission de cette nuit… »

Quelques minutes plus tard, enroulé dans un plaid, Baltair rendit compte de son aventure à son père, à voix basse pour ne pas réveiller les dormeurs dans la grand-salle. Il ne lui cacha pas le dernier épisode avec le forgeron et grimaça de dépit en entendant son père l'exhorter à correspondre avec la damoiselle :

« Qu'y a-t-il de mal à écrire à une fille au couvent, Baltair ? Absolument rien. Ton alibi est parfait, mon fils, et cette fouine de forgeron va s'en tenir à ton explication sans chercher plus loin. C'est très bien. Je suis parfaitement satisfait de la manière avec laquelle tu as conduit ta mission. À part ce forgeron et la servante à Morar, personne ne t'a vu. Tu es remarquablement discret quand tu veux. Félicitations, Baltair !... »

Iain MacNèil passa la main sur l'épaule de son fils qu'il serra fermement un court instant, en guise de reconnaissance. Puis il se retourna sur le dos en fixant le plafond plongé dans la pénombre et eut une pensée pour son ami et conseiller, Lennox. À son avis, ce dernier avait pris la bonne décision en quittant Morar aussitôt après sa femme et sa fille. Il poussa un soupir de soulagement avant de s'abandonner au sommeil.

Dame Gunelle ne sut pas exactement ce qui se tramait dans la grand-salle ce soir-là. Elle avait cependant compris que son mari jouait le destin du lieutenant Lennox et de sa famille. Elle avait également saisi que son fils aîné était requis par son père. Avec la garnison du comte-maréchal dans les murs, le château de Mallaig semblait quasiment assiégé.

Comme ses devoirs de châtelaine requéraient d'elle une discrétion absolue, elle s'était retirée pour la nuit avec sa fille Ceit, sitôt le souper terminé. La jeune femme se fit tirer l'oreille et c'est bien à contrecœur qu'elle regagna l'aile des dames avec sa mère.

Ceit avait tendance à tourner autour des chevaliers et hommes d'armes, provoquant gêne, embarras et parfois rixes. Ce n'était plus la jeune fille de quinze ans qui s'enfermait des jours entiers dans la chambre des dames, à l'abri des taquineries de ses frères, pour se délecter de lectures romanesques : les vers du poète Chaucer et l'histoire des amants célèbres Lancelot et Guenièvre ou Tristan et Iseut. Depuis ces années-là, elle était passée à l'action et cherchait un mari avec acharnement, au péril de sa réputation.

Un triste sourire se dessina sur les lèvres de dame Gunelle alors qu'elle observait le manège de sa fille qui faisait les cent pas dans la chambre, le port altier, la tête souvent rejetée en arrière dans une volée de boucles rousses, le corps mince et délié, l'air de défi en permanence sur son visage aux traits inégaux. Ceit pestait contre la situation, d'une voix haut perchée et trop forte, comme c'était son habitude pour contrer son audition défectueuse :

« Mère, pourquoi faut-il toujours que votre mari me ferme la grand-salle quand elle est remplie d'hommes ? Et des hommes appartenant à la maison royale de surcroît ; habitant tous les Lowlands, et pas un seul que je connaisse ! Comment voulez-vous que je trouve un mari si vous vous appliquez, vous et mon père, à me cacher ?

– Nous ne te cachons pas, ma fille, intervint dame Gunelle, d'une voix posée. Une opération est en cours au château entre ton père et la garde royale, et les femmes ne sont pas admises dans ce cercle. Tu es injuste, Ceit : ton père t'a présentée à un si grand nombre de gentilshommes depuis trois ans que tous les Highlanders libres de la péninsule t'ont probablement rencontrée chacun au moins dix fois.

– Ha, certes ! Ils m'ont tous rencontrée ! La belle affaire ! Les deuxièmes de famille de tous les clans, des sans héritage, des secrétaires, des demi-barons, des troubadours qui ne possèdent ni la chemise qu'ils portent ni le rebec dont ils jouent ; ou, mieux encore, les prétendants de Kyle, marchands de laine, de fromage ou de je ne sais quoi encore ! Sans oublier le maquignon d'Oban, ce rufian qui a un revenu inférieur à quinze livres par an ; ou bien ce vieux grincheux de connétable d'Ardgour, avec son pauvre douaire de vingt-deux arpents et ses barriques de bière, comme si c'était là le prix de la fille du seigneur MacNèil de Mallaig ! Où sont donc passés les marquis et les comtes promis ? Je vous le demande. Croyez-vous un seul instant, mère, que votre seigneur et maître m'ait sérieusement cherché un mari ? Ha, mais ne répondez pas ! Je sais ce que vous allez encore me dire. Figurez-vous que j'ai une autre idée. Je crois, moi, que le chef du clan MacNèil ne fera pas la moitié, le quart, dis-je, des tractations pour marier sa bâtarde qu'il en fera pour l'avancement de son fils aîné, ou même de ses deux bessons…

– Silence, Ceit ! Je t'interdis de discréditer ton père, l'interrompit dame Gunelle d'une voix courroucée. Si c'est tout ce que tu as à dire, tu es mieux de te taire, ma fille ! »

D'un bond, la mère s'était levée de son fauteuil et placée devant sa fille, la fusillant du regard, les poings fermés, les bras bien serrés le long du corps pour retenir la gifle que Ceit méritait de recevoir. Les deux femmes se toisèrent un long moment en silence et ce fut la fille qui baissa les yeux la première. Soudain vidée de toute sa verve, elle contourna le rouet et se tassa dans un fauteuil face à l'âtre, en ramassant ses jupes autour de ses genoux.

Dame Gunelle poussa un long soupir et ferma les yeux. Combien de discussions stériles allait-elle encore avoir avec la jeune femme outrecuidante qu'était devenue sa fille adoptive ?

Enfant, Ceit avait été longue à apprivoiser. La malformation de son visage, sa demi-surdité et son état d'orpheline s'étaient combinés pour la rendre sauvage à l'égard des étrangers. Et étrangère, combien dame Gunelle l'avait-elle été à son arrivée à Mallaig ! Avec une patience infinie, la jeune châtelaine avait réussi à apprendre à parler à la petite qui n'avait alors que six ans. Gunelle et Ceit s'étaient tant et si bien liées d'amitié que, l'une favorisant l'adaptation de l'autre, elles parvinrent en une saison à prendre leur place au château, à donner leur pleine mesure, à susciter le goût du travail et de la persévérance chez tous ses habitants et à leur inspirer le respect. Mais l'intérêt que dame Gunelle portait à Ceit avait surtout amené son indomptable mari, le seigneur Iain, à reconnaître sa paternité, puis à adopter officiellement l'enfant, allant jusqu'à l'inscrire comme héritière aux registres de la famille.

Mais, hélas, cette victoire de dame Gunelle, alors menée pour le statut de l'enfant illégitime, lui imposait, une douzaine d'années plus tard, de payer un lourd tribut : subir jour après jour les inconduites, revendications, blâmes et l'ingratitude de cette même enfant.

Dame Gunelle reprit place dans son fauteuil et regarda fixement sa fille. Comment en était-on arrivé là ? Où avait-elle failli dans son rôle de mère adoptive et de protectrice ? Ne s'était-elle pas chargée elle-même de donner à l'enfant la meilleure éducation ? Le succès qu'elle avait remporté dans son enseignement avait d'ailleurs été prodigieux. Trop peut-être. Du jour au lendemain, la petite Ceit avait reçu considération et admiration. D'enfant négligée et orpheline, elle était devenue fille de seigneur, instruite, choyée et adulée. Ses peurs s'étaient transformées en défis, son isolement s'était transformé en point de mire et son médiocre avenir, en un destin enviable. « Quel destin est réservé à Ceit ? se demanda dame Gunelle. Moi, à son âge, j'étais couventine à Orléans. Qui alors aurait prédit que je deviendrais châtelaine dans les Highlands ? Quant au mariage, ayant atteint l'âge de dix-neuf ans, je pensais bien l'avoir évité. Mais Ceit, elle, ne veut toujours pas y renoncer. »

« Dites-moi, mère, combien de prétendants votre famille vous a-t-elle présentés avant que vous ne fixiez votre choix sur mon père ? demanda soudain Ceit.

– Aucun, ma fille.

– Comment ? Vous n'avez reçu les hommages de personne d'autre que d'Iain MacNèil ? »

Dame Gunelle sourit. Jamais elle n'avait parlé avec sa fille du contexte qui avait présidé à son mariage. Un mariage arrangé entre hommes d'affaires et auquel il ne lui était jamais venu à l'idée de se refuser, bien que son cœur y fût fortement opposé. Une fille ne devait-elle pas obéissance à son père sur terre, comme à celui au Ciel ?

« Je n'ai même jamais reçu ses hommages avant de l'épouser », répondit dame Gunelle, un brin d'ironie dans la voix.

Perspicace, dame Gunelle vit qu'elle pouvait intéresser sa fille avec ce sujet et influer sur ses opinions. Elle entreprit donc de raconter sa propre histoire d'amour avec tout ce qu'elle contenait de secrets, d'espoirs déçus et de découvertes. Il était fort tard quand les deux femmes se dévêtirent, firent leurs prières, soufflèrent les chandelles et se mirent au lit. Cette nuit-là, alors qu'une fine pluie descendait sur la péninsule de Mallaig, les habituels rêves romanesques de Ceit prirent une tournure plus réaliste.

CHAPITRE III

RENCONTRER UN MOINE PÊCHEUR

Le lendemain, lorsque nous eûmes repris notre route, les conversations que j'avais eues à Glenfinnan me donnèrent matière à réflexion. Pourquoi Rhona et Sine m'avaient-elles si bien crue dans l'intimité de la famille MacNèil ? Aurais-je dû fréquenter son château et la connaître mieux ? En y repensant, je compris que les deux filles m'avaient perçue comme appartenant à une famille de même rang que les MacNèil et, de surcroît, dans leur voisinage immédiat. Détenions-nous réellement cette position dans le clan ? La question m'absorba un long moment avant que je ne m'en ouvre à ma mère.

Notre équipage longeait le loch Eil et le paysage n'offrait rien de spectaculaire : un défilé de monts gris et de plateaux rocheux piquetés de troupeaux de bœufs qui cherchaient leur maigre pâture au grand vent. Depuis notre départ de Glenfinnan, nous n'avions croisé aucun hameau, aucune ferme, aucun voyageur. Les hommes qui nous escortaient chevauchaient plus loin et devisaient entre eux. Le chevalier de Mallaig se détachait parfois du groupe et poussait plus avant en reconnaissance, mais il ne menait jamais sa monture à notre hauteur. Quant à notre cocher, à en juger par son attitude, il devait somnoler.

C'est également ce que fit ma mère, calée dans son manteau et enveloppée d'un large plaid. Nous roulions sur un terrain particulièrement inégal et je profitai d'un cahot qui secoua la voiture pour la bousculer et la réveiller.

« Pardonnez-moi, mère, lui dis-je aussitôt. Je suis maladroite. Je m'étais levée pour mieux voir et je suis tombée sur vous. Vous dormiez, je pense.

— Ce n'est rien, ma fille, laisse. Nous n'avons que cela à faire, dormir ou prier.

— Nous pouvons causer aussi, si vous le voulez, lui proposai-je en replaçant mon plaid sur mes genoux. J'ai beaucoup apprécié notre visite à Glenfinnan. Comment avez-vous trouvé le château et sa châtelaine ? Vous sembliez bien la connaître.

— C'est vrai. Je l'ai maintes fois rencontrée : à deux ou trois occasions chez elle ; une fois à Morar, quand tu étais très jeune. Mais le plus souvent à Mallaig, au cours des réceptions données par le seigneur Iain. Tu sais, Sorcha, la châtelaine de Glenfinnan est devenue une dame très influente dans le clan MacNèil. Presque autant que l'est dame Gunelle.

— Ses filles sont très jolies aussi, ne pensez-vous pas ? Elles s'imaginent, je ne sais pour quelle raison, que vous m'emmenez souvent à Mallaig. Je me pose d'ailleurs la question. C'est vrai, mère, pourquoi ne vais-je jamais au château ?

— Parce que ce n'est pas ta place et que ton père ne le souhaite pas, me répondit-elle sur un ton ennuyé. Le lieutenant Lennox aime garder ses distances par rapport à son maître et c'est probablement mieux ainsi. Moi-même, je ne vais à Mallaig que pour remplir mes obligations envers le chef du clan et sa dame. C'est quelque chose que tu devras apprendre, ma fille : le rang que tu occupes. Il n'y a pas plus grande humiliation que d'être refoulé d'un groupe en raison du milieu auquel on appartient... »

Elle se perdit, et me perdit aussi, dans un long discours sur les liens de parenté au sein d'un clan ; les différents rangs et titres qu'on pouvait y détenir ; le genre d'influences et de protections dont jouissaient ou ne jouissaient pas les personnes de sa connaissance, lesquelles m'étaient étrangères pour la plupart. De tout cela, je ne retins qu'une chose qui en expliquait une autre : je n'étais pas du même rang que les filles de Glenfinnan dont le père, Raonall, était le cousin du seigneur Iain, et, par conséquent, elles avaient, au contraire de moi, leurs entrées à Mallaig. Dépitée, je ruminai cette conclusion jusqu'à Corran. Là, nous nous embarquâmes pour l'île de Mull, puis de celle-ci nous prîmes une barge pour traverser à la sainte île d'Iona.

Avec un maçon qui venait travailler à l'abbaye, nous fûmes les seuls occupants de la barge que menaient deux passeurs dans les eaux tumultueuses du détroit. Durant notre longue approche de l'île d'Iona, ils nous racontèrent que la saison des pèlerins commençait en mai pour se terminer en octobre et que, entre-temps, bien peu de visiteurs traversaient sur l'île. Sise à la toute extrémité de l'archipel de Mull, battue par les vents et les pluies glaciales, la sainte île m'apparut longue et brumeuse. Où que l'on posât le regard, il n'y avait que de l'eau, des rochers et du ciel gris. Ce premier mars 1437, en foulant les galets de la grève où nous accostâmes, je sus que la plaine de Morar allait me manquer.

Nous n'avions rien mangé depuis le matin, ma tête tournait et j'avais le pied peu sûr. Suivant ma mère de quelques pas, je trébuchai sur le chemin raboteux qui grimpait lentement vers le sommet de l'île. Nous croisâmes deux hautes croix sculptées d'entrelacs, qui marquaient le chemin des pèlerins. Peu à peu nous apparut un premier édifice de pierres roses formé par quatre longs bâtiments à deux étages : le couvent Sainte-Marie. Captivée, je ne vis pas les ronces qui émergeaient de la route et je culbutai, faisant un accroc à ma tunique. Je ne dis mot et retins les larmes qui avaient envahi mes yeux. J'éprouvais un étrange sentiment de désolation. Derrière nous suivaient les passeurs et le maçon chargés de nos biens qu'ils transportaient sur leurs épaules. La petite procession silencieuse que nous formions me sembla lugubre.

L'accueil au couvent ne fut guère plus gai que notre accostage. La porte percée d'un large judas donnait sur le bâtiment sud. Elle s'ouvrit d'elle-même quand nous l'eûmes atteinte, signe que notre arrivée avait été repérée. Sans nous adresser une seule parole, la portière, une moniale plus petite et plus âgée que ma mère, nous fit entrer dans un étroit vestibule, referma la porte en la barrant et nous entraîna dans le corridor jouxtant le cloître jusqu'à la chapelle. Un silence parfait régnait en ces lieux, nous forçant à limiter le plus possible le bruit que nous faisions en nous déplaçant. Nous empruntâmes ensuite un étroit et abrupt escalier qui montait à l'étage. Nos porteurs éprouvèrent des difficultés à l'escalader avec nos meubles et bagages et ils laissèrent échapper un ou deux jurons à peine audibles. Là-haut, la moniale enfila un corridor au bout duquel elle s'arrêta. Elle se retourna vers nous qui la suivions pas à pas et elle nous indiqua une porte ouverte, puis fit signe aux hommes de déposer leur fardeau. Sitôt fait, elle les escorta en sens inverse vers la sortie.

Nous nous retrouvâmes tout à coup seules parmi nos effets. Ma mère leva un sourcil et me chuchota de l'aider à les rentrer. J'étais fatiguée et je m'exécutai sans broncher. Notre cellule ressemblait à celle des recluses aux portes des cathédrales. Tout juste si elle faisait vingt pas par dix ; pas de cheminée, ni de tapis sur son plancher de bois, ni de cuvette pour l'eau. Une minuscule fenêtre avec volet ouvrait sur le détroit et l'île de Mull, large d'un mile. Une literie de lin garnissait deux lits placés tête à tête. J'avoue que le dépouillement de cette loge m'étonna et dut également surprendre ma mère, mais elle ne le fit pas voir.

Notre installation terminée, nous nous hasardâmes dans le corridor au plafond bas et aux murs blanchis. Il n'y avait apparemment pas d'autres cellules semblables à la nôtre. Nous ne vîmes qu'un dortoir flanqué de latrines et d'un bain. Nous redescendîmes au rez-de-chaussée et longeâmes le cloître, faisant le tour de la petite cour intérieure et de son jardin. L'église et la chapelle formaient le bâtiment nord du couvent. Le bâtiment ouest avait deux étages : au niveau du sol, il y avait, en enfilade, un atelier, une bergerie-poulailler et des voûtes de rangement pour les denrées et, au-dessus de celles-ci, un entresol inoccupé au moment de notre arrivée, qui servait d'hostellerie aux voyageuses en pèlerinage. Vu sa fonction, cette longue pièce ne possédait pas d'accès depuis l'intérieur du couvent, et on devait y monter par un escalier en bois accroché au mur extérieur sud de l'édifice.

Guidées par le chant des moniales, nous abordâmes le bâtiment sud du quadrilatère que formaient les ailes du couvent et atteignîmes le réfectoire où les religieuses étaient réunies à cette heure du jour. Une odeur d'oignon et de chou flottait dans la vaste pièce au bout de laquelle se trouvait un imposant foyer avec crémaillère : le réfectoire servait également de cuisine. Trois assez larges fenêtres à battants l'éclairaient. Ce jour-là, le ciel bas livrait peu de lumière et l'assemblée était plongée dans la pénombre. Je suivis ma mère qui pénétra dans la pièce sans hésiter.

Debout, à l'extrémité d'une table massive sur laquelle étaient déposés bols d'étain et couverts en bois, une grande moniale présidait. Elle semblait être la dirigeante du chant, car à un signe discret de sa tête ses huit consœurs se turent. Se tournant dans notre direction, elle nomma d'une voix *recto tono* les religieuses qu'elle pointait de la main, sans les regarder et elle termina par elle-même : sœur Béga d'Islay, l'abbesse de ce couvent depuis quatre ans. Puis elle nous présenta :

« Dame Angusina et sa fille Sorcha, du comté de Ross », annonça-t-elle en promenant un regard circulaire sur le groupe de femmes qui hochèrent doucement la tête en guise de salutation.

Je sourcillai. Morar était dans le comté de Knoydart et non dans celui de Ross qui se trouvait plus au nord. Je jetai un bref coup d'œil à ma mère pour voir si elle allait corriger l'erreur, mais elle ne dit mot. D'ailleurs, personne n'ouvrit la bouche durant ces succinctes présentations et le silence me créa un certain inconfort. Ainsi, les neuf moniales et la servante réunies dans ce réfectoire composaient tout l'effectif du couvent, ce qui équivalait exactement à la moitié des gens qui vivaient à Morar. En examinant les religieuses, j'eus le pressentiment que j'allais beaucoup regretter la petite société du domaine de mon père. Nous étions, ma mère et moi, les seules pensionnaires ou visiteuses.

Comme je fus déçue du couvent Sainte-Marie ! Moi qui croyais m'y retrouver parmi des jeunes filles nobles, parées et savantes, circulant au milieu d'un scriptorium chauffé ou, encore, penchées au-dessus de copies de manuscrits célèbres, s'instruisant auprès de préceptrices chevronnées dans l'art de l'écriture, du chant, de la musique et de la broderie. Mais hélas, il n'y avait rien de tout cela à Iona !

Le soir de notre arrivée, quand je voulus partager mes impressions avec ma mère dans le secret de notre cellule, je me heurtai à son mutisme. Elle hocha lentement la tête en fermant les yeux et s'agenouilla pour prier. Je ravalai mes commentaires et ma déception et me mis au lit, enveloppée de ce silence pénétrant.

À Sainte-Marie, les journées s'égrenaient dans le froid et le calme oppressant, toutes pareillement remplies de travaux et de prières, sans qu'aucun événement ne vînt briser l'austère routine. Au lever, à la cinquième heure du jour, les prières de matines suivies de la toilette et de l'entretien du réfectoire ; à la septième heure, les prières de prime et la messe dans la chapelle, ce qui nous amenait au déjeuner et aux lectures ; à la neuvième heure, l'office de tierce à la suite duquel nous nous acquittions des travaux de couture ou du lavage des draps et du linge ; puis à la onzième heure, les prières de sexte suivies du maigre dîner de légumes bouillis et des travaux au potager ou à la bergerie-poulailler. L'office de none, à la quinzième heure, nous ramenait à l'église pour le récit des psaumes qui était suivi du souper. Finalement, les vêpres récitées à la dix-septième heure s'éternisaient avec de longues stations agenouillées durant lesquelles je tombais littéralement de fatigue.

Par la suite, les moniales et la prieure se rendaient au chapitre, une petite salle adjacente à l'église, dotée de bancs de pierre construits à même les murs. C'est dans cette étroite pièce que les religieuses se réunissaient quotidiennement pour les échanges relatifs à la vie de leur communauté. En notre qualité de visiteuses, nous n'y participions pas, ma mère et moi, et nous nous retirions dans notre cellule. Enfin, pour clore la journée, à la dix-neuvième heure, venaient les complies, dont j'étais dispensée en raison de mon âge. À la vingtième heure, toutes les occupantes de ce couvent étaient couchées, enveloppées du seul bruit de la mer et du vent.

Peu après minuit, deux cloches nocturnes s'appelaient discrètement dans l'air pur : celle de notre chapelle et celle de l'abbaye, à mille cinq cents pieds au nord du couvent. Elles sonnaient la vigile. Alors les moniales se relevaient pour ces prières qui duraient près d'une demi-heure dans la chapelle, mais auxquelles nous n'assistions jamais, ma mère et moi.

Même si je partageais la même cellule qu'elle, j'avais peu d'échanges avec ma mère. Le silence, première règle monastique, commença à me peser et me rendit vite nerveuse. Je brûlais tellement du désir de parler que souvent je ne pouvais m'empêcher de marmonner en travaillant. Je m'efforçais de n'être pas entendue afin d'éviter les réprimandes.

Étrangement, nous ne recevions ni ne donnions de nouvelles. Je n'entendais plus parler de mon père, de Morar, de Mallaig ou même du roi et de son successeur. Ma mère était la seule personne qui m'adressait la parole, mais elle avait beaucoup changé sur le plan de la conversation. Quand je lui posais des questions relatives à notre retour, elle se contentait de hocher la tête et de pincer les lèvres.

Elle parlait le moins possible et semblait bien s'accommoder de notre vie monastique. La lecture des livres saints la captivait au point qu'elle y consacrait les quelques heures de liberté que nous avions le dimanche, seule journée de la semaine où les travaux ne nous appelaient pas. De plus, il n'était jamais question pour moi de leçons en quelque discipline que ce soit. Rien ne s'ajoutait donc aux connaissances que m'avait transmises le frère à l'école du bourg. Cette situation me chagrinait fort.

« Mère, lui demandai-je un soir d'avril, pourquoi avez-vous emporté votre écritoire à Iona si vous n'écrivez jamais ? J'aimerais avoir des nouvelles de père et de Morar...

– Ton père n'est sans doute plus à Morar, me répondit-elle après une bonne minute de réflexion. Il avait l'intention de se remettre au service de l'armée écossaise, Sorcha. Lorsqu'il écrira, je lui répondrai. Je suis ici pour prier, non pour correspondre.

— Mais moi, mère, ne pourrais-je pas lui écrire ? Ne suis-je pas ici pour continuer mon instruction, lire et écrire ? Oh, mère ! laissez-moi utiliser votre nécessaire à écrire…

— Sorcha, ton père ne t'a pas envoyée ici pour parfaire ton éducation mais pour prier. Cet endroit est un lieu saint conçu pour l'élévation des âmes. Ce que tu dois approfondir se trouve dans les Saintes Écritures, pas dans les lettres ou missives. »

Sa réponse, sur un ton peu amène, n'invitait pas à la discussion. Je n'insistai pas, me retournai dans mon lit et cachai ma tête sous le drap pour refouler mes larmes. J'éprouvais un profond malaise en songeant au départ de mon père pour l'armée et, désemparée, je commençai à nourrir des inquiétudes quant à la durée de notre séjour au couvent. Il était clair que ma mère n'avait pas le désir d'élaborer sur le sujet ; sans contact avec l'extérieur, il m'apparaissait impossible de me renseigner sur la nature exacte de notre visite à Iona.

Dans ce couvent austère coupé du monde, je me rendis vite compte que j'étais la seule personne à me morfondre. Étions-nous vraiment ici pour élever notre âme, comme le prétendait ma mère, et jusqu'où fallait-il qu'elle s'élevât ? Mais surtout, combien de temps cela prendrait-il ? Je dépérissais et, chaque nuit ce mois-là, je pleurai sur ma déconvenue, dans le secret de mon lit.

Ma vie prit brusquement un tour nouveau à la fête de Saint-Georges, ce 23 avril 1438, alors que je fis la connaissance de frère Gabriel, dit le Bègue. Par ce beau jour ensoleillé, probablement inquiète de ma mine grise, de ma toux persistante et consciente que je manquais de l'exercice nécessaire à mon âge, l'abbesse Béga m'avait laissée sortir du couvent, entre les offices de sexte et de none, me recommandant de ne pas aller du côté de l'abbaye.

Mue par le vague espoir d'apercevoir des bateaux venant des îles, je descendis aussitôt au quai d'où je scrutai un moment les rochers très arrondis de l'île de Mull en face. Quelques puffins au bec rouge y nichaient, et leur plumage noir et blanc me fit penser aux moniales. Je dirigeai mon regard sur le détroit au nord. Il n'y avait rien en vue qu'une petite barque de pêcheur qui se balançait non loin du rivage.

Désœuvrée, je décidai de m'intéresser au littoral formé d'un amoncellement de grosses roches striées et je m'amusai à sauter de l'une à l'autre. Au creux de certaines, des petites fleurs roses d'Olympe s'accrochaient en frémissant. Au passage, j'en cueillis quelques-unes parmi les plus longues de tige et les fourrai dans la poche de ma jupe. Cette activité m'absorba si bien que je ne me rendis pas compte que j'avais parcouru une bonne distance en direction de l'abbaye. En levant les yeux, je vis que la barque de pêcheur avait fini par accoster. Elle était à quelques pas de moi et son propriétaire, vêtu d'une bure de laine noire trempée jusqu'aux genoux, m'observait en clignant des yeux. La tonsure des moines lui faisait une couronne hirsute et rousse qui ressemblait à une bordure de capeline en renard. Il avait les pieds nus, noueux et bleuis par le froid. Ses larges manches retroussées jusqu'aux coudes laissaient entrevoir des mains poisseuses et dégoulinantes du sang de ses prises qu'il éviscérait sur des pierres, à l'aide d'un coutelas. C'était le frère Gabriel.

Nous n'échangeâmes que de brèves salutations : je ne devais pas me trouver là et il ne devait pas m'adresser la parole. J'avais d'ailleurs peine à le comprendre, tant à cause de son accent que des mots latins dont il truffait chaque phrase et du bégaiement dont il était affecté. Mais, j'étais si heureuse de faire la connaissance d'une personne nouvelle que, de ce jour, je n'eus plus comme objectif de sortie que de le rencontrer, ce que je fis chaque fois que j'étais autorisée à prendre l'air ailleurs que dans l'étroite cour de notre cloître.

Même quand les pèlerins commencèrent à parcourir l'île, à la fin du printemps, je dédaignais leur présence au profit de celle de frère Gabriel lors de mes rares permissions de sortie. J'allais toujours le rejoindre sur les battures, quels que soient le jour, l'heure ou même la température. Quand il n'était pas en mer, j'étais sûre de l'y trouver. C'est ainsi que je me fis un ami de ce moine. Il s'occupait d'approvisionner en poissons les quatre-vingt-quatorze moines de l'abbaye. Pour s'acquitter au mieux de cette lourde tâche, il était dispensé de participer à trois des sept offices qui scandaient la vie quotidienne des religieux.

Le plus souvent, il tendait ses filets le long du littoral, à mi-chemin entre notre petit couvent et le ruisseau qui coulait du côté nord de l'abbaye. C'était également là qu'il avait choisi d'attacher sa barque et de ranger son gréement, au fond d'une petite crique sablonneuse invisible du haut de l'île et, surtout, depuis les fenêtres du couvent, si bien que personne parmi ses onze occupantes ne me voyait jamais en compagnie de frère Gabriel.

En outre, mis à part notre abbesse, je crois que j'étais la seule à avoir des contacts avec un membre de l'abbaye. Pourtant, abbaye et couvent étaient si proches que, des fenêtres de l'un, on pouvait apercevoir les fenêtres de l'autre. Depuis un siècle, la sainte île d'Iona abritait deux communautés religieuses fondées par le même protecteur, mais chacune était emmurée et chacune possédait sa propre église, son propre jardin, son propre cimetière et était dirigée par son propre prieur, l'abbé Dominic pour l'abbaye et l'abbesse Béga pour le couvent.

Je m'attachai rapidement à frère Gabriel. Par nos rencontres, nous enfreignions les règles de vie de nos communautés respectives et cela créa tout de suite une complicité tacite entre nous. Son travail de pêcheur le soustrayait en grande partie à la vie de l'abbaye, et, moi, mon statut d'enfant unique au couvent faisait de même.

« Petite *ancilla Dei**, me disait-il souvent, je ne te parle pas et tu ne m'entends pas. Nous nous murmurons comme le font les feuilles d'un même arbre, comme le font les roches d'une même plage, et le Créateur de l'univers est satisfait d'écouter autre chose que des prières. »

À plus d'un égard, frère Gabriel était étonnant. Il avait une façon bien à lui d'interpréter les événements et, en cela, il s'avéra dès le début un fantastique conteur pour moi qui m'ennuyais tant sur l'île. Peu m'importa

---

* *Ancilla Dei* (expression latine) : servante de Dieu.

que l'abbesse Béga parlât plus tard de frère Gabriel comme d'un demeuré, je ne jurais que par lui.

Ainsi, un jour que nous causions du temps qu'il faisait et surtout du temps qu'il ferait, car frère Gabriel excellait dans les prévisions climatologiques, il m'annonça qu'il allait pleuvoir des grenouilles, parce qu'il n'y avait pas eu de lune durant dix-neuf nuits consécutives et que des moines avaient menti. Qu'avaient-ils bien pu raconter pour provoquer une telle avarie, je n'en sus rien et, d'ailleurs, je n'eus pas connaissance que la pluie de batraciens tombât quelque part.

Une autre fois, en observant la formation en vol des oiseaux migrateurs, il déclara lesquels, parmi ses confrères, dérogeraient à leurs vœux avant la fin de l'année. Il me nomma quelques-uns des moines dont les noms de saints prenaient une curieuse signification sous le coup de mon imagination : par exemple, il y avait frère Finian-le-frigolet ; frère Convall-crique-de-Kerr ; frère cellérier Palladius-le-siège ; frère Nathalan-sans-père et le préchantre Regulus-de-Iceland. Frère Gabriel ne me dit pas lequel des vœux ferait l'objet de leurs manquements et il me laissa choisir au gré de ma fantaisie entre la charité, la pauvreté, la chasteté et la stabilité pour étayer ses prédictions. Je levai le nez au ciel et cherchai à deviner, moi aussi, en scrutant les figures que dessinaient les oiseaux, comment tel ou tel frère serait pris en défaut.

Un matin de juin, frère Gabriel me déclara d'un air contrit que les poissons mis dans son filet par le Créateur étaient tous plus purs que les moines ne pouvaient espérer l'être après une vie entière en prière, chose surprenante quand on examinait l'aspect dégoûtant de sa pêche. Je dus réfléchir longtemps sur la notion de pureté à laquelle faisait allusion frère Gabriel avant de m'avouer que je ne percerais pas ce mystère.

Une fois, en se fiant à l'endroit où était tombée la foudre durant une tempête, frère Gabriel prédit d'où viendrait la prochaine navette d'approvisionnement, ce qui m'inquiéta un peu car cela m'amena à faire une association entre la colère de Dieu, dont l'orage était le signe tangible, et le seigneur d'Islay, lord des îles, dont la famille était protectrice et pourvoyeuse du monastère depuis cent ans.

L'été, on bénéficiait souvent de la générosité des voyageurs et voyageuses en pèlerinage pour l'approvisionnement du couvent en denrées fraîches. Mais l'hiver, on ne pouvait compter que sur celle du protecteur du monastère. J'entretenais des espoirs de me trouver sur la grève quand il ferait livrer des provisions. L'arrivage de sacs de farine et de graines, de cageots de légumes ou de ballots de laine se faisait de façon très imprévisible, mais toujours par les mêmes passeurs. Pour moi, l'événement revêtait un caractère spectaculaire et je souhaitais ardemment y assister, comme mon ami moine le faisait régulièrement.

« J'espère qu'ils apporteront de nouvelles poules cette fois-ci, me dit-il un jour en parlant des passeurs. Nous avons donné nos meilleures pondeuses à votre couvent le mois dernier et c'est maintenant chez vous qu'on fait des œufs chaque jour. »

Je soupçonnais que l'abbaye était mieux approvisionnée que le couvent qui ne pesait pas très lourd dans l'estime du seigneur d'Islay.

« Nous n'avons pas reçu ces poules dont vous me parlez, frère Gabriel, lui dis-je. Je crois plutôt qu'elles ont fini rôties à la broche pour la table de l'évêque quand il est venu chez vous. Votre abbaye reçoit d'éminents visiteurs, alors qu'aucun ne vient voir notre couvent. Voilà pourquoi sœur Béga obtient peu de vivres du seigneur d'Islay.

– Je ne pense pas, petite Sorcha, me répondit-il. Les visiteurs ont peu à voir dans l'approvisionnement de l'île. À Islay, on a tendance à penser que les *sponsae Christi** jeûnent plus souvent. Sœur Béga n'est pas d'accord mais personne ne l'écoute. »

La vérité était tout autre. Si nos deux communautés n'étaient pas sur le même pied aux yeux du seigneur d'Islay, c'était pour des raisons reliées à leur réputation respective. L'abbaye d'Iona possédait sa charte papale, était reconnue dans toute la chrétienté comme un haut lieu de culte, avait dans son cimetière les tombes des rois pictes d'Écosse et d'Irlande et, surtout, était dirigée par un homme de grande envergure et de grande influence, l'abbé Dominic.

Depuis qu'il était en poste, l'abbaye était devenue un vaste chantier. Il n'y avait pas un mur qui échappât à sa frénésie d'agrandissement. L'ingénieux prieur avait compris que les pèlerinages constituaient une importante source de revenus, et le seigneur d'Islay savait qu'ils rehaussaient indéniablement son prestige à titre de protecteur. Le monastère d'Iona devait répondre au désir de magnificence de ces deux hommes et voilà pourquoi il prospérait de façon fulgurante depuis une dizaine d'années.

---

* *Sponsae Christi* (expression latine) : épouses du Christ, nom donné aux moniales.

Mais, pour le couvent, il en allait tout autrement. Sa croissance reposait seulement sur sa capacité à attirer l'attention de nobles dames désireuses d'y séjourner avec leur richesse ou d'offrir l'asile à quelques filles que leur famille fortunée voulait retirer du monde, moyennant un important don. Or, aucune femme possédant l'un ou l'autre de ces statuts n'avait logé à Sainte-Marie depuis plusieurs années et notre abbesse ne réussissait pas à freiner le déclin de sa maison.

« Croyez-vous que mon père ait versé une somme à sœur Béga pour notre pension, à ma mère et à moi ? demandai-je à frère Gabriel.

— Sans aucun doute, dit-il en fixant le clocher de l'église du couvent qui émergeait au-dessus des buissons. Sinon, on ne vous garderait pas. Vous y demeurerez aussi longtemps que le lieutenant Lennox pourra payer. Ah petiote ! *itaque epulemur in asymis sinceritatis et veritatis*, "ayons la pureté et la sincérité du pain sans levain". »

Voilà bien comment je me sentais dans ce couvent : un pain sans levain. Frère Gabriel me jeta un regard empreint de tristesse et secoua doucement la tête. Je devinai qu'il venait du même monde que le mien et qu'il avait lui aussi la pureté du pain sans levain. Je ne pus réprimer le geste de le prendre contre moi, enfouissant mon visage dans sa bure trempée et puante. Il écarta les bras qu'il maintint ouverts tout le temps que dura mon accolade. Lorsque je le lâchai et reculai de quelques pas, je vis une larme au coin de ses yeux. Il murmura alors un commentaire étrange dont la signification échappa à ma compréhension :

« Mon unique sœur s'est mal mariée, car notre père ne pouvait pas la doter et elle ne pouvait pas demeurer à la maison. Alors, j'ai fait la promesse à Dieu que je doterais ma propre fille pour ne pas que cela lui arrive. »

Cet extraordinaire personnage qu'était Gabriel le Bègue régnait naïvement mais véritablement sur mon cœur et mon imagination. Je me réconfortais et me délectais de tous ses propos, en retenant les plus infimes détails que je me remémorais par la suite, bien enfouie entre deux draps froids, le soir venu. Grâce à lui, je réussis lentement à m'adapter à ma vie au couvent Sainte-Marie et à penser de moins en moins à quitter l'île.

À la mi-août, il était venu à peine une quinzaine de voyageuses à notre hostellerie. Depuis le début de la saison des pèlerinages, on m'avait demandé de voir à leur logement avec la servante du couvent et cette activité m'avait donné l'occasion d'en rencontrer quelques-unes. Elles venaient de Bretagne ou d'Irlande, de l'île de Man ou même de France. Peu d'Écosse, aucune des Highlands. Elles ne bavardaient qu'entre elles et je n'appris rien de ce que je brûlais de savoir sur ce qui se passait à l'extérieur de la sainte île.

C'est encore par frère Gabriel que j'eus mes premières nouvelles du royaume. Il faisait grand vent ce jour-là, mes cheveux sortaient de ma coiffe et mes jupes entravaient ma descente vers la grève. Nous ne nous étions pas vus depuis une bonne semaine quand je le rejoignis au moment où il prenait le large pour sa pêche. À une distance de cent pieds de la grève, me voyant lutter contre les éléments, il me cria de me mettre à l'abri dans le large panier dont il se servait pour ranger son matériel.

Enfoncé dans le sable et protégé par un rocher, ce panier était en fait une malle profonde tressée avec des fagots et contenait, selon le besoin, des filets, du cordage, des poulies ou des poids. Je trouvai la proposition de mon ami moine amusante et je m'engouffrai dans le panier, tenant son couvercle ouvert d'une main.

De mon poste d'observation, je suivis les manœuvres du pêcheur durant un long moment. Il descendit son filet non loin et l'amarra à un rocher, puis il revint au rivage. Je rabattis rapidement le couvercle du panier sur ma tête et collai le nez sur la paroi pour apercevoir frère Gabriel par les interstices.

« *Exsurgat Deus, et dissipentur inimici eius,* marmonna-t-il en tirant sa barque sur le sable. "Que Dieu se lève et que ses ennemis soient dissipés !" Sors de ta cachette, mon enfant, comme le jeune monarque écossais est sorti de la sienne.

— Le monarque se cache ? De qui ? Il a des ennemis ? lui demandai-je aussitôt en ouvrant le panier.

— C'est la reine mère qui le cache, me répondit-il en prenant un air de conspirateur. Elle l'a fait passer du château d'Édimbourg à celui de Stirling dans une malle d'osier. Il est plus jeune que toi et il est trop petit pour régner. Alors, ce sont les régents qui se le disputent.

— Qui vous a raconté cela, frère Gabriel ? Des pèlerins ? m'enquis-je en enjambant le bord du panier.

— Les ravitailleurs du seigneur d'Islay. Tu ne les as pas vus hier ? Ils ont apporté un boisseau d'orge. Nous allons pouvoir faire de la bière. Cela réjouit mon cœur et mon ventre. Ils ont aussi apporté de la tourbe de chauffage pour le scriptorium et deux oies.

— Mais qui règne à la place du roi, sa mère ? demandai-je, déçue qu'il enchaîne vers des sujets d'approvisionnement.

— Ce sera le baron Livingston maintenant, puisque c'est lui qui est en charge du château de Stirling. En Écosse, mon enfant, celui qui détient le roi est celui qui règne, affirma-t-il. Et les autres lords qui veulent le pouvoir vont chercher à enlever l'héritier du trône, jusqu'à ce qu'il soit assez grand pour être un véritable roi. Je te le dis, petite Sorcha, Jacques le deuxième n'a pas fini de se promener en malle... »

J'étais subjuguée par cette révélation. Ainsi, le fils du roi assassiné était un petit garçon qui se promenait d'un château à un autre, bien caché au fond d'une malle. Je n'aurais pas pu imaginer histoire plus palpitante. Tandis que frère Gabriel ramassait ses appâts au fond de la barque, je regardai le panier derrière moi avec envie et, n'y tenant plus, je replongeai dedans en rabattant le couvercle sur ma tête.

« Alors je veux voyager comme le roi ! » criai-je.

Pour la première fois, j'entendis le rire de mon ami moine, un rire jeune et gêné. J'éclatai de rire, moi aussi, et mon âme s'emplit d'une telle allégresse que je me sentis voler durant plusieurs jours après cette aventure. Je mesurai aussi à quel point le rire me faisait défaut au couvent.

Comme frère Gabriel savait que les histoires sur le roi m'intéressaient au plus haut point, il alla aux nouvelles auprès des passeurs et des pèlerins. J'appris ainsi, le mois suivant, que la reine mère s'était remariée et que le baron lord Crichton, maître du château d'Édimbourg, en avait profité pour reprendre l'infortuné petit roi. Avait-il fait le voyage en malle cette fois-là ? Je crois bien que mon informateur me le laissa entendre ou que je me le suggérai, peu importe. Cela revenait à me distraire.

Quand Baltair remonta du port, il tenta d'éviter le forgeron qui y descendait, avec son apprenti. Depuis sa mission à Morar en mars, le bonhomme lui rappelait à chaque occasion son offre de favoriser sa correspondance avec la fille de Lennox. Avec un air fripon, le forgeron employait d'embarrassants subterfuges pour s'approcher discrètement de Baltair et lui parler sur un ton de grande confidence.

Le garçon n'était pas tant importuné que tourmenté par ce rappel du forgeron à sa promesse d'écrire, promesse qu'il avait également faite à son père pour mieux couvrir sa mission au domaine du lieutenant Lennox. Presque un an avait passé sans qu'il prît la plume et confirmât ainsi au forgeron le mensonge qu'il avait inventé à propos de Sorcha Lennox.

Baltair se fondit dans le groupe des gens d'armes de son père qui escortait vers le château une cargaison de vin qu'on venait de débarquer sur le quai de Mallaig. Il fit mine de s'intéresser au harnachement du cheval qui tirait le chariot au moment où le forgeron passa à sa hauteur et il ne put surprendre le clin d'œil que ce dernier lui adressa. Cependant, Aodh, l'un des hommes de son père, s'en aperçut et lui en fit la remarque :

« Dis donc, Baltair, que te veut le forgeron ? On dirait qu'il te fait des œillades, le drôle... Tu lui plais peut-être... Allez savoir ce que ces diables d'hommes ont en tête quand ils frappent l'enclume...

— Ferme-la, imbécile, glapit Baltair.

— Ne t'énerve pas, j'ai parlé comme ça. Tu es bien frileux, Baltair le Jeune. Si on ne peut plus s'amuser... », fit Aodh avec un air coquin.

Baltair ravala sa réplique, accéléra le pas et se détacha du groupe. Rien ne servait de mettre davantage en évidence le manège du forgeron. « Il va falloir que je lui donne une lettre au plus vite à celui-là, sinon il va se faire plus insistant et peut-être parler de notre secret à quelqu'un », songea-t-il.

Il précéda l'entrée de la cargaison dans l'enceinte du château et fila droit au donjon avec la ferme intention de se mettre au boulot. Dans le bureau, son père tenait conciliabule avec un groupe d'hommes : l'oncle Tòmas, qui pilotait la flotte de son père autour de l'Écosse, le secrétaire de la famille qui enregistrait les arrivages dans le livre de comptes, et deux visiteurs qu'il ne connaissait pas avec leur escorte. Il tourna les talons et piqua vers la grand-salle qu'il traversa à grandes enjambées, en direction de la salle de classe. Là, interrompant la leçon du précepteur à ses frères, Baltair s'empara de feuilles de papier dans le buffet, d'une plume et d'une corne d'encre. Sans saluer ni prêter attention au dérangement que son incursion provoquait, il sortit de la classe comme il était venu. Il grimpa les marches de l'escalier à vis qui montait directement de la grand-salle à l'étage. Là, il s'enferma dans sa chambre et déposa son matériel sur la table. Tout en détachant sa cape et en retirant ses gants, il commença à voix haute sa lettre à la damoiselle :

Très respectée et très chère Sorcha, mes salutations. J'ai eu des nouvelles de votre père, le lieutenant Lennox, par le chanoine Pole qui est passé à Mallaig et s'est joint aux festivités entourant mon treizième anniversaire le mois dernier. Comme vous le savez déjà, votre père a rejoint l'armée dans les Borders où il a passé tout l'automne. Il se portait bien au moment où le chanoine l'a rencontré et il se réjouissait que votre domaine de Morar n'ait pas encore été investi par son nouveau propriétaire, lord Stair. En effet, nous n'avons pas encore rencontré nos plus proches voisins et mon père en est fort aise. Dame Gunelle, ma mère, a l'intention de prendre votre servante Finella au château si lord Stair ne veut pas retenir ses services à Morar.

La dernière fois que j'ai vu votre servante, c'était peu après votre départ pour Iona avec dame votre mère. J'étais du groupe des hommes qui ont escorté le comte-maréchal venu arrêter vos oncles Innes et Eachan à votre domaine. Elle était très triste et pleurait beaucoup. Je ne sais si elle a continué à pleurer sur la mort du messire Eachan qui a été torturé sur la place publique à Perth avec les assassins du roi.

Je me proposais de vous écrire en mars, quand le jeune roi Jacques le deuxième a été couronné à Stirling dans l'abbaye d'Holyrood, mais je n'en ai pas eu le temps. Sachez que j'ai assisté avec mes parents au couronnement et, avec mon père, au procès du traître, le comte d'Atholl qui a eu lieu le même jour au Parlement. Le lendemain, nous étions même présents dans la cour quand on l'a décapité. Depuis, nous n'entendons plus parler des affaires du royaume à Mallaig.

En avril, j'ai entrepris mon entraînement de chevalier et cela requiert tout mon temps...

Le sujet de l'entraînement de chevalier occupa trois des cinq larges pages de la lettre de Baltair à Sorcha Lennox. Il y détaillait les manœuvres équestres, les équipements, les techniques de combat et les grands principes héraldiques. Quand il eut terminé sa missive, il constata avec plaisir la facilité avec laquelle il l'avait écrite et il se proposa de ne plus retarder cette corvée à l'avenir.

Au début de l'hiver 1438, l'abbesse m'assigna une nouvelle tâche. La plus âgée des moniales, sœur Katherine, était alitée et requérait jour et nuit la présence de quelqu'un à son chevet. Les soins à donner à la malade étaient fort simples et on avait jugé que je pourrais m'en charger le jour ; une des moniales prendrait la relève la nuit. Je fus ainsi exemptée des travaux et des offices quotidiens, mais perdis également la possibilité de sortir du couvent.

Sœur Katherine avait été portée dans une petite pièce du rez-de-chaussée qui servait d'infirmerie, entre la loge de la portière et le chapitre. Le lieu était encombré de meubles qui n'avaient pas leur place dans le couvent et avaient été entassés là, au cours des années : un bahut moisi, deux bancs et un coffre. Il y avait, en outre, une petite armoire qui renfermait, dans des pots de verre, ce que le couvent possédait d'onguents et d'herbes. Le décor de l'infirmerie était moins dépouillé que le reste du couvent et il éveillait ma curiosité.

Cependant, l'immobilisme de ma situation fit en sorte que les premières journées passées au chevet de sœur Katherine furent d'un extrême ennui. La religieuse dormait presque tout le temps. Lorsqu'elle s'éveillait, elle cherchait d'un air égaré le regard de quelqu'un. Je me levais alors et prenais sa main molle et plissée en approchant mon visage tout près du sien. Elle tournait la tête dans ma direction, me fixait d'un regard vague comme si elle ne me voyait pas, puis elle s'apaisait.

Sa condition de malade lui valait quelques privilèges dont je profitai aussi. D'abord, le confort de la pièce, chauffée par un petit brasero que j'alimentais avec des mottes de tourbe. Ensuite, la composition du menu de la religieuse : on lui réservait une ration de viande chaque jour, tantôt du mouton, tantôt du jambon, tantôt du bœuf. Comme elle mangeait très peu, parfois même pas du tout, c'est moi qui finissais la viande. Enfin, on avait mis à notre disposition un magnifique livre d'heures illustré qui avait appartenu à une ancienne et noble pensionnaire de Sainte-Marie. Sœur Béga s'attendait à ce que j'en fasse la lecture à ma malade durant ses moments de veille. Je pris un grand plaisir à le parcourir durant les premiers jours de ma garde et j'y découvris un terrain fertile à la rêverie. J'admirais ses animaux féeriques qui formaient des lettrines géantes, ses images de seigneurs richement montés, d'évêques mitrés, de châteaux et de domaines en Terre sainte, ses décors de fleurs et d'oiseaux autour des longs textes. Je m'ingéniais à identifier le produit utilisé pour l'application des couleurs chatoyantes : l'orpiment pour le jaune, la pierre de malachite pour le vert, de lazulite pour le bleu et la pomme de chêne pour le rouge.

La proximité de l'infirmerie avec la porte du couvent me permettait d'épier les allées et venues de la portière et l'arrivée des rares visiteurs : notre aumônier, des clercs de passage, des livreurs de denrées ou des messagers pour notre abbesse. Je surprenais parfois des bribes de conversations chuchotées, des ordres brefs ou des salutations, et j'interprétais tout cela, inventant au besoin les éléments manquant à ma compréhension.

Lorsque sœur Katherine était éveillée, je n'osais briser la consigne du silence et lui offrais, par gestes, tantôt à boire, tantôt à manger, tantôt de rapprocher le brasero pour la chauffer ou encore de lui faire la lecture. Parfois, quand elle me signifiait ce qu'elle désirait, je la soulevais un peu et l'installais entre les coussins disposés dans son lit. Son corps décharné pesait moins lourd que celui d'un agneau, et en le déplaçant j'éprouvais un sentiment de force qui raffermissait la confiance en mes capacités.

« Tu es une bonne enfant, me chuchota-t-elle un jour, à ma grande surprise. Comment t'appelles-tu ?

— Vous ne me reconnaissez pas, sœur Katherine ? lui répondis-je. Je suis Sorcha de Morar. Je suis ici avec ma mère, dame Angusina. Souvenez-vous, nous sommes au couvent depuis mars dernier, voilà maintenant neuf mois…

— Angusina…, murmura-t-elle après un moment. Tu es la fille d'Angusina, née MacDonnel. Mais oui, j'ai bien connu les membres de son clan avant d'entrer au couvent. Pauvre Angusina… elle a fini par se faire épouser malgré sa condition… Brave lieutenant qui en a bien voulu… Ce n'était pas sa faute à lui… Ha, l'ignoble homme qu'elle a eu comme père ! Des pourceaux que je dis… oui, tous des pourceaux galeux ! »

Il était évident que sœur Katherine ne me reconnaissait pas et je ne compris rien à sa diatribe, sinon que sa raison commençait à s'égarer. Lorsque je m'en ouvris à la sœur qui vint prendre la relève après complies, j'obtins une curieuse explication :

« Ne vous en faites pas, Sorcha, me dit-elle. Il est normal que les religieuses n'observent plus le vœu de silence au moment où leur âme s'approche du Ciel. Il ne faut pas trop écouter ce que notre sœur dit. Répondez-lui par une prière à voix haute si elle veut converser. »

Ce que je tentai de faire la fois suivante lorsque sœur Katherine parla. En vain, car elle me fit taire en me saisissant l'épaule. Elle ne voulait pas que je l'interrompe, mais son discours décousu était si dénué d'intelligence que je me contentai de l'écouter sans mot dire. Je compris enfin qu'elle racontait des épisodes de sa vie avant qu'elle n'entre au couvent Sainte-Marie. Elle mentionnait les noms de personnes qu'elle avait connues, parfois parentes avec elle, parfois étrangères, et elle les affublait de qualificatifs évocateurs qui faisaient grande impression sur moi : hardi détrousseur, chiens d'acolytes, sanglier puant, vieux chenapan d'estaminet, fossoyeur gourmand, portefaix, ivrognesse notoire et putain à la régalade.

Durant les nombreuses heures que je passai dans l'infirmerie, mon vocabulaire s'enrichit considérablement de mots singuliers dont il me manquait souvent la signification exacte. Mais j'en reconstituais suffisamment le sens pour savoir qu'il était préférable de ne pas les répéter au couvent.

CHAPITRE IV

VIVRE AU COUVENT

À l'étrange vocabulaire que sœur Katherine m'apprenait à son insu, s'en ajouta un autre, plus noble et mystérieux : celui des médecines. Une fois que je furetais dans l'armoire des remèdes à côté de son lit, je découvris avec étonnement que ma patiente avait une grande connaissance des simples et des plantes.

Elle s'éveilla au moment où je lisais à voix haute les étiquettes en latin sur les flacons et les pots que je manipulais avec curiosité :

« *Thymus Vulgaris... Chamomilla Recutita... Melissa...*

— Mélisse : ravive le cœur et guérit les fièvres, lança-t-elle.

— *Lavendula*, poursuivis-je.

— Lavande, traduisit-elle. Soulage les maux de tête, les coliques et les indigestions.

— *Salvia Officinalis...*

— Sauge : c'est la plante la plus importante. Elle soigne les plaies, les infections, la dépression, la fièvre, les maux de dents... »

De ce jour, je pris l'habitude de lui rappeler les noms latins des simples que les moniales cultivaient dans le jardin afin qu'elle m'en répète l'usage. Elle étendit ainsi mes connaissances en me révélant comment on préparait les remèdes à partir des plantes. Elle ne parlait jamais longtemps, car cela la fatiguait, mais chacune de ces courtes leçons, comme je me plaisais à les appeler, me passionnait.

Après la fête de saint Nicholas en décembre, sœur Katherine devint très faible, mais elle ne semblait plus vouloir se taire. Ses histoires se succédaient sans transition ni lien entre elles. Généralement, les propos me paraissaient dépourvus d'entendement mais certains sujets, comme ceux portant sur les personnes qui avaient vécu au couvent et sur leurs relations avec le monde extérieur, étaient moins décousus. Tout ce bavardage agrémenta mes heures de veille entre chacune des siestes de la malade. Dès lors, les journées me parurent moins longues. J'écoutais les bribes de vie de sœur Katherine, j'épiais ce qui se passait dans la loge de la sœur portière, je lisais inlassablement le livre d'heures, je me chauffais au brasero et je me délectais de viande.

Le soir venu, quand je rejoignais ma mère dans notre cellule, je lui rapportais les anecdotes de la malade qui concernaient son clan. Je le faisais dans l'espoir de l'amener à la conversation et de confirmer les propos de sœur Katherine. Mais ça ne marchait pas toujours. Certains sujets lui faisaient horreur et elle se fermait aussitôt que je les abordais, par exemple quand il était question de membres de sa propre famille : ses père, mère, oncles et cousins, que sœur Katherine avait connus.

Mais j'eus un peu plus de succès avec le sujet de sa rencontre avec mon père.

« Il revenait du nord avec deux chevaliers de la maison MacNèil, me narra-t-elle un soir. C'était la mi-janvier et une tempête les a surpris dans les montagnes. Ils ont fait halte dans un lieu isolé appelé Carnach, chez ma tante et mon vieil oncle avec lesquels je vivais depuis peu. Quatre hommes arrivèrent le même soir. Ceux-là étaient des bandits et ils se sont bagarrés avec ton père et ses compagnons. Ma tante et mon oncle ont trouvé la mort, Dieu les ait en sa sainte pitié ! et leur maison a brûlé. J'étais seule et ton père a décidé de me reconduire dans ma famille à Loch Duich. Mais, chemin faisant, il a changé d'avis et m'a ramenée à Morar avec lui. Il m'a épousée aussitôt.

— Mais alors, mère, vous ne vous êtes pas mariée à Loch Duich, dans la famille de votre père ?…

— Non, Sorcha, je ne suis pas retournée à Loch Duich et je n'ai jamais revu mon père. Il est mort depuis…

— Dieu l'ait en sa sainte pitié ! répliquai-je automatiquement. »

Je n'oublierai jamais le regard qu'elle me jeta alors. Ses traits s'étaient durcis, ses mâchoires, contractées, ses lèvres, pincées ; ses yeux s'étaient remplis d'une telle haine qu'elle me fit presque peur. Pétrifiée, je n'osai plus parler. Elle se détourna de moi et murmura ce qui m'apparut être une abomination : « Personne, pas même Dieu, ne peut prendre pitié d'un tel homme… »

L'attitude de ma mère me fournit beaucoup de matière à réflexion ce premier hiver-là. Je la sentais s'éloigner de moi et, en même temps, son passé m'intriguait et j'aurais voulu m'en approcher. Mes sentiments à son endroit étaient équivoques, balançant entre l'amour et l'indifférence. À la mi-janvier, elle ne souligna pas l'anniversaire de mes onze ans, comme elle l'avait pourtant toujours fait et ce fut un point tournant dans ma relation avec elle. J'éprouvai de nouveau une grande bouffée d'ennui de Morar et de mon père.

C'était toujours en grande hâte que je gagnais l'infirmerie pour relever ma remplaçante de nuit auprès de sœur Katherine. À défaut de voir frère Gabriel, ma malade et ses histoires d'un monde extérieur à l'île constituaient mon évasion.

Un matin, je revenais du réfectoire avec le plateau pour sœur Katherine quand je surpris une conversation entre la sœur portière et un homme dans le vestibule. Ce dernier prononça mon nom et je ne pus résister à la tentation de m'approcher pour le voir. Nous avions passé la Chandeleur et ce début de février 1438 était rempli de giboulées et de pluies glaciales. L'homme était trempé à un point tel que la sœur portière n'avait pas osé le laisser dehors et ils devisaient ensemble sous le porche.

« On m'a bien prévenu de remettre la lettre en mains propres à damoiselle Sorcha, et à personne d'autre, insistait l'homme.

— Voyons, messire, vous devez bien savoir que tout ce qui vient de l'extérieur de ce couvent passe par notre supérieure d'abord. Toute correspondance pour qui que ce soit est ouverte par elle, même les lettres des pensionnaires.

— Pardonnez-moi, ma sœur, je ne connais pas vos usages. Je reste habituellement dans la barge durant l'approvisionnement du monastère. Mais j'ai peur de n'être pas payé si je ne respecte pas les consignes que m'a données celui pour qui je suis porteur…

– N'ayez crainte, mon brave, je vous assure que la lettre sera remise à qui de droit. Ne vous inquiétez pas à ce sujet. Nous devons nous quitter maintenant. Allez, et que Dieu vous protège ! »

Tandis que la sœur portière congédiait le messager, je m'empressai de gagner, sans bruit, l'infirmerie où ma malade dormait toujours. J'étais sous le choc et mes mains tremblaient en déposant le plateau sur le bahut. Quelqu'un m'avait écrit ! Qui cela pouvait-il être ? Je songeai immédiatement à mon père, mais cette idée me parut étrange. Pourquoi, après plus d'un an de silence, le lieutenant Lennox écrirait-il à sa fille avant d'écrire à son épouse ? Puis je repensai à ce que la portière avait dit à propos de la correspondance au couvent, entièrement remise à notre abbesse. Se pouvait-il que ma mère ait reçu de mon père une ou des lettres qui auraient été interceptées et jamais délivrées ? Se pouvait-il, même, que mon père m'ait écrit auparavant et que l'on ne m'ait rien remis ? Cette hypothèse s'imposa à moi avec une telle force que je n'en démordais plus au fur et à mesure que progressait ma réflexion.

Si bien que, abandonnant là le dîner de sœur Katherine, je sortis de l'infirmerie et me glissai jusqu'à la loge avec l'intention de récupérer ma lettre avant que la sœur portière ne la remette à sœur Béga. Il m'apparaissait incongru de réclamer ma lettre et j'espérais ne pas avoir à la demander. Je m'avançai prudemment vers la porte restée ouverte et constatai que la sœur portière n'était plus là.

Avait-elle emporté ma lettre avec elle ? C'était tout à fait probable mais, pour m'en assurer, j'inspectai rapidement la pièce. Un pupitre, un banc et un lit formaient l'essentiel de l'ameublement : aucune lettre n'était apparente. Il me fallait concevoir un plan à toute vitesse, car la sœur portière pouvait revenir d'une minute à l'autre. Où aurais-je remisé une lettre dans ce lieu ? me demandai-je. Sous le matelas ! Je fonçai sur le lit et soulevai le matelas de paille au niveau de la tête. Victoire ! Elle s'y trouvait ! Mon cœur bondit de joie quand je m'en emparai.

Le papier rugueux et humide avait subi de nombreuses manipulations et le sceau avait partiellement été gratté, mais c'était bel et bien un pli qui m'était adressé : mon nom y figurait en grandes lettres noires. Ma première missive ! Je la glissai sous mon tablier et déguerpis aussitôt. Je n'eus pas tôt fait d'entrer dans l'infirmerie que j'entendis revenir la sœur portière dans le corridor. Je me mordis les lèvres en pensant à sa réaction quand elle découvrirait que la lettre avait disparu. Tant pis ! me dis-je. Je n'allais tout de même pas la rendre avant de l'avoir lue… Je jetai un rapide coup d'œil à sœur Katherine qui dormait toujours.

Même si je brûlais du désir de lire ma lettre, je choisis de retarder ce moment et de la cacher, dans l'éventualité où la sœur portière me soupçonnerait : n'étais-je pas, après tout, dans la pièce la plus proche de l'entrée du couvent et, par conséquent, la seule personne susceptible d'avoir eu connaissance de l'événement que constituait la livraison de cette lettre qui, de surcroît, m'était destinée ?

Je n'avais que l'embarras du choix quant aux cachettes dans l'infirmerie et j'optai pour un des tiroirs du vieux bahut moisi. Le bruit grinçant que je fis en l'ouvrant éveilla ma malade. Je glissai rapidement la lettre dans le tiroir que je refermai aussitôt, et j'accourus vers elle pour la soulever sur les coussins. Comme elle n'avait aucune notion du temps, je lui montrai le bol de bouillon pour lui signifier qu'il était l'heure de dîner. Elle me sourit vaguement et je pris cela pour un acquiescement. Je m'installai donc sur le bord de son lit, bol et cuillère en main, et j'entrepris de la faire manger.

C'est dans cette anodine position que la sœur portière me surprit en entrant dans l'infirmerie quelques minutes plus tard. Je tournai la tête dans sa direction, captai son air suspicieux, lui fis un sourire, puis reportai mon attention sur ma malade, le plus innocemment du monde.

« Comment va votre malade aujourd'hui, Sorcha ? » me demanda-t-elle sèchement.

Il me vint soudain une idée saugrenue que je n'eus pas le temps de soupeser. Je posai le bol avec des gestes lents avant de répondre :

« Elle va très bien, ma sœur. De mieux en mieux, même. Figurez-vous qu'elle peut se lever seule maintenant. Quand je suis revenue du réfectoire avec le plateau, elle était debout à côté de son lit.

— Quand étiez-vous au réfectoire ? demanda-t-elle d'un trait.

— Mais j'en reviens tout juste. Je l'ai mise au lit car c'est plus commode pour la faire manger, répondis-je.

— Si elle peut se lever, elle peut peut-être manger sans aide, remarqua-t-elle.

— C'est bien vrai ! Vous avez raison. Je n'y ai pas pensé. Cela fait si longtemps que je l'alimente. Essayons de lui présenter la cuillère », poursuivis-je candidement.

J'attrapai l'ustensile que je tendis à sœur Katherine, mais celle-ci avait fermé les yeux et tourné le visage vers le mur. Je regardai la sœur portière et haussai les épaules en signe d'impuissance, la cuillère en l'air.

« C'est souvent comme ça, expliquai-je. Dès qu'elle fait un trop grand effort, elle retombe endormie.

– Bien », se contenta de dire mon interlocutrice en promenant un regard tout autour. Elle scrutait la pièce comme je l'avais moi-même fait avec sa loge quelques minutes plus tôt. Ne voyant rien de suspect, elle n'avait d'autre choix que de me laisser. Nous avions déjà beaucoup trop échangé pour que la poursuite d'une conversation ne soit interprétée comme une dérogation à la règle du silence. Elle me gratifia d'un sourire figé et quitta l'infirmerie en faisant osciller son voile dans un mouvement d'humeur.

Après son départ, je poussai un tel soupir de soulagement que je réveillai de nouveau ma malade, avec laquelle je poursuivis mon activité, le cœur léger. Avais-je vraiment réussi à faire porter sur sœur Katherine les soupçons de la sœur portière quant à la disparition de ma lettre ? Je me plus à le croire et je fixai mon attention sur ma malade, dans l'attente de la prière de none. À ce moment, la sœur portière serait requise à la chapelle, toute une heure durant. Là, et là seulement, je pourrais lire ma lettre en toute tranquillité.

La chasse était de loin l'activité préférée de Baltair. Se cacher, attendre, avancer sans faire de bruit, écouter les bruits des animaux en forêt, examiner le ciel afin de prédire vent, orage et pluie, humer l'air et se taire : voilà ce qu'il aimait et ce dont il ne se lassait jamais. Il n'avait pas encore tué sa première bête mais cela viendrait, il n'était pas pressé. Il préférait se tapir en marge du site et observer les manœuvres des chiens et des chasseurs. Son père et les hommes d'armes de Mallaig s'adonnaient à la chasse au lièvre, au sanglier et aux tétras chaque semaine, de mars à novembre.

À treize ans, Baltair était dans sa deuxième année d'entraînement en vue d'acquérir le titre de chevalier. Il lui en restait trois autres avant d'être adoubé lors d'une cérémonie officielle dans la salle d'armes du château. Il avait commencé l'apprentissage de l'escrime sur des cibles fixes, muni de la plus lourde parmi les armes des chevaliers highlanders, la claymore. L'activité de la chasse avait le mérite de le reposer du maniement à deux mains de cette fameuse épée à double tranchant. Celle qu'on lui avait confiée avait été choisie parmi les claymores que son père avait fait fondre chez un armurier germanique.

Baltair examina l'intérieur de ses mains calleuses et soupira : sa mère avait commandé une paire de gants qu'on avait confectionnés trop petits pour lui et il attendait impatiemment la livraison de la seconde paire qui pourrait le protéger adéquatement. Il glissa deux doigts sur son avant-bras dont le duvet se hérissa sous la rugosité du toucher et il pensa aux caresses qu'il s'aventurerait à faire aux filles du laird Raonall s'il avait les mains douces... « La prochaine fois que nous irons à Glenfinnan, je vais tenter ma chance, songea-t-il. Ces filles vont faire autre chose que de se pâmer en me voyant. Elles ne sont pas vilaines et on est toujours bien tranquilles dans leur jardin. »

Quand le jour commença à décliner, les hommes rassemblèrent les chiens et les prises dans la clairière. Baltair s'approcha du groupe et s'enquit auprès de son père de leur prochaine visite à Glenfinnan.

« Dites, père, sommes-nous invités à la fête de mai au château de votre cousin Raonall, la semaine prochaine, ou fêterons-nous à Mallaig ?

– Ta mère organise l'événement à Mallaig, répondit Iain MacNèil. Pourquoi poses-tu la question ? Mon fils aurait-il en tête de séduire une damoiselle ? Hé Baltair, chercherais-tu à conquérir un cœur ?

– Plusieurs, père », réussit à dire Baltair, suffoquant de gêne d'avoir été débusqué si rapidement.

Iain MacNèil donna une claque dans le dos de son fils et partit d'un grand rire. Ses hommes lui jetèrent aussitôt des regards ébahis : il était rare que leur chef s'abandonnât à l'hilarité. Ils ne furent pas longs à découvrir la nature des propos qu'il échangeait avec son fils. Le groupe prit le chemin du retour dans un climat très joyeux, chacun y allant de sa blague sur l'amour courtois, au grand dam de Baltair.

Renfrogné, le jeune homme dirigea sa monture à l'arrière de la colonne, à l'abri des sarcasmes. Dans cette position, il était précédé d'une nuée de mouches qui assaillaient les chevaux, attirées par l'odeur de sang des bêtes tuées : deux lièvres, cinq grouses et un hérisson. Il ne vit qu'à la dernière minute le forgeron qui surveillait leur traversée du bourg. L'homme avait quitté son échoppe et s'était placé sur leur passage ; au moment où Baltair fut à sa hauteur, il s'approcha de lui, sortit subrepticement une lettre de son large tablier de cuir et la lui tendit. Surpris, Baltair jeta un œil aux alentours, saisit la lettre et la glissa dans son pourpoint. Il remercia d'un signe de tête le forgeron qui lui répondit de la même façon. Personne n'avait rien vu. Tout s'était déroulé si rapidement que Baltair se demanda s'il avait rêvé, mais en palpant discrètement son vêtement, il sentit la lettre.

Il avait fini par oublier qu'il avait écrit à Sorcha Lennox. Quatre mois s'étaient écoulés durant lesquels le forgeron ne l'avait pas abordé. Il trouva assez étrange que la damoiselle choisisse le moment précis où il formait des projets de démarches courtoises pour se rappeler à ses bons souvenirs, car il n'en doutait pas, cette lettre venait d'elle. Il en éprouva soudain un sentiment de fierté et fixa le dos de son père, à la tête du groupe, en se disant : « J'aimerais bien voir votre air, père, si je vous apprenais qu'un cœur bat à Iona pour moi. »

Quand, le soir venu, isolé des regards dans une tourelle, il put enfin en prendre connaissance à la lueur d'une torche, la lettre de damoiselle Sorcha ne lui révéla rien des sentiments qu'il lui avait prêtés. Bien au contraire, le ton et le contenu des deux feuillets auraient pu être l'œuvre de sa sœur Ceit, tant ils étaient dépouillés de la moindre nuance amoureuse.

Sorcha Lennox à Baltair le Jeune   *avril 1439*

Très respecté messire MacNèil, mes salutations et mes vœux de bonne année à vos parents. Je suis très surprise de votre lettre mais soyez-en grandement remercié. Vous êtes le premier à me donner des nouvelles de Morar, car personne ne nous a écrit depuis notre arrivée à Iona. Cependant, sachez qu'il m'est très difficile de correspondre avec vous. Je n'ai le droit ni d'écrire de lettres ni d'en recevoir. J'ai dû voler votre lettre à notre sœur portière, voler à ma mère le papier pour vous écrire et attendre la permission de sortir du couvent pour envoyer la présente missive qui, j'espère, va vous parvenir car je n'ai pas d'argent pour payer quelque porteur que ce soit et j'ai dû me fier à un passeur connu d'un ami à moi.

Tout l'hiver, j'ai veillé une religieuse mourante qui a rendu l'âme le mercredi après Pâques, et j'ai pu dès lors sortir du couvent et revoir frère Gabriel, cet ami qui m'a trouvé un messager. Aussi, je vous demande de faire parvenir vos missives, si vous avez l'intention de m'en écrire d'autres, au frère Gabriel, à l'abbaye d'Iona.

J'ai été extrêmement désolée d'apprendre que mon père avait vendu notre domaine et que ma Finella est seule. Remerciez votre mère de la prendre à son service, car je sais qu'elle a déjà travaillé au château de Mallaig dans sa jeunesse et qu'elle s'y est beaucoup plu.

Quant au sort de mon oncle Eachan, que j'ai à peine connu, je n'en suis pas tellement surprise. J'avais déjà deviné qu'il était de ceux qui ont attaqué le roi. Mais je suis inquiète de mon oncle Innes, car vous n'en dites rien et j'ai peur qu'il ait été entraîné avec son jeune frère. Faites-moi connaître ce qu'il en est advenu si vous le savez.

Aussi, donnez-moi le plus de nouvelles possible du nouveau jeune roi car je m'intéresse beaucoup à lui.

Je vous félicite de votre apprentissage de chevalier, mais je suis si ignorante sur le sujet que je ne puis pas bien apprécier ce que vous m'en racontez.

Que Dieu vous ait dans Sa sainte garde

Votre dévouée,
Sorcha Lennox

Baltair replia lentement les feuillets. Cette lettre le décevait et il n'aurait su dire en quoi. Elle était courte, certes. Damoiselle Lennox ne semblait pas prêter un grand intérêt à son apprentissage de chevalier, comparativement à celui qu'elle portait à sa servante, à son oncle Innes et au roi. Par contre, l'interdit qui entourait la correspondance lui plaisait énormément. Qu'il faille user de subterfuges pour que la fille lise la lettre, en écrive une et trouve un intermédiaire pour en recevoir une autre le stimulait et l'incitait à poursuivre l'échange. Il fixa un moment la torche qui crachotait à chaque coup de vent pénétrant dans la tourelle et sourit. Il glissa la lettre dans son vêtement et convint de jouer l'informateur pour répondre aux interrogations de la damoiselle. Ce rôle l'intéressait plus qu'il n'aurait pu le penser.

« Tant pis si mon entraînement indiffère damoiselle Sorcha. Il en captivera d'autres », conclut Baltair en quittant sa cachette.

Après le décès de sœur Katherine, qui fut enterrée très sobrement dans le petit cimetière muré de Sainte-Marie, je recouvrai ma liberté et c'est avec une grande joie que je sortis du couvent et revis frère Gabriel. Bien qu'il m'apparût avoir vieilli et perdu de son entrain habituel, il me fit un chaleureux accueil. Son émotion décuplait son bégaiement, mais je goûtai intensément son discours truffé de nouvelles disparates concernant le roi, l'abbaye, le seigneur d'Islay, les dernières visites de voyageurs et le résultat de ses pêches. Avec le plus grand naturel, nous reprîmes, au gré de mes permissions, nos rencontres sur la grève, entre ses sorties en mer.

Puis, débarquèrent à Iona les premières cohortes de pèlerins de la saison 1439 et je prêtai de nouveau main-forte à notre servante dans le service des voyageuses qui logeaient à l'hostellerie. L'une d'elles, dame Flora, du clan MacRuairi et sœur du baron de Moidart, fit en juin un séjour d'une semaine, durant laquelle elle me témoigna beaucoup d'amitié. Son château à Trioram entretenait des liens avec le château de Glenfinnan et je pus ainsi avoir des nouvelles du clan MacNèil.

Elle me raconta, entre autres, que dame Gunelle, la châtelaine de Mallaig, avait donné une grande réception à l'occasion de la fête de mai et que tout le clan avait été reçu à leur château pendant plusieurs jours. Dame Flora tenait ses informations de la châtelaine de Glenfinnan qui était allée à Mallaig avec ses filles, Rhona et Sine. Alors que j'écoutais mon aimable interlocutrice, le souvenir des deux jeunes filles me revint en mémoire et j'osai poser quelques questions à leur sujet :

« J'ai déjà rencontré Rhona et Sine, dame Flora. Comment vont-elles ? Se sont-elles trouvé un mari ? L'an dernier, elles se préoccupaient beaucoup de leur avenir.

– Ha ! Je reconnais bien là les centres d'intérêt des jeunes filles, damoiselle Sorcha, me répondit-elle en souriant. D'après ce que je sais, vos amies démontrent un plus grand empressement à se marier que n'en témoigne leur père pour ce projet. L'aînée, Sine, serait courtisée par le fils du seigneur MacNèil de Mallaig. Ils ont tous les deux treize ans et sont apparentés par leurs pères qui sont des cousins. Quant à Rhona, je crois

qu'elle a été malade cet hiver, mais elle se porte mieux depuis.

— Fréquentent-elles beaucoup le château de Mallaig ?

— Je ne crois pas. C'est un peu loin de Glenfinnan
par route. Il est question qu'elles soient envoyées à Édimbourg cet été pour parfaire leur éducation.

— Êtes-vous au courant si damoiselle Ceit de Mallaig s'est mariée ?

— On dit que ses projets ont échoué. Le mariage
d'une telle personnalité ne passe pas inaperçu dans les
Highlands et j'en aurais eu vent s'il avait eu lieu.

— Je vais vous paraître curieuse, dame Flora, mais
savez-vous si dame Gunelle de Mallaig a une certaine
Finella parmi sa domesticité ?

— Ma pauvre enfant, je ne connais pas du tout le
train de maison du chef MacNèil. Ce sont les gens de
Glenfinnan auxquels je suis liée. La châtelaine est ma
belle-sœur. Je me rends à leur château plusieurs fois par
mois. Mais je ne suis jamais allée à Mallaig. Qui est
cette Finella ?

— C'est mon ancienne servante, dame. Mon père
avait le manoir de Morar, voisin de Mallaig et il est laird
du clan MacNèil.

— Tu es donc la fille du lieutenant Lennox, petite.
Mais alors, tu dois savoir que ton père n'est plus laird et
qu'il a rejoint l'armée des Stewart. Je ne sais pas ce qu'il
est advenu des gens de votre maison... »

Elle s'interrompit et me dévisagea un instant, hésitante. Elle allait poursuivre, mais changea d'idée et mit
fin abruptement à la conversation. En quittant l'hostellerie, je saisis quelques mots qu'elle chuchota à une

compagne de voyage. Je crus entendre les noms de ma mère et de mon oncle Innes et cela m'emplit de tristesse. Je présumais qu'un voile de suspicion relié aux événements tragiques concernant le roi enveloppait encore les membres de ma famille. Je réalisai également que la perception qu'on avait de nous ferait en sorte qu'il me serait impossible d'utiliser une voyageuse des Highlands, de passage au couvent Sainte-Marie, pour assurer ma correspondance avec Baltair MacNèil. Mais, en repensant à ce que je venais d'apprendre sur les amours de ce dernier avec damoiselle Sine de Glenfinnan, je doutai sérieusement de ma capacité à soutenir l'intérêt de mon correspondant.

J'avoue que le désir d'écrire et de recevoir des nouvelles glissa rapidement à l'arrière-plan durant mon deuxième été au couvent Sainte-Marie. J'avais beaucoup grandi, je me sentais plus sûre de moi et le goût de l'aventure commençait à se faire pressant. Encouragée par frère Gabriel, j'entrepris donc d'explorer le territoire de la sainte île qui faisait trois miles du nord au sud par un et demi d'est en ouest.

Je relevais mes jupes que je coinçais dans ma ceinture et j'escaladais hardiment la colline derrière le couvent. De là-haut, je remplissais mes poumons d'air salin et j'admirais la vaste étendue de prés et de mer qui m'entourait. Parfois, mon enthousiasme était si grand que je poussais quelques cris libérateurs en direction des oiseaux de mer qui sillonnaient le ciel. Souvent, en fixant un point à l'horizon, je voguais en pensée jusqu'à Morar et l'émotion me gagnait. Il m'arrivait alors de verser quelques larmes vite asséchées par le grand vent.

Un après-midi que je musardais dans la lande et cueillais des fleurs de bruyère qu'on utilisait au couvent pour confectionner des pommades contre les piqûres d'insectes, je levai une mère lagopède et ses petits qui s'y cachaient. Je me demandai si ces oiseaux pouvaient être apprêtés à la broche et comment je m'y prendrais pour les capturer. « Sœur Béga apprécierait-elle ou n'apprécierait-elle pas que je revienne au couvent avec du gibier ? » songeai-je en épiant la proie. Une variation dans les menus du couvent pourrait être bien accueillie tout comme elle pourrait ne pas l'être, étant alors perçue comme contraire à l'esprit de pénitence qui entourait toujours notre alimentation. Je décidai de m'en ouvrir à frère Gabriel et de lui demander conseil. Il m'avait déjà raconté de quelle manière il avait pris des lièvres au collet dans ses premières années au monastère, avant qu'il ne devienne pêcheur. J'allais voir d'abord si mon projet de chasser était réalisable.

J'eus l'occasion de lui en parler quelques semaines plus tard et notre conversation lui rappela de bons souvenirs. Cependant, il me fit remarquer que la chasse au collet demandait d'y consacrer une attention quotidienne :

« Laisseras-tu pourrir tes prises durant des jours, petite Sorcha ? Si elles ne sont pas volées avant par les hiboux ou les lemmings… Comment feras-tu si sœur Béga ne t'accorde pas la permission de sortir pendant une semaine ? Qui va relever les collets à ta place ?

— Mais vous pêchez pour votre communauté et on vous laisse sortir tous les jours, frère Gabriel. Pourquoi ne ferait-on de même avec moi ?

— Parce que tu ne pêches pas. Le poisson est une nourriture divine. Le Christ et ses apôtres en mangeaient tous les jours et les moines aussi en mangent. Mais pas de lagopèdes, de perdrix ou de lièvres. Aucune autorisation pour ces animaux-là…

— Alors les lièvres que vous avez attrapés jadis, c'était sans la permission de votre prieur ?

— Tu l'as dit. Je les ai mangés sur place, sur un feu de grève, et ils m'ont bien nourri. *Oculi omnium in Te sperant, Domine : et Tu das illis escam in tempore opportuno.* "Les yeux de toutes les créatures sont tournés vers Vous, Seigneur : et Vous leur donnez leur nourriture au temps opportun." N'en est-il pas ainsi avec les moines ermites ? Que mangent-ils si ce n'est ce que Dieu leur envoie, Sorcha ? Un jour, je m'*ermiterai*, moi aussi… »

Je renonçai donc à chasser pour le compte de ma communauté. À ma sortie suivante, je poussai mon exploration de la colline vers l'ouest et traversai toute l'île dans sa largeur. Je me retrouvai ainsi, après une heure de marche, devant une large baie, face à l'océan. J'y surpris une colonie de loups-marins qui jouaient autour de rochers et je les observai un long moment, m'amusant de leur mimique lorsque leur tête chauve émergeait de l'eau, à la recherche de leurs congénères. Leur pelage lustré et noir leur faisait un vêtement monastique et je les imaginai en moines occupés à se surveiller les uns les autres ; l'ensemble compact que formaient les rochers autour desquels ils évoluaient représentait l'immense monastère de l'abbé Dominic.

Mes expéditions me faisaient du bien. Quand je réintégrais le couvent, détendue et fourbue, je retrouvais avec bonheur le silence et le calme de la vie contemplative. Ma mère me jetait alors un regard de biais et soulevait un sourcil, vaguement suspicieuse. Elle n'osait pas me questionner, mais je devinais que la curiosité de savoir ce que j'avais fait à l'extérieur des murs de Sainte-Marie la taraudait. Pour ne pas se laisser distraire de ses dévotions, elle demanda une autre cellule à notre prieure et l'obtint.

Dès lors, nous fûmes moins en présence l'une de l'autre, sans que cela m'affecte. Au contraire, j'appréciai vite d'occuper seule une cellule et d'y prendre mes aises. En outre, ma mère y avait laissé son mobilier, n'emportant que son prie-Dieu. J'avais enfin libre usage de son pupitre portatif et j'en profitai pleinement pour écrire au seul correspondant que j'avais, jusqu'à ce que le papier me fît défaut.

Vers la fin de l'été 1439, je m'aventurai à suivre les groupes de pèlerins qui montaient du quai après leur débarquement sur l'île. Hommes et femmes de tous âges avançaient lentement, émus et recueillis, faisant une station à chacune des croix de pierre qui jalonnaient le chemin vers l'abbaye. Un peu en retrait, je les détaillais avec curiosité et tentais de deviner leur contrée d'origine, les motifs de leur pèlerinage et, pour certains, les maladies ou infirmités qu'ils espéraient guérir au contact des saintes reliques.

Parfois, je leur adressais la parole et certains acceptaient de converser avec moi. Mais la plupart du temps, les pèlerins s'abîmaient en dévotions et ne prêtaient guère attention à ce qui dérogeait à leur but. Souvent, je priais parmi eux et les accompagnais jusqu'à la chapelle Saint-Oran, à mille pieds de l'abbaye. Je n'allais jamais au-delà du petit édifice, comme l'exigeait de moi sœur Béga. La permission de sortir du couvent demeurait un privilège et il m'importait de le conserver. Je regardais alors la colonne de pèlerins s'éloigner vers le monastère, emportant leurs histoires et leurs espoirs de guérison vers le saint lieu.

La chambre des dames baignait dans la touffeur à la fin de juillet 1439. Dame Gunelle ferma un à un les volets de jonc, car les insectes pullulaient autour du château par journée sans vent et ils envahissaient alors les pièces. Elle s'approcha du coffre contenant les robes et bliauds de sa fille. Depuis le début du printemps, avec l'aide de trois servantes, la châtelaine de Mallaig avait consacré tout son temps à la confection de la garde-robe de Ceit qui était invitée dans sa famille, à Crathes. On avait conclu un arrangement pour l'impétueuse aînée MacNèil, afin qu'elle réside une année ou deux chez ses grands-parents Keith et fasse la connaissance des gentilshommes de leur entourage. La perspective de ce long séjour enchantait la jeune femme, tout comme elle soulageait les gens qu'elle quittait.

Pour dame Gunelle, rien de mieux n'aurait pu survenir dans la vie de Ceit que cette invitation et l'ouverture sur une autre société qu'elle offrait. La châtelaine souleva le couvercle du coffre de chêne et se pencha sur les vêtements soigneusement rangés. Elle passa une main experte sur les broderies, les voiles, les appliqués de velours et les rubans qui garnissaient les étoffes. Elle se sentit satisfaite de l'effort consacré aux préparatifs de départ de sa fille et confiante dans le sort qui l'attendait là-bas.

Il lui fallait maintenant penser à ses propres effets de voyage, car elle accompagnait sa fille à Crathes avec ses deux plus jeunes fils. Le départ était prévu pour le lendemain et le voyage se ferait en bateau de Mallaig jusqu'à Aberdeen, sur la côte est, où une escorte de son père les attendrait à la mi-août. Dame Gunelle se réjouissait de revoir ses parents qu'elle n'avait pas visités depuis trois ans.

Quant à Iain MacNèil, il détestait son beau-père et trouvait toujours les meilleurs prétextes pour éviter d'aller à Crathes. En outre, il comptait présenter Baltair aux joutes équestres du Tournoi des îles qui se déroulait au même moment que le voyage à Crathes. Les seigneurs des Highlands profitaient de ces compétitions annuelles pour démontrer la puissance de leur maison et du clan auquel ils appartenaient. C'était également l'occasion de régler des comptes entre chefs. À ce chapitre, Iain MacNèil n'était pas en reste. Invariablement, les conflits qui éclataient durant l'année entre son clan et d'autres trouvaient leur solution au Tournoi des îles, à Skye.

À l'heure du souper, quand les plats furent disposés sur la table pour le dernier repas de la famille réunie et que les serviteurs se furent retirés de la grand-salle, Iain MacNèil se leva solennellement et demanda l'attention de l'assemblée. Le chapelain de la famille se tourna aussitôt vers les jumeaux Malcom et Dudh pour les faire taire ; dame Gunelle échangea un regard complice avec sa fille ; d'un côté, le cousin Tòmas poussa du coude Baltair et, de l'autre, il serra la main de son épouse Jenny.

« Ma dame, fit le chef en direction de dame Gunelle, révérend Henriot, cousin Tòmas, Jenny, mes enfants, levons notre verre au succès de Ceit avec les hommes des Lowlands et aux victoires de Baltair sur ceux des Highlands. Que la sœur et le frère reviennent tous deux à Mallaig comblés d'amour et d'honneurs, slaìnte* !

– Slaìnte ! répondirent les convives en chœur en levant leurs gobelets.

– Je tiens à remercier ici publiquement le seigneur Nathaniel Keith, mon admirable beau-père, d'avoir consenti à accueillir ma fille sous son toit, poursuivit Iain MacNèil, une pointe d'ironie dans la voix. Je remercie également mon cousin Tòmas d'accepter d'escorter mon épouse, ma fille et mes fils à Aberdeen en dépit de Jenny qui se croit autorisée à exercer des pressions pour qu'il demeure à Mallaig... »

Rouge de confusion, Jenny cacha son visage contre l'épaule de Tòmas, tandis que toute l'assemblée riait de bon cœur. C'était chose connue au château que la jeune femme supportait mal les absences prolongées de son mari.

« Que ne me remerciez-vous pas, mon seigneur ? objecta dame Gunelle au milieu de l'hilarité générale. Est-ce que je n'accepte pas de me priver de votre protection et de voyager comme une veuve, à l'autre bout de l'Écosse ? De plus, ne m'obligez-vous pas à excuser votre absence auprès de mes parents, ainsi que celle de notre fils aîné ? Et aussi, ne devrais-je pas là-bas assumer votre rôle de négociateur afin que Ceit soit introduite dans la société d'Aberdeen ? »

---

* *Slaìnte* (mot gaélique) : Santé ! Salut !

L'assemblée s'était tue et appréciait le manège de la châtelaine pour faire diversion. Iain MacNèil sourit, prit la main de son épouse qu'il fit lever et déposa un baiser sur son poignet en repoussant délicatement sa manche.

« Ma dame, clama-t-il, vous ne m'avez pas laissé le temps de terminer et vous me volez les mots de la bouche. S'il est une personne à Mallaig qui agit toujours par devoir, c'est vous. Ce que Ceit s'apprête à vivre à Crathes est entièrement votre œuvre et elle vous en sera éternellement reconnaissante. Comme je le suis moi-même, ainsi que tous nos gens. »

Il fit une pause et regarda l'assemblée avant de poursuivre :

« Maintenant, ce que Baltair s'apprête à vivre à Skye est non moins décisif et lourd de conséquences pour lui comme pour tout le clan, et son entraînement en vue du tournoi est entièrement mon œuvre. Aussi, je compléterai mes compliments en me remerciant moi-même. Slàinte ! »

La salutation fut reprise en chœur, alors que le seigneur MacNèil se retenait de rire en regardant son épouse. Dame Gunelle secoua la tête et l'inclina légèrement pour dissimuler son sourire. Elle pressa la main de son époux dans la sienne, le cœur rempli de tendresse pour cet homme qu'elle avait appris à aimer malgré ses nombreux défauts. S'emparant de son gobelet, elle le leva dans sa direction et joignit son salut à celui des autres. Gonflé d'enthousiasme, Baltair bondit de son banc et clama bien fort santé à son père, ce qui déplut à sa sœur Ceit, assise à ses côtés.

« Inutile de crier ainsi, Baltair, lui siffla celle-ci, quand il se fut rassis. Tu n'es pas à la foire. Mère a raison :

il serait davantage convenable pour toi et père de faire cette visite à Crathes que d'aller vous pavaner à Skye. Car, que ferez-vous de si extraordinaire là-bas, sinon tenter d'en imposer aux autres à coups d'étendards ?

– Et que feras-tu, toi, dans les Lowlands si ce n'est la même chose que nous, te pavaner ? Tu vas t'exposer comme un fromage sur un étal et tenter de harponner un mari. Quel exploit !

– Tais-toi, crétin ! Je souhaite de tout cœur que tu te fasses désarçonner au premier tour de piste et que tu n'aies aucune victoire à narrer à ton idiote de correspondante d'Iona…

– Tu peux parler à l'aise, ma sœur, pour ce qui a trait à l'intelligence des autres. Tu es bien instruite et savante des choses de la vie. Tu fréquentes les plus nobles maisons et tu es reçue partout comme une dame bien née. Mais tu as oublié un petit détail sur tes origines, je pense…

– Non, messire, mon frère ! Je sais qui je suis et ma condition est cent fois meilleure que celle de Sorcha Lennox qui est le fruit de l'inceste… »

Sans tenir compte des regards qui convergeaient vers eux, Ceit poursuivit sa démonstration à son frère :

« Car, évidemment, ce que tu ignores, c'est que le lieutenant Lennox n'a jamais été que le père adoptif de cette gamine. Quand il a épousé Angusina MacDonnel, elle était déjà grosse des œuvres de son propre père. Alors le fromage sur l'étal dont tu parlais tout à l'heure, c'est elle. Pas moi ! »

Complètement ahuri, Baltair leva les yeux sur le visage de sa mère tournée dans leur direction et reçut confirmation de l'inavouable histoire qui venait de lui être assénée par sa sœur. Dame Gunelle fusilla sa fille du regard et le silence le plus parfait tomba dans la grand-salle. Jamais Baltair n'avait vu un air aussi offensé à sa mère. Iain MacNèil, furibond, déposa son gobelet avec force sur la table et chassa sa fille d'une voix coupante :

« Sors de cette salle, ma fille. Il n'y a pas de place à ma table pour la perfidie. Monte à ta chambre et réfléchis. Ce comportement n'est pas digne d'une MacNèil et je ne l'accepte pas. »

Ceit prit le temps de longuement essuyer ses mains à la nappe avant de se lever. Elle s'était composé un air désinvolte et glissa furtivement à l'oreille de son frère, cette fois d'une voix à peine audible :

« J'espère que père se fera également désarçonner à Skye. »

DEUXIÈME PARTIE

1440-1443

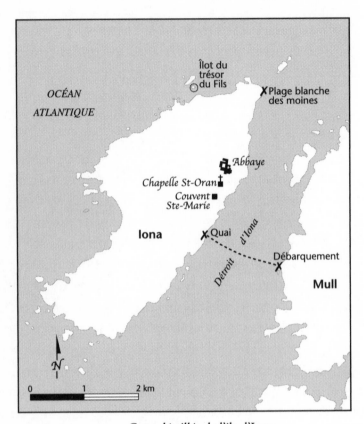

Carte détaillée de l'île d'Iona

Chapitre V

Découvrir un trésor

L'intimité que j'acquis au couvent et mes escapades à l'extérieur m'emplirent de bonheur durant les années 1440 et 1441 à Iona. Je rédigeais des lettres à Baltair MacNèil, n'ayant d'autre personne avec qui correspondre. Je lui relatais les événements qui meublaient ma vie et lui posais des questions sur la sienne à Mallaig. Mais toute cette correspondance avec lui ne m'apprit rien que je ne connaissais déjà à propos de mon père et du jeune roi. Elle me confirma cependant que Finella était bien entrée au service de dame Gunelle, nouvelle qui m'emplit de joie et de tristesse à la fois. Joie de la savoir placée dans une famille amie, tristesse de réaliser qu'elle me manquait encore beaucoup après plus de trois ans de séparation.

Dans ses lettres, Baltair MacNèil taisait évidemment ses démarches amoureuses auprès de damoiselle Sine et continuait de m'abreuver d'informations relatives à sa famille. Je sus ainsi que sa sœur n'était pas mariée et qu'elle avait quitté Mallaig pour un séjour chez ses grands-parents, dans les Lowlands. Comme à son habitude, Baltair MacNèil ne ménageait ni l'encre ni le papier pour me relater ses activités d'apprenti chevalier, dont notamment ses participations aux prestigieux tournois qui se déroulaient l'été. Cependant, je ne réussissais jamais à déterminer, à la lecture des lettres, s'il gagnait ou perdait les compétitions de tir et les joutes équestres. Mais, à la vérité, peu m'importait.

Même si cette correspondance fut peu soutenue, car le système de courriers secrets mettait des mois à livrer une lettre, écrire à Baltair MacNèil eut le mérite de me faire prendre conscience des rencontres et des découvertes que je faisais au fil du temps à Iona. Les événements que je vivais étaient souvent anodins, quelquefois singuliers et, à quelques reprises, ils purent être qualifiés de franchement passionnants. Je les abordais tous avec une égale intensité, faite de passion, d'analyse et de méditation.

La péripétie parmi les plus fantastiques dont j'eus connaissance à Iona fut sans nul doute la découverte du « tribut de la Vierge », par frère Gabriel. C'était le nom qu'il donnait aux petites pièces d'orfèvrerie contenues parfois dans les viscères des poissons qu'il évidait. Il les ramassait et les enfouissait dans un trou qu'il avait pratiqué entre deux pierres sur la plage, cachette qu'il me montra très secrètement, une fin d'après-midi d'octobre. Je m'étais approchée sans bruit, croyant qu'il priait, agenouillé devant un rocher à une centaine de pas de son panier à gréement.

« *Cibavit eos ex adipe frumenti, alleluia : et de petra melle saturavit eos, alleluia !* déclamait-il. "Le Seigneur a nourri son peuple du plus pur froment, alléluia : Il l'a rassasié du miel sorti de la pierre, alléluia !" »

– Alléluia ! » ne pus-je m'empêcher de murmurer.

Frère Gabriel se retourna aussitôt et me regarda d'un air ébahi. Il se signa en inclinant la tête, et se mit debout lentement en soulevant sa bure d'une main. Je remarquai une cavité dans la pierre derrière lui, ainsi que ses doigts qui tenaient un objet brillant. Il suivit mon regard, prononça un nouvel « Alléluia ! » plus faible que les autres, puis me fit signe d'avancer en souriant de sa bouche édentée. Quand je fus à ses côtés, il ouvrit la main dans le creux de laquelle je découvris, émerveillée, un petit dragon, replié sur lui-même, entièrement gravé d'entrelacs celtes. Il me donna une explication singulière de la provenance de cet anneau d'or.

« Connais-tu, mon enfant, les poissons avaleurs de joyaux ? Ils sont spécialement choisis par la Très Sainte Mère de Dieu pour retirer du fond de l'océan un trésor dont cet anneau fait partie.

– Un trésor ! m'exclamai-je. Quel trésor, frère Gabriel ?

– Celui volé par les Vikings aux moines du monastère d'Iona, il y a de cela plusieurs siècles.

– Les moines portaient des bijoux comme celui-ci ? demandai-je, incrédule, en soupesant l'anneau.

– Non, bien sûr. Ce bijou a dû faire partie d'un butin que les hommes du Nord ont rapporté d'une autre contrée avant de perpétrer leurs crimes sur l'île ; avant d'occire les moines et de dérober leurs objets sacrés. Cela s'est passé avant l'an mil...

– Les moines sont morts ?

– Tous ! Dieu ait pitié de leurs âmes ! Pas un seul n'a échappé aux épées ennemies, mais la main de Dieu les a vengés. Les mécréants ont péri dans un naufrage, par un foudroyant orage que le Ciel a déversé sur eux au moment où ils s'enfuyaient de l'île dans leurs vaisseaux. Tout leur trésor est tombé à la mer et y est demeuré durant plus de quatre cents ans, selon le bon vouloir de Dieu. Mais depuis que je me suis mis à la pêche, la Sainte Mère de Dieu réclame son tribut, car les petites pièces, son Fils tout-puissant les lui donne. Les gros objets, il les garde pour Lui dans la mer. Les petits me sont restitués un à un par les entrailles des poissons avaleurs de joyaux. »

Je retins mon souffle tant j'étais impressionnée par cette révélation. Frère Gabriel reprit l'anneau et le déposa au creux des galets derrière lui, puis il se redressa et s'écarta pour que je puisse voir. Je m'approchai de quelques pas et j'examinai la cachette, un pot de terre enfoncé entre deux larges pierres limoneuses, bien à l'abri des regards. Je glissai la main dedans et j'en ressortis une poignée de piécettes et quelques bagues. Je fis l'inventaire du pot : de la monnaie, des anneaux, des broches, une petite fibule et des agrafes. Depuis vingt ans qu'il s'adonnait à la pêche au même endroit, frère Gabriel avait constitué un véritable trésor d'objets en or.

« Vous avez ramassé tout ça ! fis-je, ébahie.

– Ce n'est pas moi qui le ramasse, répondit-il d'un air grave. Moi, je ne fais que mettre de côté ce que les poissons m'apportent, pour la Sainte Mère de Dieu, la Vierge Marie, la protectrice de votre couvent. "Il l'a rassasié du miel sorti de la terre. Alléluia !"

– Alléluia ! »

Cette fois-là, je crois bien que ce fut ma plus fantastique rencontre avec frère Gabriel. Le « tribut de la

Vierge » m'exalta tellement que je n'en dormis point durant une bonne semaine. À partir de ce jour, la visite au trésor fit partie de notre rituel. Frère Gabriel ne retirait pas souvent un objet de la mer, mais quand cela se produisait, il me le montrait. Et chaque fois, il récitait le même psaume. Alléluia !

Des nuages menaçants roulaient à l'horizon, juste au-dessus de l'île de Rhum que le navire des MacNèil s'apprêtait à croiser. Depuis que l'embarcation avait dépassé la pointe de Sleat, le froid s'était fait plus intense, poussé par les vents du nord sur la mer des Hébrides. Assis à l'arrière, Baltair rentra la tête dans les épaules et releva le capuchon de sa cape pour se protéger du froid.

Malgré l'amitié qu'il portait à son oncle Tòmas, il avait horreur de l'accompagner dans ses expéditions commerciales autour de l'archipel. Depuis qu'il était tout jeune, la navigation sous tous ses aspects n'avait jamais réussi à l'intéresser. En outre, il souffrait du mal de mer. Son père connaissait parfaitement son aversion, mais estimait que naviguer faisait partie de sa formation.

« Un jour, tu seras le chef du clan, mon fils, lui avait-il dit. Dans les Highlands, aucun homme ne peut être respecté comme chef s'il ne sait mener lui-même ses navires. »

Ainsi en avait décidé Iain MacNèil en ce mois de décembre 1441. La dernière mission en mer, avant que les glaces hivernales n'aient encombré les détroits, serait sous la gouverne de son fils qui venait d'avoir seize ans, et son cousin Tòmas, habituellement commandant de la flotte de Mallaig, l'accompagnerait à titre de copilote.

Baltair mâchonnait du pain pour occuper son ventre et fixait l'horizon pour atténuer le vertige derrière son front. La ligne mouvante de l'océan montait et descendait, offrant à sa vue tantôt un pan de ciel gris, tantôt un pan d'eaux noires. Le silence régnait entre les douze hommes à bord. Seul le craquement régulier de la proue, quand elle plongeait dans la mer, répondait au bruit sec des rames qui la fendaient. Baltair eut soudain un haut-le-cœur. Il leva les yeux vers la proue où son oncle orientait la voile du navire, puis il reporta son attention sur le travail des rameurs. Il tenta de se concentrer sur le mouvement de leurs bras. Prenant une profonde inspiration, le jeune homme serra les poings et les lèvres ; le mal s'estompa.

À ses côtés, l'homme de relais se leva pour remplacer le rameur dont c'était le tour de se reposer. Baltair lui bloqua le passage.

« Laisse, je vais ramer un peu, lui dit-il.

– Smith, va remplacer à tribord. On va relayer sur deux hommes », lança Tòmas qui avait surpris l'intervention de Baltair.

Smith s'exécuta et deux autres rameurs vinrent prendre leur quart de repos en même temps à la poupe, devant le barreur. Ils jetèrent un regard intrigué à Baltair quand ils échangèrent leurs positions, mais celui-ci n'en tint pas compte ; il s'installa sur le banc et, les mâchoires crispées, s'empara de la rame avec détermination. « Ne pas vomir, pensa-t-il. Surtout, ne pas vomir… » Quand il eut réglé sa cadence sur celle de l'équipage, son vis-à-vis à bâbord lui adressa la parole ; l'homme d'une quarantaine d'années était parmi les plus vieux sur le navire.

« C'est une bonne décision, mon seigneur. Il faut bouger dans ces moments-là. Rien de tel que d'ajuster son souffle au soupir de la mer. Ne perdez pas le rythme et vous allez voir, ça va passer. »

Baltair remercia l'homme d'un sourire. Il entendit aussitôt monter une voix mélodieuse et grave dans son dos. Le rameur derrière lui entonnait une chanson pour marquer et maintenir la cadence. La minute suivante, c'est tout l'équipage qui chantait en chœur en tirant sur les avirons. Les hommes avaient compris que le jeune maître luttait contre son malaise et ils lui témoignaient ainsi leur solidarité et leur estime.

Ils avaient quitté Mallaig depuis une heure en direction de Dunvegan où ils devaient prendre livraison d'étain chez les MacLoed, quand la tempête s'éleva. Le navire, qui avait dépassé l'île de Rhum, fut secoué par les lames de fond et par les vents qui le faisaient dévier de sa trajectoire. Tòmas rabattit rapidement la voile et se rua à la poupe pour aider le barreur à maintenir le cap au nord, mais en vain. Le navire piquait irrésistiblement vers l'ouest, s'éloignant des baies de l'île de Skye où il aurait fallu aller s'abriter.

Il s'avéra vite inutile de ramer et les hommes, trempés de la tête aux pieds, reçurent l'ordre de lâcher les avirons et de se munir des seaux. L'eau envahissait le pont à chaque embardée du navire et menaçait son équilibre. Heureux de laisser son oncle en position de commande, Baltair prêta main-forte à l'équipage et écopa en tentant d'oublier sa terreur. Il y était presque parvenu quand le vent tomba enfin. Après trois heures de malmenage par les éléments déchaînés, le navire reprit son sillon sur une mer aplanie. La pluie cessa au même moment et les hommes se redressèrent tous dans un même geste pour étudier les alentours.

L'équipage découvrit avec stupeur que leur navire avait dérivé dans la mer des Hébrides jusqu'à l'île d'Uist, vingt-cinq miles à l'ouest de Skye. Tòmas se porta à l'avant du navire et Baltair le rejoignit. Ils examinèrent en silence le paysage brumeux qui les entourait à la lueur du jour qui baissait.

Un loch profond s'ouvrait devant eux et, sur ses eaux, deux navires avaient mis le cap dans leur direction. Baltair se tourna vers son oncle auquel il n'eut pas le temps de poser la question qui se pressait sur ses lèvres.

« Voici le loch Eynort, mon neveu ; et ceux qui viennent "aimablement" à notre rencontre sont probablement du clan Ranald. Ils ont la réputation d'exiger des droits plutôt substantiels à qui mouille dans leurs eaux.

— Mais nous ne mouillons pas dans leurs eaux, mon oncle, objecta Baltair. C'est la tempête qui nous a poussés ici.

— Et quelle est la différence, peux-tu me le dire ? Pour les Ranald, il n'y en a pas. Nous sommes arrêtés chez eux et nous devrons payer. Heureusement que nous n'avons pas encore notre cargaison d'étain à bord. Ils auraient largement prélevé là-dessus. Je suis curieux de voir ce qu'ils demanderont…

— Mais il n'est pas question qu'on leur paie quoi que ce soit ! s'exclama Baltair. Mon père s'y opposerait. Voyons, mon oncle, nous n'allons pas marchander avec des pirates ! Je m'y refuse catégoriquement !

– Du calme, Baltair ! Ce n'est pas la première fois qu'on m'arraisonne et sûrement pas la dernière. Alors tu vas me laisser conduire tout ça à ma manière. Nous sommes douze sur un fond plat à deux voiles et ils sont probablement une trentaine sur une paire de deux-mâts. Fais le calcul. Quelle chance avons-nous de leur échapper ? Mon garçon, nous n'avons pas d'autre choix que de négocier et c'est exactement ce que je vais faire. »

Baltair était décontenancé. Il se tut et observa la flotte ennemie qui fondait sur eux avec la plus grande assurance. À ses côtés, son oncle affichait un air impavide. Ses longs cheveux blonds sortaient désordonnés de son chapeau imbibé d'eau. Il triturait d'une main impatiente sa barbe et il se levait imperceptiblement sur la pointe des pieds, comme prêt à s'élancer. Derrière l'oncle et le neveu, les dix hommes d'équipage avaient sorti leur dague et s'étaient regroupés au centre du pont, prêts à se défendre si la situation l'exigeait.

Moins d'un quart d'heure plus tard, les Ranald les abordèrent. Seul, leur commandant sauta sur le pont et se dirigea droit sur les MacNèil. Baltair fit rapidement l'inventaire des deux équipages qui mouillaient de part et d'autre de leur barge et constata que son oncle avait raison. Il dénombra vingt-sept hommes armés, dont treize arbalétriers qui les ciblaient.

« Vilain temps que vous avez essuyé là, messires, fit le commandant, le sourire aux lèvres. Je suis Ranald de Eriskay, chef du clan Ranald sur Uist. Que nous vaut votre visite ou, plutôt, quelle était votre destination avant que vous ne soyez détournés ?... Car vous ne veniez pas à Uist, n'est-ce pas ? »

Heureux de sa plaisanterie, le commandant se mit à rire en tournant la tête vers son équipage. Pas très imposant de stature, l'homme avait la tête dégarnie et la barbe clairsemée, mais il était superbement armé : un baudrier doublé, garni d'une imposante claymore, ceignait ses hanches et une longue dague était attachée à son avant-bras gauche.

Tòmas attendait qu'il se taise pour répondre. Il n'avait jamais rencontré un membre du clan Ranald lors de ses nombreuses expéditions à bord de la flotte des MacNèil et l'expérience n'était pas dénuée d'intérêt pour lui.

« Quel pavillon battez-vous, messires ? À qui ai-je l'honneur ? dit enfin Ranald.

— Je suis Tòmas d'Inverness, du clan MacNèil de Mallaig. Et voici mon neveu Baltair, le fils de mon cousin Iain, répondit calmement Tòmas.

— Mais tu es le fils du chef, mon garçon ! s'exclama Ranald en s'adressant à Baltair. Et le petit-fils de Baltair l'Ancien… Voilà qui est prodigieux ! Il y a deux décennies que nous n'avons eu la visite du clan MacNèil. Nous sommes honorés ! Que transportez-vous, messires ? Nous sommes curieux à Uist. Nous avons si peu de visiteurs de votre trempe, surtout en hiver… »

Des yeux, Ranald parcourait le plancher, à la recherche de la cargaison. Déçu de ne découvrir que les cageots de denrées pour la traversée, son sourire tomba. Il comprit qu'il n'y avait pas de marchandises à confisquer en paiement de droits de mouillage. Lorsqu'il surprit le regard amusé que Tòmas posait sur lui, il changea d'humeur.

« Si vous ne ramenez rien à Mallaig, c'est que vous êtes en route pour aller chercher quelque chose. Dites-moi ce que c'est et où. Ça nous intéresse beaucoup… messire Tòmas, gronda-t-il.

– Nous allons à Dunvegan chercher des métaux, répondit Tòmas sans sourciller. Mais ce n'est pas intéressant pour vous, car la cargaison est déjà payée, elle fait partie d'un échange. Comme vous pouvez le constater, messire Ranald, nous n'avons pas grand-chose à bord.

– C'est ce que mes hommes vont vérifier », siffla Ranald en direction des membres de son équipage.

Deux hommes du clan Ranald sautèrent aussitôt sur le pont. L'un inspecta rapidement les bancs et la cale de la proue, contournant les rameurs qui n'osaient faire un geste pouvant déclencher le tir ennemi. L'autre acolyte vint se poster à côté de son chef qui entreprit de fouiller Tòmas et Baltair.

« Vous permettez, messires MacNèil », dit-il.

Ranald avait l'habitude de cette opération. Il commença par Tòmas qui ne broncha pas, se laissant dépouiller de son arme et de sa bourse avec flegme. Baltair ne fit pas preuve du même calme quand ce fut son tour. Au moment où le commandant glissait la main dans son pourpoint, il fit un mouvement de recul qui lui valut d'être vite maîtrisé par l'acolyte de Ranald. En un rien de temps, ce dernier lui bloqua les bras derrière le dos. L'autre pirate vint aussitôt immobiliser Tòmas qui avait amorcé un geste de défense.

Ranald se mit à rigoler en reprenant sa fouille dans les vêtements de Baltair.

« C'est qu'il est drôlement mouillé, notre jeune seigneur… Quel âge as-tu ? Seize, dix-sept ans ? Tu as ta stature d'homme… Une belle stature d'ailleurs. Ton pourpoint me plaît beaucoup… c'est de la serge d'Italie. Les MacNèil sont réputés pour ne pas lésiner sur les étoffes… »

Tout en procédant à la fouille, Ranald commentait à voix haute ce qu'il trouvait sur Baltair. Le jeune homme avait le visage en feu et suffoquait de révolte. À la fin, le commandant sortit une petite bourse qui ne contenait presque rien, tout comme celle de Tòmas.

« Messire Tòmas, dit-il après avoir évalué les avoirs, sept sous et un groat* en tout et pour tout, j'ai bien peur que ce ne soit pas assez pour payer votre passage. Vous me voyez dans l'obligation de rançonner.

— C'est-à-dire ? réagit aussitôt Tòmas.

— Je garde le neveu et libère l'oncle, répondit Ranald avec désinvolture. Je suis magnanime. »

Tòmas blêmit. La situation dépassait ce à quoi il s'était attendu dans pareilles circonstances. Rançonner était excessif et Ranald le savait. Comment réagirait son cousin à cette usurpation ? Voilà bien ce qui l'inquiétait. Il jeta un regard à son neveu et vit que la révolte du jeune homme s'était muée en colère.

Baltair fixait leur agresseur avec un mépris évident.

« Tu n'obtiendras absolument rien, escroc ! siffla-t-il au visage du commandant. Au contraire, tu risques de le payer très cher…

— Tout doux, le damoiseau, l'interrompit Ranald en lui enfonçant violemment son poing dans le ventre. On n'insulte pas son hôte ! Je m'adresse à ton oncle qui, je suis sûr, a de meilleures manières que toi… »

---

* Groat : pièce de monnaie valant huit sous, frappée sous le règne de Robert III.

134

Baltair tomba à genoux, le souffle coupé, plié en deux, les bras toujours entravés. Se tournant avec le sourire vers Tòmas qui tremblait de colère contenue, Ranald l'agrippa par le bras et l'entraîna à l'écart pour lui parler. Le jeune homme n'entendit pas la négociation entre son oncle et le commandant Ranald, s'il y en eut une. Leur entretien dura les quelques minutes qu'il mit à reprendre son souffle.

Il fut soudain soulevé par les deux acolytes qui le firent passer sur le deux-mâts du commandant. Quand il put relever la tête, les navires du clan Ranald avaient déjà largué les amarres. L'abordage était terminé. Il vit Ranald lancer l'arme de son oncle sur le pont de la barge, au milieu de leur équipage interloqué : tout s'était déroulé si rapidement que personne n'avait pu empêcher l'opération des pirates.

Tandis que Baltair regardait son navire s'éloigner, il sentit monter en lui une telle humiliation que ses yeux s'embuèrent malgré son air imperturbable. Il était fait prisonnier dès la première mission en mer que son père lui avait confiée ! « *Ils sont faciles à prendre au collet parce qu'ils ne se débattent pas.* » Pourquoi cette phrase de Sorcha Lennox lui revint-elle en mémoire à ce moment précis ? Baltair l'ignorait et trouvait cela plutôt incongru.

Il se souvint alors que cette lettre, dans laquelle la jeune fille parlait de la chasse aux lièvres sur l'île d'Iona, était la dernière qu'il avait reçue d'elle. Le forgeron la lui avait remise alors qu'il descendait au quai, juste avant son embarquement. Il en avait discrètement pris connaissance, puis l'avait glissée dans ses heuses.

Si mes anniversaires avaient jusqu'alors passé inaperçus à Sainte-Marie, il en fut différemment pour le jour de mes quatorze ans. Sœur Béga me fit venir dans son bureau après l'office de tierce. Je gravis l'escalier qui montait à l'étage avec quelque appréhension, ignorant tout du motif de la convocation. Notre abbesse pouvait vouloir me parler de mes rencontres avec frère Gabriel, qu'elle aurait découvertes je ne savais comment ; ou encore de ma correspondance avec Baltair MacNèil, dont elle aurait appris l'existence par ne je savais qui ; ou bien de mon comportement général au couvent qui ne lui aurait pas donné satisfaction.

J'essayais tant bien que mal de soupeser les différentes possibilités sans parvenir à me fixer sur aucune d'elles. J'éprouvais un certain malaise qu'il me tardait de dissiper. Aussi, me présentai-je devant son cabinet d'un pas décidé. J'examinai attentivement mes mains avant de frapper. Elles étaient très propres et ce détail eut l'effet étonnant de me rassurer. Avant que je n'amorce mon geste, j'entendis la voix de sœur Béga qui me demandait d'entrer. L'ineffable religieuse avait dû m'entendre arriver.

Je poussai la porte et pénétrai dans ce lieu quasi sacré qu'était le bureau de notre prieure.

« Entrez, ma fille, fermez et venez vous asseoir ici.

— Merci, sœur Béga, fis-je en prenant place en face d'elle.

— Dame Angusina, votre mère, nous a confié que vous êtes réglée depuis un an… »

Je sentis aussitôt mon visage s'empourprer. J'étais gênée que notre abbesse connaisse ce détail exécrable de mon intimité et j'en voulais à ma mère d'en avoir parlé.

« C'est une étape significative dans la vie des femmes, et vous l'avez déjà franchie, poursuivait-elle d'une voix neutre. Désormais vous en êtes une, Sorcha. Nous ne pouvons évidemment plus vous considérer comme la jeune enfant qui est entrée chez nous, il y a bientôt quatre ans, n'est-ce pas ?

— J'imagine que non, ma sœur...

— Fort bien, fit-elle en hochant la tête. Aujourd'hui, vous avez atteint l'âge d'entrer en noviciat. C'est pourquoi je vous ai fait venir. Vous avez appris quantité de choses ici et l'heure est maintenant venue de faire don de vous-même et de vous élever à un rang supérieur. Je sais que vous démontrez une grande piété et que vous avez les capacités nécessaires pour mener une vie monastique. J'en ai parlé à votre mère qui n'émet aucune objection à ce que vous soyez postulante. Aussi, je vous pose la question : souhaitez-vous prononcer vos vœux à Sainte-Marie ? Voulez-vous être des nôtres et prendre le voile, consacrer votre vie à Dieu et à Son œuvre ? »

J'étais médusée. Ainsi, rien de ce que j'avais supposé avant d'entrer dans le bureau n'était en cause. Sœur Béga m'avait convoquée pour m'offrir un bien surprenant cadeau d'anniversaire : un laissez-passer pour le cloître ! Tandis que j'avais les yeux fixés sur sa bouche et son menton volontaires qui s'activaient, la religieuse poursuivait l'exposition de son projet :

« Évidemment, ce n'est pas une décision qui peut être prise à la légère. Tout cela mérite d'être bien mûri, car si vous choisissez notre monde, c'est une voie définitive. Vous le savez, n'est-ce pas ? Il y a des permissions qui ne pourront plus être accordées et votre vie va changer... Si vous le voulez, ne me donnez pas de réponse immédiatement, prenez tout le temps nécessaire pour y penser. Si vous souhaitez être guidée dans votre réflexion par notre confesseur, faites-le-moi savoir et je vais arranger des rencontres avec lui. J'ai confiance en votre jugement, Sorcha, et je connais votre cœur. »

Sur ces paroles, elle se leva, croisa les bras en enfonçant les mains dans ses manches pour me signifier que l'entretien était terminé, eut un sourire de satisfaction et me salua.

« Voilà, ma fille. Que Dieu vous assiste et guide votre âme !

– Je vous remercie, sœur Béga », murmurai-je en baissant le front, persuadée qu'elle ignorait tout de mon cœur.

Je quittai le bureau sur la pointe des pieds, ayant peine à croire à ma félicité. Ainsi je n'étais pas privée de sorties, ou punie d'avoir écrit, ou investie d'une nouvelle tâche, ou quoi que ce soit qui modifiât ma vie dans l'immédiat à Sainte-Marie. Je respirai plus à l'aise quand je redescendis l'escalier. On me demandait seulement de réfléchir à une offre. La proposition de notre prieure était plutôt inattendue, je ne savais vraiment pas comment l'accueillir et je décidai de consulter ma mère à ce sujet.

Je la trouvai à l'atelier où elle avait l'habitude de s'isoler à cette heure du jour. Le couvent avait obtenu le bénéfice d'exploiter le lin qui poussait sur l'île et s'était doté d'instruments pour son tissage. Ma mère, s'y entendant dans la technique, en avait pris la charge. Penchée au-dessus de la broie, elle activait le manche d'une main et de l'autre avançait la gerbe sous la lame en bois. Sous l'effet des secousses régulières, les tiges de lin s'ouvraient, laissant apparaître la fibre. Ma mère ne m'entendit pas venir et ne leva la tête qu'au moment où mes chaussures entrèrent dans son champ de vision, sur la paille de lin qui jonchait le sol.

« Je reviens de ma convocation chez notre prieure, mère. Il me faut vous en parler. Le puis-je ?

— Bien sûr, me répondit-elle, avec un sourire gêné. Assieds-toi ici. Je t'écoute. »

Je pris place sur un banc, tandis qu'elle étirait lentement la gerbe effilochée entre ses mains. Ce faisant, elle fixait la porte de l'atelier devant elle, évitant de me regarder.

« Voilà, mère. Vous le savez sans doute, car sœur Béga dit qu'elle vous en a parlé, je pourrais entrer novice ici, à Sainte-Marie. Elle a déclaré que j'ai l'âge et les capacités pour devenir religieuse. Je crois que vous êtes d'accord et j'imagine que père aussi le serait, si on le lui demandait. Mais, voyez-vous, c'est justement ce que j'aimerais savoir ; je ne suis pas du tout certaine que c'est ce qu'il attend de moi. Serait-il alors possible de le consulter ? Savez-vous où nous pourrions le joindre ? »

Ma mère examina son bliaud hérissé de brins de paille incrustés, la gerbe de lin qu'elle tenait, et de nouveau son bliaud. Puis, elle fit quelques pas en silence, l'air absorbé, avant de me faire face. Je me souviendrai toujours de l'immense tristesse que je lus dans ses yeux au moment où elle me répondit d'une voix oppressée :

« Ton père m'a demandé de ne pas entrer en contact avec lui, pour notre propre sécurité. Il paie notre pension à chaque année afin que nous ne soyons pas inquiétées et que nous puissions vivre dans la quiétude du couvent. Il en sera ainsi tant et aussi longtemps qu'il le voudra… et qu'il vivra. »

Elle fit une pause et s'assit sur le banc à côté de moi. Quand elle reprit la parole, je perçus de la résignation dans son ton.

« Mais le métier de la guerre est dangereux et je ne sais s'il y survivra. Le fait est qu'il souhaite ne jamais quitter l'armée. Qu'arrivera-t-il de nous à sa mort ? Je ne le sais. Nous n'hériterons de rien, car il a cédé son domaine. Je crois bien, Sorcha, que nous serons contraintes de prendre le voile toutes les deux si nous voulons demeurer à Sainte-Marie. Depuis notre arrivée sur la sainte île, je me prépare à cette éventualité et je prie afin qu'on nous accepte. »

J'étais abasourdie. Comment ma mère pouvait-elle envisager si stoïquement la mort du lieutenant Lennox et notre condamnation à vivre le reste de nos jours à Iona ? À la vérité, je n'avais jamais discuté avec elle de notre situation au couvent et je découvrais avec stupéfaction qu'elle semblait sans issue. Je regardai ma mère droit dans les yeux et lui demandai si la vie religieuse l'attirait, espérant qu'elle me poserait la même question.

« La vie en marge du monde a ses avantages. Peut-être semble-t-elle rude et ingrate sous certains aspects, mais c'est une vie très paisible et pure. Et puis, une vie contemplative peut garantir le salut éternel, pour soi et pour d'autres… Vois-tu, ma fille, si on m'avait offert le couvent à ton âge, je m'y serais certainement précipitée… »

« Et je n'aurais jamais existé ! » conclus-je en moi-même. Avec lenteur, ma mère se leva et regagna la broie pour poursuivre son travail du lin. Je me levai à mon tour et, d'un pas accablé, gagnai ma cellule. Que n'aurais-je donné pour parler, ne serait-ce qu'une minute, avec mon père ce jour-là ? Hélas, inutile, je ne pouvais même pas lui écrire. C'est alors que je réalisai que je ne lui écrirais jamais ni ne reparlerais plus avec lui, car, à en croire ma mère, je n'avais aucune chance de le revoir vivant. C'était donc cette désolation et ce malaise que j'avais ressentis aux côtés de mon père, ce dimanche à l'église du bourg de Morar, la dernière fois que nous avions été en présence l'un de l'autre. Je m'effondrai sur mon lit et pleurai tout mon saoul.

Quand je fus apaisée, j'avais manqué les prières de sexte et le dîner. Je me levai et j'errai un moment dans ma cellule, désemparée. Puis je décidai d'ouvrir mon cœur à quelqu'un. À défaut de pouvoir raconter sur-le-champ ma peine à mon ami pêcheur, je décidai de l'écrire à mon correspondant. Je me mis résolument à mon écritoire et j'exposai mon tourment à Baltair MacNèil.

À Baltair MacNèil de Sorcha Lennox, ce treizième jour de janvier 1441

Très cher messire Baltair, mes salutations.

J'ai des mauvaises nouvelles et personne d'autre que vous à qui les confier. Ne m'en tenez pas rigueur, je vous prie, et soyez indulgent pour ma peine.

Le lieutenant Lennox n'a pas l'intention de nous reprendre avec lui, ma mère et moi. Il ne quittera pas l'armée jusqu'à sa mort. Voilà ce que j'ai appris aujourd'hui de la bouche de ma mère. J'ai beaucoup de difficulté à accepter de ne plus revoir mon père, comme il est désormais certain que cela va arriver. Je ne veux pas non plus demeurer toute ma vie à Iona. Après la mort de mon père, notre pension ne sera plus versée, et comme nous n'avons aucuns biens et nulle part où aller, ma mère et moi, nous devrons nous cloîtrer ici, au couvent Sainte-Marie. Cela me désole, mais pas ma mère qui a toujours rêvé d'embrasser la vie religieuse.

Si vous saviez comme j'aimerais être envoyée dans une noble famille, comme votre sœur Ceit, pour faire mon entrée dans le monde. Ou encore être un garçon, comme vous, et voyager dans les îles, de tournoi en tournoi, en l'agréable compagnie de mon père…

Mais voyez plutôt. Aujourd'hui que j'ai quatorze ans, je suis invitée à devenir postulante à Sainte-Marie. Si j'accepte, je ne pourrai plus sortir du couvent en attendant de prononcer mes vœux. Je perdrai frère Gabriel, mon ami ; vous, mon correspondant ; je ne pourrai plus parler à ma mère ni à personne d'autre. Mais ce qui me chagrine pardessus tout, c'est de perdre mon père. Plût au Ciel qu'il n'aille pas à la guerre et vive encore de nombreuses années !

Votre dévouée amie d'Iona qui demande à Dieu de vous garder son amour et sa protection,

Sorcha Lennox

Au château des Ranald, Baltair dut reconnaître qu'il était bien traité comme prisonnier. Il recevait une portion d'orge, un pain et trois pichets de bière par jour. Son cachot, de huit pieds par dix, était doté d'une

paillasse garnie d'une aune de drap et on lui avait laissé son manteau, sa chemise, ses braies et ses heuses. Il n'était pas confiné dans les caves humides du château comme deux autres prisonniers dont le geôlier lui avait parlé. Sa loge nichait au dernier étage d'une tour qui avait dû servir de pièce de guet avant d'être convertie en geôle. Deux étroites meurtrières pratiquées dans la paroi lui fournissaient air frais et lumière. Au sol, un caniveau évacuait les eaux à l'extérieur.

« T'as de la chance d'être ici, lui dit un soir le geôlier en lui apportant à manger. Au trou, tu te fais mordre par les rats, t'as que de l'eau et du pain rance, et puis l'odeur là-dedans est insupportable. Ouais, la rançon doit être élevée si le maître te réserve un si bon traitement... »

Par prudence, Baltair parlait le moins possible avec lui ou avec les hommes d'armes qui montaient régulièrement le voir afin de s'assurer de sa condition. Il n'avait pas revu Ranald depuis leur arrivée. Après l'avoir dépouillé de son pourpoint et fait mener au cachot, le chef ne s'était guère intéressé à lui. Le jeune homme n'avait pas aimé les termes équivoques dans lesquels il l'avait alors confié à ses hommes :

« Prenez-en grand soin. C'est un genre qui me plaît assez et quelque chose me dit que nous l'aurons longtemps avec nous. Les MacNèil n'ont pas l'habitude des rançons. Ils vont sans doute faire traîner les choses malgré ce qu'il leur en coûte pour chaque semaine de détention. »

Une volée de mouettes criardes traversa l'étroite lisière de ciel que dévoilait la meurtrière. Baltair se leva de la paillasse et marcha jusqu'à l'ouverture par laquelle il constata que les glaces avaient commencé à se former sur le loch et que les couloirs d'eaux libres pour la navigation se rétrécissaient. Il poussa un soupir de résignation en rajustant sa cape sur ses épaules. Ses espoirs de voir arriver une flotte de Mallaig s'amenuisaient de jour en jour et il commençait à se décourager. Deux semaines s'étaient écoulées sans que rien se passât. Seuls des navires arborant le pavillon du clan Ranald circulaient sur le loch. De son poste d'observation, Baltair mesurait à quel point le coin était isolé et peu fréquenté. Bientôt, il lui faudrait se résigner à passer l'hiver en captivité à Uist, une perspective qui le mettait en rogne.

Le jour déclinait ; désirant profiter de la lumière du crépuscule, Baltair sortit la lettre de Sorcha Lennox. Depuis une semaine, il avait pris l'habitude de la lire quotidiennement pour casser son ennui. Avec sa toilette, cela constituait les deux activités qui nécessitaient la clarté du jour, qui, à cette période de l'année, ne durait que quatre heures du levant au couchant. Le reste du temps, il demeurait dans l'obscurité à somnoler, à ruminer sa déconfiture et à maudire le clan Ranald. Il avait bien demandé une lampe à son geôlier qui lui avait promis d'essayer de lui en procurer une, mais les efforts de ce dernier, s'il en avait faits, étaient restés vains.

Baltair approcha le papier de la meurtrière et entreprit la lecture, accélérant sur les passages qu'il connaissait par cœur, et ralentissant sur ceux dont les mots, à moitié effacés par l'encre diluée, demandaient un effort de déchiffrement. Ainsi, le sens d'une phrase lui échappait à un endroit, et, à un autre, il hésitait entre deux mots pour comprendre l'idée générale. Le passage dans lequel Sorcha relatait les techniques de chasse que lui avait enseignées le moine et où elle faisait allusion aux lièvres avait presque disparu. Cependant, Baltair le lisait parfaitement. Les mots de la jeune fille étaient si présents dans sa mémoire qu'ils revêtaient une signification nouvelle et se présentaient comme un message au captif qu'il était. « Se débattre, songeait-il. Ne pas faire comme les lièvres pris au collet. »

« Comment ?... fit-il à voix haute, au bout d'un moment. Mais comment diable puis-je me débattre ici ? »

Il jeta un œil désabusé en direction de la lourde porte munie d'un guichet par lequel on lui passait à boire et à manger.

« Il me faudrait d'abord sortir. Que me suggérez-vous, damoiselle Sorcha ? Attaquer les gardes quand ils entrent gentiment pour me voir ou amadouer mon geôlier ? Tomber malade ou prétexter un besoin urgent d'exercice ? Réclamer d'entendre la messe, peut-être ?... »

Seuls les cris des mouettes répondirent aux questions du jeune prisonnier.

Au château de Mallaig, plus personne ne dormait ni ne mangeait normalement. Depuis le retour de Tòmas et de l'équipage, l'inquiétude et la nervosité avaient gagné maîtres comme domestiques. Iain MacNèil avait aussitôt convoqué son conseil de clan et signifié qu'il était sur le pied de guerre avec les Ranald. Résolu à reprendre son fils sans payer de rançon, il avait décidé de lever un solide contingent de batailleurs durant l'hiver.

À Noël, il put compter sur seize hommes choisis parmi ses manants qui lui devaient des jours de combat ; ses trois lairds l'assurèrent d'une trentaine de guerriers. Avec sa garnison personnelle de douze hommes d'armes et de six chevaliers, cela lui fit près de soixante hommes. Dans la deuxième semaine de janvier, le chef MacNèil estima l'ost suffisant pour aller affronter les Ranald dans leur île.

Il se faisait tard et Tòmas se leva du fauteuil où il prenait place chaque soir dans la salle d'armes, pour une réunion avec son cousin et ses chevaliers. Il était fatigué d'échafauder tactiques, plans, itinéraires et calendrier pour attaquer Uist, attaque à laquelle il ne participerait pas. En effet, Iain MacNèil l'avait assigné à la garde du château qui allait être privé de sa défense au moment de l'expédition.

Quant à dame Gunelle et à Jenny, laquelle venait d'accoucher, elles avaient plaidé pour que Tòmas n'aille pas à la guerre. Jenny était demeurée extrêmement faible et, bien que l'enfant se portât bien, on avait fait valoir qu'il demeurerait fragile tout son premier mois de vie. Tòmas aurait préféré combattre que de rester à Mallaig pour veiller sur femmes et enfants. Dans les Highlands, il était rare que le rôle d'époux ou de père l'emportât sur les devoirs de guerre qu'un homme avait envers son chef mais, dans la circonstance, Iain MacNèil avait jugé son cousin plus utile à Mallaig. N'ayant jamais confié la garde de son château à un autre qu'à Tòmas, il ne trouva pas opportun de déroger à cette règle personnelle. Il regarda son cousin sortir de la salle d'armes avec un air las et il s'en voulut. Le chef MacNèil se leva, salua brièvement ses hommes et emboîta le pas à son cousin qu'il rattrapa dans la grand-salle.

« Tòmas, le héla-t-il. Attends ! Je sais que depuis le début ces discussions ne t'intéressent pas, mais nous avons besoin de toi. Tu connais la mer des Hébrides comme nul autre. Ses vents, ses courants, ses îles, sa saison des glaces…

– Écoute, Iain, l'interrompit Tòmas, je vous ai déjà tout dit de ce que je savais sur le sujet… et plusieurs fois. Avant la Saint-Oswald*, c'est inutile d'y aller. Les navires resteront coincés et vous serez aussitôt repérés. Mais fais comme tu l'entends. Il est tard et je vais me coucher.

– Soit ! répliqua Iain. Je peux attendre à la fin de février. Ton nouveau-né ira sur ses deux mois et ta femme se portera mieux. C'est alors toi qui commanderas la flotte. J'ai songé à Keir pour garder Mallaig. Qu'en penses-tu ?

– Keir… je… C'est le meilleur de tes chevaliers, balbutia Tòmas avec surprise. Il est craint. C'est un bon choix pour garder Mallaig, certes… »

Il se tut et regarda son cousin dans les yeux. Seulement quelques torches brûlaient encore sur les piliers de la grand-salle et les deux hommes étaient plongés dans la pénombre. Tòmas devina le sourire de son cousin par le mouvement de sa moustache. Il hésita sur le comportement à adopter. Iain MacNèil avait-il changé d'idée ? Tòmas en eut la certitude et une vague de reconnaissance pour son cousin monta de son cœur. À cet instant, n'y tenant plus, Iain lui asséna une claque dans le dos.

---

* Saint-Oswald : fête du saint écossais célébrée le 28 février.

« Viens, cousin, nous allons boire ensemble. Tu n'as plus l'air de vouloir dormir, on dirait… »

Assise dans son lit, dame Gunelle attendait son mari avant de fermer les courtines pour la nuit. Quand elle eut fini de natter ses cheveux, elle tendit la main vers la table et reprit la lettre de Sorcha Lennox à Baltair. Elle l'approcha de la lampe et la relut pour la troisième fois, aussi bouleversée que la première fois.

Cette lettre remise par Finella, qui l'avait reçue des mains du forgeron, lui allait droit au cœur. Dame Gunelle découvrait, avec un mélange de ravissement et d'étonnement, la relation épistolaire de la jeune fille du lieutenant Lennox avec son fils aîné. Combien de lettres faisaient partie de cette émouvante correspondance ? Finella elle-même n'en savait rien. La vieille femme avait été abordée au bourg par le forgeron et s'était vu remettre la lettre avec, comme toute explication, qu'il valait mieux que la servante de l'auteur récupère ce qui ne pouvait être délivré au destinataire.

« Ma dame, lui avait dit Finella, je ne puis garder cette lettre écrite par ma jeune maîtresse. Je ne sais pas si je reverrai Sorcha un jour. Mais je vous en prie, que mon maître, votre époux, ne la voie pas. C'est une demande du forgeron qui sert de messager entre votre fils et Sorcha. Il m'a bien fait jurer, ma dame. C'est un brave homme, le forgeron, et il a promis à votre fils que son père ne saurait jamais rien de sa correspondance. Il faut respecter la parole donnée, n'est-ce pas, ma dame ? N'ai-je pas raison de faire appel à votre discrétion ?

— Bien sûr, Finella. Je ne briserai aucun serment, avait répondu dame Gunelle. Je vais lire cette lettre pour voir s'il faut y donner suite sans tarder, puis je la remettrai à mon fils quand il sera de retour...

– Que Dieu lui vienne en aide, ma dame ! Que votre fils soit libéré sain et sauf ! Je prie pour un dénouement heureux. Vous êtes si bonne, comment notre appel ne serait-il pas entendu ? »

Dame Gunelle ferma les yeux et pressa la lettre sur son cœur. Ces dernières semaines, toute son attention et son angoisse avaient été dirigées vers Baltair dont on n'avait pourtant aucune nouvelle. Or, une petite fille appelait à l'aide : la fille unique de son cher lieutenant. Dame Gunelle gardait un souvenir très vague de l'enfant, mais la teneur de la lettre la lui rendait maintenant familière, proche et intime : « *Mais ce qui me chagrine par-dessus tout, c'est de perdre mon père. Plût au Ciel qu'il n'aille pas à la guerre et vive encore de nombreuses années !* » écrivait Sorcha.

« Voilà une lettre qui dénote dignité et intelligence, songea dame Gunelle. Comment Baltair en est-il venu à correspondre avec Sorcha Lennox ? Il me semble qu'ils ne se sont jamais rencontrés... Ha, mon fils ! Qu'advient-il de toi, aux mains du clan Ranald ? Et qui te répondra, à toi, Sorcha, petite pensionnaire abandonnée ? »

CHAPITRE VI

CHASSER POUR LE COUVENT

La seule fois que je montai à bord de l'embarcation de frère Gabriel fut ce premier février 1441, alors que je m'étais aventurée sur le littoral ouest de l'île. C'était la marée basse et de larges blocs de neige glacée encombraient la grève que j'avais remontée vers le nord, jusqu'à un îlot distant d'à peine mille pieds. Là, j'aperçus le moine en manteau, debout au milieu de sa barque entourée de glaces ; il me faisait de grands signes de la main et je lui répondis de la même façon. Il se rassit et s'empara de ses rames. Je fus alors étonnée de voir l'embarcation se diriger vers moi en faisant des bonds étranges.

« Petite *ancilla Dei*, me dit-il à bout de souffle, après avoir coincé sa barque entre les roches où je me tenais, il te faut venir voir ce que j'ai repêché dans mon fi… dans mon fi-fi… dans mon filet… Par prudence, j'ai laissé le butin dans la neige, sur cette île, là-bas…

— Un butin, quel butin ? demandai-je, immédiatement captivée.

— Imagine-toi que les gros objets de Notre-Seigneur Jésus-Christ co-co-commencent à m'être rendus… Je

150

crois que mon filet était installé juste au-dessus du nau-frage viking et de l'endroit où broutent les poissons ava-leurs de joyaux. Monte, vite ! »

Je ne me le fis pas dire deux fois et je mouillai mes pieds ainsi que le bas de ma jupe dans mon empresse-ment à m'embarquer. Je pris place à la pince et frère Gabriel s'activa aussitôt pour dégager l'embarcation. Tandis qu'elle s'éloignait lentement de la rive, j'observai mon ami silencieux qui peinait en ramant, ahanant, la tête tournée vers sa destination, les yeux exorbités. Pre-nant appui sur les blocs de glace à la dérive, il tirait sur ses rames nerveusement et manœuvrait de façon désor-donnée. Juste au-dessous de moi, j'entendais la coque heurter les glaçons avec un bruit sourd. Frère Gabriel contourna l'îlot, accosta au nord de celui-ci, hissa la barque sur les glaces et me fit descendre.

Sous son couvert de neige clairsemée, l'île ne m'ap-parut pas plus grande que trois fois le cimetière de l'ab-baye. Non loin, je vis son filet accroché à un rocher et je m'en approchai aussitôt, dans l'expectative de ce que j'allais y découvrir. Je ne fus pas déçue. Entremêlés aux mailles, un long chandelier à cinq branches et un épais torque s'accrochaient l'un à l'autre, à moitié recouverts de limon. Subjuguée, je levai les yeux sur mon ami qui m'avait rejointe.

« C'est en or... *Omnes gentes, plaudite manibus.* "Peuples de l'univers, faites éclater vos applaudisse-ments", clama frère Gabriel en se signant.

– Alléluia ! » fis-je, incapable d'articuler autre chose.

Je m'accroupis à côté du filet et séparai les deux trouvailles. Le torque était lourd dans ma main. Je n'en avais jamais vu, mais je connaissais l'existence de cette parure de cou que portaient les guerriers celtes au temps des Romains. Plusieurs exemples de torques apparaissaient dans un livre sur la mythologie, que mon ancien maître d'école possédait et que j'avais souvent parcouru.

Mon cœur cogna dans ma poitrine et je portai la main à ma gorge pour en sentir les battements. J'avais conscience de l'âge de l'objet et j'imaginais l'homme qui avait porté ce torque, plusieurs siècles auparavant. Doucement, presque religieusement, j'entrepris de le nettoyer avec un coin de ma cape.

Immobile et silencieux à côté de son embarcation, mon ami fixait un point à l'ouest sur la mer. Il tenait toujours l'amarre qu'il battait nerveusement contre son manteau. Puis soudain, il pivota sur lui-même et revint au filet d'où il sortit le chandelier qu'il déposa sur mes jupes.

« *Quia eduxi te per desertum quadraginta annis.* "Durant quarante années je t'ai guidé dans le désert" », marmonna-t-il en retournant à sa barque, son filet enroulé sur son bras.

Intriguée, je le vis jeter le filet au fond de l'embarcation, y lancer le cordage d'amarre et la dégager des glaces en la poussant vers la mer. Il prit appui sur les rochers et sur les surfaces glacées les plus larges pour diriger l'embarcation jusque dans les eaux libres. Au dernier moment, il empoigna sa bure et sauta à bord avec une étonnante agilité.

« Où allez-vous, frère Gabriel ? » m'écriai-je aussitôt, d'une voix tendue.

Mais je n'obtins pas de réponse. Mon ami manœuvra jusqu'à un endroit où de gros blocs de glace émergeaient. Il était éloigné de l'îlot d'une distance d'à peine cent pieds, mais cela m'apparut bien loin. Je le vis se lever et s'affairer dans sa barque. Puis il bascula son filet à l'eau et se pencha sur le rebord pour le diriger dans le fond.

Le vent s'éleva et un frisson me parcourut de la tête aux pieds. Je me ramassai davantage sur moi-même en couvrant mes chaussures mouillées de mes jupes. J'y enfouis aussi le torque et le chandelier, rentrai mes mains gelées dans mes manches et me positionnai de façon à bien observer frère Gabriel.

Après un long moment, il releva la tête dans ma direction et me fit un signe d'offrande, la paume de la main tournée vers le ciel. Puis il remonta son filet.

« *Et manna cibavi te, et introduxi in terram satis optimam.* "Je t'ai nourri de la manne et je t'ai fait entrer dans un pays d'abondance" », lança-t-il dans l'air froid.

Je le vis sortir quelque chose de son filet, puis replonger ce dernier à la mer. Il pêcha bien une heure de cette façon avant de se décider à revenir sur l'îlot. Légèrement engourdie, je me levai et me précipitai à sa rencontre pour voir ce qu'il rapportait. Je pensais avoir compté quatre prises durant l'opération, mais il n'y en avait eu que trois. Frère Gabriel sortit du fond de sa barque un couvercle de coffret ou de reliquaire incrusté de pierres, une monstrance surmontée d'une croix et un long objet recourbé qui m'apparut être l'extrémité d'une crosse d'évêque.

« Je sais qu'il en reste en-en… encore au fond. Dieu m'a di… m'a di-di… m'a dirigé au site du naufrage et Il exige que j'y revienne. Je L'ai entendu. Mais Il m'a aussi dit que je dois te ramener, petite Sorcha. Le jour baisse et il te faut rentrer, me dit-il, tout essoufflé.

– Certes. Mais qu'allez-vous faire de tout ceci ? Rien de ce que vous avez trouvé n'entre dans le pot du "tribut de la Vierge", lui fis-je remarquer.

– Ça n'en fait pas partie non plus, Sorcha. Ces objets reviennent au Fils, pas à Sa Mère. Ils vont rester ici et, en temps voulu, Il me dira comment en disposer. Nous allons leur trouver une ca… une ca-ca… une cachette sûre et assez grande pour recueillir le reste du butin des Vikings que je vais repêcher. »

L'heure suivante passa à creuser, sous une roche que nous avions déplacée, une cavité large et profonde au fond de laquelle frère Gabriel déposa une pierre plate pour recevoir les objets. L'intense activité me réchauffa complètement et me mit le cœur en fête. Enthousiaste, j'écoutais mon ami qui babillait sans cesse en travaillant. Comme sa nervosité accentuait son bégaiement, je ne compris pas grand-chose à ce qu'il raconta, mais j'éprouvai un immense bonheur à l'entendre parler. Je mesurai de nouveau à quel point il m'était cher.

Quand nous quittâmes enfin l'îlot, je pris place à la poupe, les yeux fixés sur le monticule qui abritait notre découverte. J'avais l'impression d'avoir participé à une mission aussi secrète qu'extraordinaire, et un léger tremblement d'excitation secoua mes épaules. Je souris à frère Gabriel qui me gratifia d'un vibrant « Alléluia ! » Son visage détendu exprimait une grande satisfaction.

Il accosta entre les rochers, près de la grève sur laquelle je sautai en prenant garde cette fois de ne pas mouiller mes pieds. Il commençait à faire sombre et je crus un instant que je ne reconnaîtrais pas mon chemin vers le couvent. Frère Gabriel dut lire cette inquiétude dans mes yeux, car il abrégea les adieux.

« Cours, *ancilla Dei* ! Et ne parle de cela à personne ! À bientôt !

– N'ayez crainte, frère Gabriel, c'est notre secret ! Au revoir ! » lui criai-je en m'élançant en direction du plateau rocheux.

De là-haut, quand je me retournai à bout de souffle, je vis que la barque longeait la côte vers le nord, sans s'arrêter à l'îlot. Pour mon ami aussi, l'heure était avancée et il devait regagner le monastère. Il disparut au détour d'un rocher. Je savais qu'il reviendrait pêcher le trésor des Vikings dès le lendemain. Mais sans moi, car je n'aurais sans doute pas la permission de sortir pour les prochains jours. L'expédition m'avait retenue plus longtemps que ma sortie le permettait.

Je relevai mes jupes pour poursuivre mon ascension, le cœur battant. Comme la lande s'assombrissait rapidement, je dus ralentir pour ne pas trébucher ; ainsi, je mis une longue heure à regagner le couvent. J'étais transie quand je vis enfin sa cheminée et le filet de fumée s'en échappant. J'arrivai après les vêpres, au moment où les moniales étaient réunies au chapitre ; c'est ma mère qui m'ouvrit.

Mon absence prolongée l'avait inquiétée, mais elle ne me questionna ni ne me fit de reproches. Au contraire, elle me réserva plutôt un bon accueil.

« Enfin, tu es de retour, ma chérie, Dieu soit loué !

– Bonsoir, mère. Je suis désolée d'être en retard… », commençai-je.

Elle m'interrompit en refermant la porte :

« Il n'y a pas de faute, je t'attendais. Rentre ! »

Elle passa lentement les mains le long de mon capuchon, enserrant ma tête, et me sourit avec une grande tendresse. Puis, sans plus un mot, elle remonta à sa cellule. Intriguée qu'elle ne m'ait pas réprimandée, je la regardai s'éloigner à pas feutrés, faisant onduler doucement son surcot de laine brune. Je ne pus m'empêcher de remarquer sa démarche, tout à fait semblable à celle des moniales. « Il ne lui manque que le voile », pensai-je.

Comme j'avais manqué le souper et que la faim me tenaillait, je tentai une incursion silencieuse du côté du réfectoire, mais je ne pus mettre la main sur rien qui me rassasiât. Je savais que le couvent n'avait reçu aucun approvisionnement depuis le début de l'hiver, que nos réserves de légumes, de noix et de fèves séchées étaient épuisées depuis belle lurette. Il ne restait plus qu'une petite quantité de graisse et de farine pour le pain et les œufs que les poules fournissaient quotidiennement. Aussi, je ne fus pas surprise de ne trouver qu'un quignon de pain d'épeautre dans la huche. Je m'en emparai et pris le chemin de ma cellule, le plus discrètement possible.

Pour gagner l'escalier qui montait à l'étage, je devais longer le corridor et passer devant la porte du chapitre. Quand je fus arrivée à sa hauteur, je ralentis pour ne pas être entendue et je perçus les voix des moniales en discussion. Je m'arrêtai et tendis l'oreille. Elles débattaient justement du problème des denrées, ce qui piqua ma curiosité et me poussa à suivre leur débat durant quelques minutes. Avant de filer vers mes quartiers, j'entendis une religieuse faire la remarque que, en attendant une première récolte de légumes, le couvent devrait envisager une disette.

Installée dans mon lit, je dévorai mon pain en réfléchissant à la disette anticipée au couvent. Il me vint l'idée d'offrir à sœur Béga mes services pour trouver de la nourriture. Ne pourrais-je pas me mettre à la chasse et tenter de rapporter pour notre marmite lièvres, perdrix et lagopèdes ? Et pourquoi pas, du même coup, demander de temps à autre à frère Gabriel un poisson frais et prétendre que je pêche aussi ?

En outre, si notre prieure acceptait cette proposition, je sortirais tous les jours et, de ce fait, je repousserais le moment où elle réclamerait ma réponse à son offre d'entrer au noviciat. Cette dernière pensée me décida si bien que je redescendis pour intercepter la prieure à la fin de la réunion. Je pris position debout derrière un pilier du cloître et patientai.

L'attente fut un peu longue. Sœur Béga sortit la dernière du chapitre, refermant la porte derrière elle. Je m'en approchai au moment où elle s'engageait dans le corridor.

« Vous voilà, ma fille ! fit-elle en m'apercevant. Vous avez manqué l'office de none, le souper et les vêpres. Où étiez-vous donc ?

— Pardonnez mon absence, sœur prieure, je suis misérable. J'ai prolongé indûment ma sortie. Je me suis rendue du côté de la baie ouest où j'ai vu quantité de petit gibier. Vous n'avez pas idée à quel point cette partie de l'île est riche en lagopèdes et en lièvres durant l'hiver… Et puis, que dire de ses eaux ! Il y a tant de poissons autour des rochers que les loups-marins en ont fait leur site d'approvisionnement. Voyez-vous, ma sœur, mon père m'a appris à chasser au collet et à pêcher de la rive. Alors, pensez-vous, toutes ces bêtes ont retenu mon attention… Un peu trop longtemps, je l'avoue et m'en repens. »

Sœur Béga me dévisagea un moment en silence. Je vis dans ses yeux que ses pensées se bousculaient, ce qui alluma un grand espoir en moi. Je ne fus pas déçue. Elle ne me dit rien ce soir-là, ne formula même pas une réprimande ou un commentaire. Mais le lendemain, après tierce, elle me prit à part, au sortir de la chapelle.

« Dites-moi, ma fille, de quels outils avez-vous besoin pour chasser et pour pêcher ? Ne m'avez-vous pas dit hier que vous connaissiez ces techniques ? Or justement, le couvent a besoin d'un apport alimentaire avant que son jardin ne produise ou que le seigneur d'Islay ne se décide à envoyer quelques provisions de bouche…

— Je les connais, sœur prieure, répondis-je aussitôt, en freinant mon trop-plein d'enthousiasme. Je peux vous rapporter quelque chose chaque jour. Ce n'est pas difficile… et une bonne quantité de ficelle me suffit pour confectionner des collets… et un petit filet. Malheureusement, la chasse et la pêche requièrent beaucoup de temps et, j'en ai peur, je ne pourrai plus assister aux offices de tierce, sexte et none si je veux mener à bien cette tâche.

— Votre travail servira de prière, ma fille, cela va de soi. Prenez le matériel qu'il vous faut à l'atelier et vêtez-vous très chaudement. Tâchez d'attraper quelque chose pour notre table, selon le désir de Dieu, notre pourvoyeur céleste. Je vais, de ce pas, toucher mot de votre activité à notre portière qui vous donnera libre circulation à l'extérieur du couvent. La permission de sortir est désormais une permission ouverte, Sorcha, et sachez en user avec sagesse et discernement. Allez, ma fille, que Dieu vous assiste ! »

Sitôt que la porte de son cachot se fut refermée, Baltair sortit la lettre de Sorcha et la relut, à la recherche de la phrase où elle parlait des remèdes fabriqués à l'infirmerie de Sainte-Marie. Il détenait peut-être là une clé pour fuir. Contrairement à son habitude, il avait conversé avec les deux gardes venus constater son état de santé. De fil en aiguille, ces derniers lui avaient appris que leur chef était malade depuis un mois et que le chirurgien du château était absent pour tout l'hiver.

« Je peux l'aider, si vous le permettez, avança Baltair. Je connais les effets de plusieurs remèdes et, si vous en possédez quelques-uns ici, je saurai certainement m'en servir. Je vous l'offre. Faites-le-lui savoir.

— Vas-tu le saigner ? Qui nous dit que tu ne le tueras pas ou que tu ne l'empoisonneras pas avec des filtres ? insinua l'un des gardes.

— Imbécile, il signerait son arrêt de mort s'il le faisait ! le tança son compagnon.

— Je ne sais pas faire les saignées, répliqua Baltair. C'est la médecine des plantes que j'ai apprise. Je vous propose d'appliquer à moi-même le traitement que je prescrirai à votre chef. Tout ce que je lui administrerai, je vais l'ingurgiter moi aussi. En plus, je resterai auprès de lui, sous votre surveillance. S'il défaille et que je me porte bien dans la même pièce, vous le verrez immédiatement.

C'est une offre honnête, messires. Qu'est-ce que j'ai à y gagner et qu'avez-vous à y perdre ? Pensez-y…

— Tu as peut-être raison, mais c'est le chef qui en décidera, répondit le garde en approchant son visage de celui du jeune homme pour le scruter dans les yeux. Tu as intérêt à ne pas faire le malin, MacNèil, car ici les prisonniers ne s'échappent pas et ne vivent pas longtemps non plus », ajouta-t-il avant de sortir.

Baltair repéra le passage qu'il cherchait sur le papier qui frémissait entre ses doigts. Plusieurs mots étaient illisibles mais le sens général demeurait clair : « *S… : qui est symbole de sagesse et de maturité … sur les plaies… usage facile… cataplasmes… la plus importante des plantes car… peut aussi guérir les fortes fièvres et maux de dents… dans notre jardin… faire bouillir une heure puis refroidir dans un flacon de verre.* »

« Mais de quelle plante s'agit-il, par le diable ? C'est le remède qu'il me faut… », maugréa Baltair en tentant de déchiffrer le premier mot qui commençait par la lettre *S*.

Le soir même, on vint le chercher. Son geôlier ouvrit d'abord le guichet pour le prévenir de l'arrivée de ses collègues d'armes.

« Lève-toi ! Ils t'emmènent voir le chef. Dis donc, t'as plus de chance que les autres, toi.

— Quels autres ? demanda Baltair, ahuri.

— Ben, mes deux prisonniers aux caves. Ils sont finalement morts après Noël. Ça ne faisait même pas trois mois que je les avais. Mais toi, tu m'as l'air d'un garçon privilégié. Ils ne te laisseront pas crever comme eux, sans prêtre, couchés tout crottés parmi les rats. C'est mon idée que tu ne croupiras pas ici et je ne me trompe pas souvent…

– Suffit, Colm ! Ferme-la et pousse-toi. On a affaire au messire », grogna un garde en arrivant sur le palier.

Le geôlier referma aussitôt le guichet et débarra la porte. Le garde portait une torche dont la lumière, soudainement projetée dans la pièce, fit cligner Baltair des yeux.

« Réveille-toi, MacNèil, chausse-toi et laisse ta cape. Là où on te réclame, c'est pas mal chauffé. Tu vas t'amuser », ricana-t-il.

Se défaisant de sa cape, Baltair enfila ses bottes, passa devant le garde et sortit de son cachot, le cœur battant. Un autre homme muni d'une torche les attendait sur le palier et les précéda dans l'escalier à vis. Le petit groupe descendit lentement à la queue leu leu jusqu'au premier étage du donjon dont ils traversèrent une chambre, puis une deuxième. Tout en appréhendant la suite des événements, Baltair goûtait néanmoins au plaisir de marcher.

À son arrivée au château d'Uist, on l'avait fait monter directement de la grand-salle à son cachot et il voyait les pièces de séjour pour la première fois. Le jeune homme ouvrit l'œil et enregistra mentalement la longueur des deux chambres, le nombre et l'emplacement des portes et fenêtres, et l'ameublement. Il voulait noter toute information pouvant éventuellement lui servir à échafauder un plan de fuite. On l'introduisit dans une petite loge attenante à la dernière chambre. Dès l'entrée, Baltair fut pris de vertige. Une chaleur suffocante y régnait et l'air empestait le suif qui brûlait dans une multitude de lampes posées tout autour d'un énorme lit encombré de courtines. Une dame âgée était assise dans un fauteuil et tenait un linge trempé au-dessus d'un bol d'étain à ses pieds.

« Voilà le prisonnier-chirurgien qui vient prendre votre relève, ma dame », annonça un des gardes.

La femme ne réagit pas à cette présentation. Baltair se ressaisit et avança seul au milieu de la pièce.

« Vous m'avez fait demander, dame ? Vous avez un malade ? questionna-t-il prudemment.

– Je n'ai demandé personne. C'est lui qui veut vous voir, fit-elle en montrant le lit. Mon fils va mourir et il le sait… Êtes-vous prêtre ? C'est d'un prêtre dont il a besoin. Mais tout le monde quitte le château l'hiver venu : plus de prêtre, plus de médecin, plus de cuisinier, plus de clercs…

– Dame Birgit, laissez, coupa un homme qui se tenait au fond de la pièce. Allez vous reposer maintenant. Nous avons les choses bien en mains. »

Un garde s'avança vers la dame et lui prit le bras pour l'aider à se lever. Elle abandonna son linge trempé et saisit la main du garde qui l'entraîna vers la sortie en silence. Baltair s'aperçut alors qu'elle était aveugle. Puis il reporta aussitôt son attention sur l'homme qui avait parlé. Il reconnut son propre pourpoint sur lui. Très grand, plutôt jeune, le visage étroit et les cheveux roux, sans arme, l'homme l'observait attentivement, le sourire aux lèvres. Il parla le premier :

« Je me nomme Lindsay, je suis l'intendant de ce château. Ainsi, messire MacNèil, on veut passer pour un savant ? J'ai fait monter ici le coffre de remèdes de notre médecin. Il est fort complet, dit-on. Nous allons voir ce dont vous êtes capable… »

Tout en poursuivant son monologue, les mains derrière le dos, il fit quelques pas lents en direction d'un bahut sur lequel était posé un coffret d'étain qui ressemblait fort à un reliquaire :

« Notre chef Ranald est mal en point. Très mal en point, comme notre châtelaine vient de le dire. Cela doit bien faire deux semaines qu'il ne quitte plus le lit. Je crois qu'il a contracté…

– Silence…, gémit une voix faible derrière les courtines.

– Ho ! Je pensais que tu dormais, mon ami… », glapit Lindsay en se précipitant vers le lit.

Baltair coula un regard en direction des gardes à la porte et surprit un sourire sur leurs lèvres. Il sentit qu'il était temps de faire preuve d'une certaine assurance et de tenter une opération quelconque. Il se dirigea d'un pas ferme vers le coffret, l'ouvrit et fit mine d'en inspecter le contenu. Machinalement, il saisit le plus gros flacon et en lut l'étiquette : *Salvia Officinalis.*

« *Salvia*…, murmura-t-il. "Sagesse"… "Sauver"… Sorcha… la plus importante des plantes : de la sauge… »

Baltair prit une profonde inspiration et se tourna en direction du lit.

« Messire Lindsay, puis-je examiner votre chef, maintenant ?… »

Lindsay, qui avait reculé de quelques pas, fit signe aux gardes de venir le rejoindre à proximité du lit. Sans leur prêter la moindre attention, Baltair s'approcha du malade et poussa les courtines : une odeur d'urine lui monta aussitôt au nez, provoquant chez lui un haut-le-cœur qu'il réprima à grand-peine ; il se pencha sur le corps brûlant de fièvre. Ranald, le visage émacié et ruisselant de sueur, les yeux clos, gémissait à son intention. Il murmura :

« Je te préviens, jeune homme. Ta vie tient à la mienne. Ils ont l'ordre de te tuer si je meurs. Alors, fais attention… »

Au bord de la panique, Baltair ferma les yeux un instant. « Est-il à l'agonie ? Je dois, ou le sauver, ou m'échapper d'ici, songea-t-il. Que me suggérez-vous de faire, damoiselle Sorcha, vous qui avez soigné une mourante ? »

L'air vicié et l'angoisse lui serraient la gorge. Baltair décida d'assainir la chambre et, se tournant gravement vers le groupe des trois hommes qui l'observaient, il les mit à contribution. Il leur demanda d'un ton obligeant d'enlever toutes les courtines, de changer les draps, de laver le malade à l'eau froide, d'ouvrir une fenêtre et d'éteindre des lampes. Il fut presque surpris de voir Lindsay s'exécuter aussitôt, assignant des tâches aux deux autres. L'accueil qu'on fit à ses requêtes eut l'effet de conforter Baltair dans ses décisions.

Il profita du moment pour retourner au coffret de remèdes. Tout en alignant méticuleusement sur le bahut les différentes fioles, il tenta d'oublier la menace de mort qui planait sur le malade comme sur lui-même. Il concentra son attention à l'élaboration d'une stratégie qui gravitait autour de deux axes : maintenir le chef Ranald en vie et trouver le moyen de s'enfuir. Il lui sembla évident qu'il fallait donner au malade de la sauge, le remède aux mille vertus. L'idée lui vint de réclamer des ingrédients pour sa préparation et d'obtenir ainsi la possibilité de sortir de la chambre. Mais quand il exprima à l'intendant ses besoins en termes d'eau bouillante, de cire, de miel, de lait et d'herbes, il dut renoncer à son plan. Lindsay descendit lui-même aux cuisines pour passer la commande aux domestiques. Une demi-heure plus tard, il remontait accompagné d'une servante portant une brassée de draps et de linge frais pour faire la toilette du malade. Une autre suivit, avec ce que Baltair avait demandé sur un plateau.

Les deux femmes se retirèrent quand le malade fut lavé et recouché. Aucune n'avait regardé Baltair. « Bon, il y a encore au moins deux servantes dans ce château », se dit le jeune homme en les voyant sortir de la chambre, chargées des linges souillés. Fébrile, il entreprit de préparer sa potion à la sauge, sous l'œil attentif de Lindsay qui épiait ses moindres gestes. Il improvisa un mélange avec du miel et du lait, auquel il ajouta quelques herbes. Puis, il réchauffa le tout dans un pot en le plongeant dans le récipient d'eau bouillante. Quand il jugea que la préparation avait atteint la bonne température, il retira le pot, en huma le contenu et l'apporta au malade.

« Et la cire, c'est pourquoi ? questionna soudain Lindsay.

– C'est pour plus tard », répliqua Baltair, pris au dépourvu.

Il avait complètement oublié cet ingrédient qu'il avait commandé au hasard et dont il ne savait maintenant que faire. Baltair posa délicatement le pot sur la table à la tête du lit, souleva le malade grelottant et l'appuya sur les coussins relevés. Il commençait à peine à lui faire boire la mixture qu'il entendit Lindsay lui rappeler de garder une portion :

« Ne lui faites pas tout boire, MacNèil. Qu'il vous en reste assez pour vous-même, n'est-ce pas ?

– Bien sûr », marmonna Baltair, exaspéré.

Du coup, il décida d'en garder une bonne part. Il en avait beaucoup préparé et son malade était trop faible pour tout boire. En outre, Ranald ne semblait pas trouver le breuvage mauvais. L'odeur du miel chaud titillait Baltair qui avala goulûment le restant du pot après avoir servi le malade. « Est-ce que ce n'est pas ce que vous faisiez, Sorcha Lennox : manger ce qui était destiné à votre malade ? » pensa ironiquement Baltair.

Puis, jugeant qu'il avait suffisamment improvisé, Baltair se retira dans un coin de la chambre et prit place sur une chaise.

« Messires, fit-il, il faut donner le temps au remède d'agir. La fièvre devrait tomber d'ici au matin. Pour l'instant, il n'y a rien d'autre à faire.

– Fort bien. Patientons, MacNèil, répondit Lindsay. Pour ma part, je vais attendre de l'autre côté, c'est devenu un peu frisquet. »

Sur ce, il sortit de la chambre sans un mot pour le malade. Les deux gardes se consultèrent du regard et vinrent se poster de part et d'autre de la porte. Une seule lampe était restée allumée sur le bahut afin d'éclairer le plateau d'ingrédients. Elle faisait briller dans l'air la vapeur qui montait encore du récipient d'eau bouillante. Baltair en fixait les volutes, l'esprit vide. Ranald s'était endormi et Baltair faillit bien faire de même. Pour ne pas sombrer dans le sommeil, il s'activa à mettre du bois dans l'âtre et alla à la fenêtre humer l'air du dehors. Il sentit la neige plus qu'il ne la vit dans la nuit noire. Puis il referma et revint à sa chaise. Les gardes s'étaient appuyés au mur et semblaient somnoler. Une autre heure s'écoula dans le seul bruit du crépitement du feu, et Baltair n'osa encore rien tenter.

Épuisé, il finit par fermer les yeux et glisser dans une torpeur dont il émergea soudain en entendant la porte de la chambre grincer sur ses gonds. Un des gardes sortit, un autre entra pour prendre sa relève. Il en fut ainsi toute la nuit où quatre gardes se relayèrent dans la chambre du chef. Chaque fois, Baltair se réveillait en sursaut et se rendormait aussitôt. Il ajouta deux gardes à la liste des habitants du château, qu'il avait commencé à dresser mentalement.

Au matin, Lindsay entra, frais et dispos, et marcha droit vers le lit. Il se pencha sur Ranald, le toucha au front et dans le cou, puis se retourna, le sourire pincé. Baltair se redressa, inquiet, les yeux fixés sur l'intendant.

« Notre chef a passé la nuit, MacNèil, félicitations ! Vous avez la vie sauve pour aujourd'hui. Mais prudence : la fièvre n'est pas tout à fait tombée. Quelle sera votre savante posologie, maintenant ? Lui donnerons-nous de la cire à manger ?

– Nous n'aurons pas besoin de la cire », maugréa Baltair en s'approchant du lit pour examiner le malade.

Ranald s'était réveillé au son de la conversation et accueillit Baltair avec méfiance. Il ne se souvenait pas très bien des événements de la veille et nourrissait des soupçons à l'égard de son otage. Cependant, il devait reconnaître qu'il se sentait mieux.

« Que m'as-tu donné hier ? Qu'est-ce que j'ai avalé, sorcier ? le questionna-t-il.

– Qu'est-ce que *nous* avons avalé, messire Ranald, corrigea Baltair. C'est la recette d'une savante du couvent Sainte-Marie à Iona, poursuivit-il. Cela enlève les douleurs et la fièvre. Nous allons d'ailleurs en reprendre, si vous le voulez bien. On ne fait pas de miracles en quelques heures.

— Lindsay, va me chercher du bouillon, et, toi, approche, fit le chef à Baltair. Dis-moi le nom de la savante que tu connais à Iona ? Ça m'intéresse. Ma nourrice est là-bas…

— À vrai dire, messire Ranald, je la connais très peu. Ce n'est pas une religieuse. Elle est en visite avec sa mère au couvent. Elle se nomme Sorcha…

— La mère ou la fille ?

— La fille, messire. Et votre nourrice, comment s'appelle-t-elle ?

— Etta. Elle m'a élevé jusqu'à l'âge de huit ans. Elle connaissait tout sur les animaux et sur les plantes. Un jour, ma mère est partie à Iona en pèlerinage pour recouvrer la vue. Elle a emmené Etta avec elle. Ses yeux n'ont pas guéri et elle est revenue sans ma nourrice. Etta est restée au couvent et je ne l'ai jamais revue. Vois-tu, je me suis toujours dit qu'il devait y avoir de bien braves et savantes femmes là-bas… J'aime à croire que la science de ton amie Sorcha lui vient d'Etta et qu'elle me soigne par ton entremise.

— Comme vous voulez, messire. L'important c'est que vous guérissiez… », conclut Baltair, surpris et encouragé par cet échange de propos.

Quand le bol de bouillon fit son entrée dans la chambre, précédé de son appétissant fumet, Baltair ne put résister à la tentation de le réquisitionner pour sa médecine. Il y mit de la sauge et en prit la moitié qu'il dégusta, assis en face de son malade qui prenait l'autre moitié, aidé de l'intendant. Ce dernier n'appréciait pas le climat d'intimité qui s'installait entre Ranald et le prisonnier, mais force lui était de constater que la médecine du jeune homme était efficace : Ranald se portait visiblement mieux et l'avouait ouvertement.

Les cinq hommes passèrent ainsi la journée en présence les uns des autres, s'observant et se jaugeant. Entre les siestes du chef, les deux gardes se taisaient et Lindsay quittait la chambre ; quand le chef était éveillé, les conversations reprenaient à l'écart de Baltair. Tout le jour, le jeune homme tendit l'oreille et ne perdit pas un mot de ce qui se disait. Il apprit, entre autres, que les armes étaient entreposées dans une pièce attenante aux cuisines ; que dame Birgit habitait une chambre au second étage en compagnie d'une suivante ; que la flotte du clan Ranald était en cale sèche pour l'hiver ; que les glaces avaient fermé le détroit entre Uist et l'île de Benbecula ; et qu'on avait retrouvé un pêcheur de Skye mort de froid, dont l'embarcation avait dérivé jusqu'à la pointe est de Benbecula, sur une distance de vingt miles.

Baltair regrettait le peu d'intérêt qu'il avait jusqu'alors accordé à la géographie de cette partie du pays. Il mesurait son ignorance et l'impossibilité pour lui d'utiliser intelligemment l'information sur la position du château des Ranald dans la mer des Hébrides. S'il voulait fuir, il lui faudrait compter sur l'aide d'un complice qui connût bien les environs. Mais la toute première opération concernait son service auprès de Ranald : il fallait trouver le moyen de quitter la chambre. Ses réflexions l'amenèrent à conclure qu'il ne sortirait que s'il cessait d'administrer des médicaments au chef. Ce qu'il fit, le soir venu.

La dernière dose de sauge remontait au milieu de l'après-midi et Baltair décida d'interrompre les traitements, grâce auxquels il avait, pour sa part, bien dîné et soupé. Il souhaitait être ramené à sa cellule et retraverser le donjon, à la recherche d'éléments ou de personnes susceptibles de favoriser sa fuite. Au début de la soirée, il annonça son intention au jeune intendant.

« Messire Lindsay, lui dit-il, votre chef récupère assez pour se passer de médecine ce soir. Il a bien mangé et il est préférable de ne pas forcer les humeurs. Aussi, je recommande de ne lui offrir que de l'eau quand il aura soif.

– Dans ce cas, MacNèil, nous allons nous passer de vos services cette nuit. Je crois que nous dormirons tous mieux si vous regagnez votre cachot. N'êtes-vous pas de mon avis, cher ami ? fit suavement Lindsay en se tournant vers Ranald.

– Qu'il dorme où tu veux… », répondit laconiquement le malade.

Baltair entendit glousser derrière son dos. Les deux gardes de faction près de la porte dissimulaient à grand-peine leur rire. Sans attendre davantage, il salua son patient et l'intendant et sortit de la chambre, encadré par son escorte. Là-haut, il fut accueilli avec un surprenant enthousiasme par Colm, son geôlier. Ce dernier avait entendu parler de son succès avec les remèdes du médecin et il brûlait de lui exprimer son admiration. Aussi, dès que les gardes furent redescendus, Colm ouvrit le guichet et débita son baratin à Baltair. Épuisé, le jeune homme s'était jeté sur la paillasse et écoutait d'une oreille distraite.

« Je ne m'étais pas trompé, n'est-ce pas ? Tu es fort. Plus fort que cet incapable de chirurgien que nous avions. Il a volé les fioles et les secrets de ma mère jadis, mais il ne sait rien faire. Il tue plus qu'il ne guérit. Mais toi, tu connais ton art… comme elle. Le savais-tu que ma mère était guérisseuse ? Non, comment saurais-tu ?… Elle n'a pas appris sa science dans les livres, ma mère. Elle a tout cela dans la tête. L'abbé s'en méfiait quand elle vivait au château. Je crois que si elle n'avait pas été la nourrice de mon maître, on l'aurait brûlée sur le bûcher des sorcières… Hé là ! le messire… as-tu appris les médecines dans les livres ?… Tu sais, j'ai une vilaine plaie sur un pied. Ça fait longtemps que je la traîne et que je boite… J'étais soldat avant, messire. J'ai fait partie de la garde du chef, mais maintenant je suis désarmé et je transporte les écuelles des prisonniers… Dors-tu, messire ? Parce que si tu ne dors pas, j'aimerais bien te montrer mon pied… Tu pourrais me dire comment le soigner… »

Baltair se redressa sur un coude, soudain attentif au babillage du bonhomme. Il fit un effort pour se souvenir du nom de la nourrice de Ranald, sentant qu'avec cette information il pourrait peut-être amadouer le geôlier. Brusquement, il entendit un coup lourd dans la porte, puis de nouveau sa voix estompée :

« Le vois-tu bien là, messire ? Plus haut ?… Comme cela ? »

Baltair se précipita hors du lit et aperçut le talon nu de Colm appuyé contre les barreaux du guichet. Le geôlier se tenait contre la porte, tête en bas, tentant de maintenir son pied à la hauteur de l'ouverture. Une odeur de pieds sales, comme celle dégagée par un vieux fromage, pénétrait dans la cellule.

« Comment voulez-vous que j'y voie quelque chose, messire Colm ? chuchota Baltair. Il n'y a pas assez de lumière ici. Redescendez votre pied, ne restez pas dans cette position, vous allez tomber.

« — Tu veux bien l'examiner, messire ? répondit Colm en se remettant debout.

— Pourquoi pas ? fit Baltair. Je ne vous promets rien, mais si je peux soigner votre pied, je le ferai… Je connais une pommade excellente pour les plaies aux pieds. Elle est très facile à confectionner. C'est dame Etta d'Iona qui m'en a donné la recette…

— Par tous les saints, c'est ma mère ! s'écria le geôlier. Messire, tu connais ma mère ! Je ne l'ai pas revue depuis vingt-cinq ans ! Elle est devenue une sainte là-bas. C'est le Ciel qui t'envoie ici pour me parler d'elle… Ha ! Père éternel ! Dieu tout-puissant…

— Silence, Colm ! On va vous entendre, lui ordonna Baltair.

— Parle-moi vite d'elle, messire. Tu regarderas mon pied demain…

— Écoutez, il est tard, reprit Baltair à voix basse. Je ne sais pas si votre maître va avoir besoin de soins cette nuit et il faut que je me repose. Vous savez, Colm, quelquefois les remèdes cessent d'agir…

— Ne te fatigue pas, messire, je sais ce qu'il a, le chef. Et ce n'est pas une maladie d'homme digne de ce nom. Pourquoi notre prêtre serait-il parti ? Hein ?… Ranald peut bien mourir, et son mignon à sa suite, ça ne me fera rien.

— Mais si cela arrivait, messire Colm, je mourrais aussi. Saviez-vous qu'ils ont l'intention de me tuer si votre chef ne guérit pas ? Les gardes m'ont prévenu : *les prisonniers ne vivent pas longtemps ici…*

— Holà, messire ! Souviens-toi de ce que Colm t'a dit hier. Colm a dit que tu t'en sortirais… et tu vas t'en sortir. Parole de Colm ! »

Sur ces mots, le geôlier ferma le guichet d'un coup sec. Il fit glisser la barre, ouvrit la porte, entra précipitamment en refermant aussitôt derrière lui. Colm fit signe à son prisonnier ahuri de s'accroupir et s'assit en face de lui, adossé à la porte. Le cœur de Baltair cognait dans sa poitrine à en faire mal. Il croisa les bras serrés et se concentra sur la conversation qui démarrait avec son étonnant geôlier. L'obscurité des lieux ne permettait pas aux deux hommes de bien se voir et cela décuplait leur tension. Colm pouvait être attaqué à tout instant par son prisonnier et Baltair pouvait être dupé par son geôlier.

Cependant, en moins d'une heure, le jeune homme fit de l'homme mûr son allié. Il le convainquit qu'il doutait de la guérison du chef Ranald et que ce n'était qu'une question de jours pour que ce dernier rendît l'âme. Ses révélations n'ébranlèrent nullement Colm qui n'avait pas beaucoup d'estime et de loyauté envers son maître. Elles n'eurent pas non plus l'effet de lui faire mettre en doute la médecine et les connaissances que le jeune homme tenait, pensait Colm, de sa propre mère. Cependant, le geôlier comprit bien l'urgence d'agir pour son prisonnier. Quand Baltair se décida à aborder prudemment le sujet de son évasion, il prit soin de préciser sa méconnaissance des environs et son besoin d'aide dans l'entreprise. Trop heureux d'être sollicité, et espérant nouer des liens qui lui permettraient d'entendre parler de sa mère, Colm se lança sans hésitation dans l'élaboration d'un plan d'évasion simple, mais efficace. Combinée aux informations que Baltair avait glanées durant la journée, la connaissance qu'avait Colm du château d'Uist, de l'archipel et de ses habitants fut leur gage de succès. Ils convinrent de profiter de la nuit suivante pour gagner le nord de l'île à cheval, passer à gué sur le détroit gelé de Benbecula, puis récupérer le bateau du pêcheur décédé à la pointe est et traverser à Skye.

Ainsi donc, à la même heure, le lendemain, en ce mois de février 1441, Baltair le Jeune prit la fuite avec Colm, le geôlier, fils d'Etta la guérisseuse et nourrice de Ranald, le sodomite.

Le jour commençait à baisser et la pluie insistante m'empêchait de sortir de ma cachette. Abritée sous la peau de bœuf que j'emportais toujours avec moi quand j'allais relever mes collets dans la lande, je méditais sur ma technique de chasse. Je tendis un doigt sur le rebord qui couvrait ma tête et laissai les gouttes descendre le long de mon bras ; dans ma manche, elles se firent un chemin jusqu'à mon coude et je frissonnai sous le chatouillement. Je retirai mon doigt et j'examinai le petit lagopède par terre, à côté de mes genoux : l'unique prise des trois derniers jours. Je soupirai de déception et reportai mon regard sur la lande grise et ruisselante.

Cela faisait maintenant trois semaines que je chassais pour le compte de notre couvent et j'avais bien peu rapporté, malgré les instructions précises que m'avait données frère Gabriel et que j'avais pourtant respectées à la lettre. Dès le lendemain de mon entente avec sœur Béga, j'avais confectionné mes collets avec mon ami et il les avait déclarés parfaits. Quelques jours plus tard, je lui avais parlé des endroits où je les installais dans la lande, de ce que je disposais autour, du moment de la journée où je les relevais et tout lui était apparu conforme à sa propre technique de chasse. J'avais même noté sur un petit parchemin les aspects plus complexes comme le dépeçage et la saison où les espèces mettaient bas. Mais je commençais à trouver que les résultats tardaient à venir et me demandai si le problème ne venait pas du gibier lui-même qui faisait tout simplement défaut sur la sainte île.

Je me levai, secouai mes jupes humides, j'attachai mon lagopède à ma ceinture et je me mis en route vers la grève. Je souhaitais attraper mon ami pêcheur à son retour de mer. Encore une fois, je devrais me résigner à lui quêter un ou deux poissons pour compléter les prises de la journée pour le couvent. Contournant le cimetière, je descendis directement jusqu'à l'anse où il s'amarrait et je fus surprise d'y trouver sa barque à l'ancre entre les rochers. Ainsi, il était déjà revenu de sa journée de pêche et je l'avais manqué. Le vilain temps avait dû hâter la fin de sa pêche. Il était normal que je mette aussi fin à ma journée de chasse. Sous la pluie battante, je remontai vers le couvent en soupirant : « Pas de poisson pour aujourd'hui, sœur prieure... »

Dans l'atelier où j'avais un coin pour dépouiller mes prises, je ne trouvai pas le couteau dont je me servais habituellement et je dus me rendre au réfectoire pour m'en procurer un autre. En traversant le cloître, je m'entendis héler et me retournai, intriguée. Une vieille femme que je n'avais jamais vue se tenait au-dessus des tertres du jardin avec une petite bêche à la main. Elle s'avança lentement vers la galerie en me tendant mon couteau.

« Est-ce cela que tu cherches ? dit-elle.

— En effet, répondis-je en reprenant l'objet de ses mains.

— Tu as un lagopède aujourd'hui. Un petit. Ils seront plus gros quand ils auront niché… le mois prochain, à la nouvelle année.

— Ah bon ! Comment le savez-vous ?

— Je connais la bruyère et les animaux qui s'y cachent… J'ai eu besoin de ton couteau tout à l'heure. Il n'est pas bon pour le gibier. Je vais t'en apporter un meilleur demain. »

Elle me fit un large sourire de sa bouche édentée et retourna à son travail de râtelage, sans égard pour la pluie qui trempait ses vêtements. Je regagnai l'atelier, fort étonnée par ma rencontre. Ce n'est qu'au souper que j'appris ce que cette personne faisait au couvent. Apparemment, elle remplaçait notre servante qui s'était embarquée pour Mull dans l'après-midi afin de se rendre au chevet de sa mère. Comment une vieillarde pouvait-elle tenir lieu de servante et d'où venait-elle donc ? Cela ne me fut pas dévoilé par la prieure qui me donna sur cette nouvelle présence que des explications très succinctes, selon son habitude.

Mais le lendemain, quand la vieille femme vint, tel que promis, me remettre un couteau de chasse dans l'atelier, je pus amplement satisfaire ma curiosité. M'apprêtant à partir pour la journée, je mettais mon matériel dans ma besace quand elle entra sur la pointe des pieds. Elle extirpa de sa longue poche de tablier un paquet ficelé qu'elle déposa sur un banc. Puis, satisfaite, elle me dévisagea avec un aimable sourire.

« Un bon outil, damoiselle Sorcha, me dit-elle en chuintant. Il faut toujours donner une arme enveloppée, sinon elle porte malheur à ses propriétaires, le nouveau comme l'ancien… »

Ensuite, sans préambule, elle s'assit sur le banc à côté de son présent et leva la tête vers moi dans une attitude d'attente. Son bonnet tremblait légèrement, ainsi que ses mains qu'elle avait posées sur ses genoux. Je ne savais pas si elle attendait des remerciements ou encore que je développe le paquet. Comme elle me voyait hésiter, elle reprit la parole :

« Alors, je suis prête pour tes questions. Pose-les-moi. »

Confuse qu'elle ait deviné si facilement mon désir, je balbutiai la première chose qui me vint à l'esprit :

« Quel âge avez-vous ?

– Plus de soixante-dix printemps », fit-elle.

Ce fut le début d'un passionnant et inespéré bavardage. D'une voix douce et posée, elle se prêta de bonne grâce à toutes mes questions, souriant de me voir si heureuse de converser avec quelqu'un. Je reposai ma besace et m'accroupis devant elle, fascinée par le personnage et ses réponses.

Je crois que je l'amusais et je me pris au jeu de la faire sourire le plus possible.

« Je viens de Mull, en face, raconta-t-elle. Mais j'ai passé de nombreuses années ici même, au couvent. Je voulais prononcer mes vœux, mais je n'ai jamais pu me décider. Je pense que j'aimais trop parler… un peu comme toi… Il n'y avait qu'une chose qui m'intéressait vraiment dans ce couvent : c'était le jardin et les simples que je cultivais avec sœur Katherine et les remèdes que nous en tirions.

– Vous avez été éduquée ici avec sœur Katherine ?

— Pas plus qu'elle je n'ai grandi à Sainte-Marie. Je suis née sur une autre île au nord, où je me suis mise à l'emploi d'une famille. Et puis, il y a de ça très longtemps, j'ai accompagné ma maîtresse à Iona et je suis entrée à Sainte-Marie, selon son souhait. Quand j'ai refusé de prononcer mes vœux la dernière fois, j'étais trop âgée pour rester davantage et on m'a envoyée chez un des passeurs de Mull. Mais, vois-tu, on m'a demandé de revenir... pour le jardin... Depuis le départ de sœur Katherine, j'ai bien peur que les simples et les plants aient beaucoup souffert... Si l'on veut une récolte... »

Tout en l'écoutant, je détachai la ficelle qui entourait le paquet et le développai. Le couteau roula dans ma main ouverte. Il ressemblait beaucoup à celui de frère Gabriel : court, inférieur à la longueur de deux mains, avec un tranchant légèrement recourbé et un manche en corne noircie. Je fus impressionnée par l'arme. La première que je manipulais. Mon cœur se mit à battre très vite et je pouvais presque sentir ses pulsations dans mes doigts qui enserraient le manche. Je levai sur mon interlocutrice un regard émerveillé.

« Que faites-vous avec un couteau comme celui-ci ? Vous êtes-vous adonnée à la chasse sur l'île autrefois ? Vous avez parlé des lagopèdes hier. Connaissez-vous d'autre gibier ?

— Je connais plusieurs bêtes : oiseaux et mammifères, mais je ne les chasse pas. Ce sont les plantes qui me passionnent. Le couteau m'a été donné pour me défendre jadis, à une époque où de vilaines gens s'étaient mis en tête que j'étais une druidesse. J'ai toujours gardé ce couteau avec moi, mais il te servira davantage. Je suis trop vieille maintenant pour en avoir quelque utilité. Mes mains ne sont plus sûres et je pourrais blesser quelqu'un. Mais toi, Sorcha, tu es jeune et tu chasses seule pour ta communauté... Tu pourrais être appelée à te défendre un jour. Les hommes qui jouent le même rôle que toi sont armés, n'est-ce pas ? Alors n'est-il pas normal que tu possèdes ton couteau ? C'est celui-ci, Sorcha. Il est à toi si tu en veux. Donne-lui un nom comme le font les chevaliers avec leur claymore. Il te protégera et te servira fidèlement. »

Je demeurai un instant interdite, fascinée et émue, incapable de prononcer une parole. Je déposai le couteau et pris les mains de ma donatrice dans les miennes. Sa peau était rugueuse et froide.

« Je vous remercie beaucoup, dame... Comment dois-je vous nommer ?

– Je suis Etta. Etta de Benbecula.

– Alors mon couteau s'appellera Benbecula !... »

CHAPITRE VII

SOIGNER PAR CORRESPONDANCE

Notre servante ne revint pas et Etta demeura à Sainte-Marie. Fort heureusement ! Car sans elle, j'aurais trouvé le printemps 1442 bien pénible. Nous avions reçu un bon chargement de provisions du seigneur d'Islay au jour de l'An, ce qui avait repoussé le spectre de la disette qui planait sur notre couvent. Notre sœur prieure m'avait demandé de suspendre mes chasses, qui d'ailleurs n'avaient pas remporté le succès espéré. Poursuivant son projet de me voir devenir novice, elle souhaitait ma présence à tous les offices, y compris les complies à la dix-neuvième heure. À regret, je me pliai à ses exigences.

Confinée entre les murs du couvent jusqu'à l'arrivée des premiers pèlerins de la saison, je ne vis pratiquement personne en dehors des moniales, de ma mère et d'Etta. Vu l'âge de cette dernière, on m'assigna les tâches trop lourdes pour elle et je les acceptai avec bonheur. Elles me permettaient de côtoyer la vieille femme quotidiennement et, chaque fois que l'occasion se présentait, nous bavardions ensemble.

Je me sentais des affinités avec Etta qui avait passé tant d'années à Sainte-Marie tout en se refusant à prendre le voile. À défaut de pouvoir sortir du couvent ce printemps-là, je me contentai de respirer l'air doux du jardin en sa compagnie. Nous y allions le plus souvent possible travailler à la culture des plantes médicinales et des simples qui reprirent vigueur sous sa main experte. Je découvris que la vieille Etta possédait une mémoire phénoménale. Elle se rappelait le nom latin de chaque plante, les étapes de leur croissance, le moment où il fallait les cueillir, leurs usages thérapeutiques et les procédés pour les transformer en remèdes. Que de recettes d'onguents et de potions elle connaissait ! Etta en avait inventé la plupart avec la défunte sœur Katherine et elles les avaient expérimentées, tant sur nos religieuses que sur les moines, nos voisins.

Quand il arrivait à Etta de me parler des hommes du monastère, j'avais l'impression qu'elle avait vécu dans leur intimité. Son discours foisonnait de tant de détails à leur sujet qu'il m'apparaissait improbable qu'elle n'ait fréquenté que leur infirmerie. Je crois que, en effet, elle était allée plus loin.

De plus, durant ses années sur l'île d'Iona, Etta avait souvent rencontré frère Gabriel le Bègue. Elle racontait des anecdotes très amusantes sur lui et m'aidait ainsi à mieux comprendre la place qu'il occupait au sein de sa communauté. Aussi, je pris le plus grand plaisir à l'entendre parler de mon ami. À la vérité, je crois que j'aurais même pris plaisir à discourir pendant des heures du simple chemin parcouru par une fourmi ; depuis trois ans, parler m'avait tellement fait défaut que je n'avais de cesse de rattraper le temps perdu et c'était la vieille Etta qui me permettait ces libertés. Avec ravissement, je la regardais agiter la tête et se lancer dans une histoire dont je me régalais à l'avance.

Le lundi après le dimanche des Rameaux, sœur Béga nous rejoignit à l'atelier où nous faisions sécher sur des claies notre première récolte de feuilles et de fleurs. Dès qu'elle apparut dans l'entrée, Etta et moi nous tûmes, prêtes à essuyer une remarque sur la consigne du silence. Mais, étonnamment, rien de la sorte ne vint de la part de notre prieure ; au contraire, celle-ci paraissait d'excellente humeur pour nous annoncer l'arrivée des premiers pèlerins. Elle s'adressa à Etta pour le faire :

« Nous aurons quatre visiteuses ce soir, dit-elle. J'aimerais que vous prépariez notre hostellerie avec Sorcha. Par la suite, je crois qu'elle pourra se tirer d'affaire seule pour l'accueil. Si le nombre des voyageuses devenait trop important, nous lui trouverons de l'aide. »

Ainsi, la saison des pèlerins pour le couvent Sainte-Marie s'ouvrit cette année-là en avril, avec une première cohorte de dames en visite à Iona et, pour assurer mon service, je pus de nouveau sortir régulièrement à l'extérieur des murs.

Je n'avais pas revu frère Gabriel depuis deux mois et il me tardait de lui parler. Alors, dès que cela me fut possible, je courus à l'anse où il travaillait et l'y trouvai au milieu de ses filets et de ses appâts.

« Pe-pe-pe-petite *ancilla Dei*, co-co-comme il est bon de te revoir ! bégaya-t-il en m'apercevant. Nous avons enfin une explication à son si... à son si-si... à son silence...

— Le silence de qui, frère Gabriel ? De qui me parlez-vous ?

— De ton, de ton-ton, de ton correspondant », répondit-il, énervé.

En me disant cela, frère Gabriel fouilla fébrilement dans sa large poche et en sortit un pli cacheté et racorni par l'humidité. Je reconnus immédiatement le sceau du clan MacNèil.

« Le passeur m'a dit hier que Ba-ba-Baltair le Jeune a été fait prisonnier tout l'hiver à Uist, poursuivit-il. Il est revenu à Mallaig le jour même où son père s'embarquait avec un ost pour le reprendre à ses ravisseurs. *Agnus redemit oves*, "l'agneau sauve son troupeau". Lis, lis, je t'en prie Sorcha. Je veux co... je veux co-co... je veux connaître son histoire... »

Je souris de surprise et de plaisir en voyant l'état dans lequel une lettre de Baltair MacNèil le plongeait. J'étais enchantée d'inverser nos rôles et d'être, des deux, la personne qui avait quelque chose à raconter. À cette joie s'ajoutait celle de recevoir des nouvelles de Mallaig, qui promettaient d'être excitantes. Je lui pris la lettre des mains et gambadai jusqu'à son panier à gréement contre lequel nous nous adossâmes côte à côte, assis sur le sable durci. Je décachetai la lettre, la dépliai sur mes genoux pour que le vent ne l'emportât pas et lui en fis la lecture avec solennité :

À damoiselle Sorcha, ce 9 avril de l'an de grâce 1442

Très chère amie, Dieu vous ait en Sa sainte garde ! Si je n'étais pas revenu de voyage à la fin de février, je crois que c'est ma mère qui aurait poursuivi notre correspondance en mon absence, tant votre dernière lettre était pleine de tristesse et demandait réconfort.

Je vous prie de ne pas vous inquiéter de la sorte pour la santé de votre père. Nous le savons basé à Édimbourg et la vie de garnison dans l'enceinte du château est plus clémente. Il a peut-être l'occasion d'y voir notre souverain au visage de feu* qui vit sous la tutelle des comtes Crichton et Livingston. Apprenez que le lieutenant Lennox se porte très bien. Aussi, le paiement de votre pension à Sainte-Marie ne devrait pas connaître de ruptures. Je l'espère, car ainsi vous ne serez pas obligée de choisir le noviciat, si tel n'est pas votre désir.

Je voudrais que vous vous détrompiez concernant ma vie, que vous présumez palpitante, en compagnie de mon père. Je ne fais plus de tournois, mais je navigue en mission commerciale avec mon oncle sur les eaux agitées de la mer des Hébrides. J'ai été retenu tout l'hiver chez des hôtes désagréables.

La vie n'est pas plus gaie pour ma sœur Ceit au château de mon grand-père Keith. D'après ce qu'elle écrit à notre mère, elle a toutes les raisons d'être désillusionnée et il apparaît de plus en plus qu'elle reviendra célibataire des Lowlands où aucun gentilhomme ne semble s'intéresser à elle. Voyez, en comparaison, comme votre vie est bien paisible et tranquille.

Mes frères, Dudh et Malcom, sont finalement venus à bout de leur précepteur qui a quitté le château au jour de l'An et mon père en cherche toujours un autre.

---

* Visage de feu : traduction de « Fiery face », surnom donné au roi Jacques II en raison d'une tache de naissance qu'il avait au visage et du caractère enflammé qu'on lui a prêté après qu'il eut fait assassiner le sixième comte de Douglas et son jeune frère lors d'un dîner donné au château d'Édimbourg, le 24 novembre 1440.

Dame Gunelle a été malade le mois dernier et notre chirurgien a failli l'achever avec ses saignées. Mon père a dû intervenir pour la sauver, et, depuis, il est également à la recherche d'un nouveau chirurgien. Il est dommage que nous n'ayons personne ici qui connaisse la médecine comme les moniales de Sainte-Marie, car vos remèdes semblent plus efficaces que les nôtres. J'ai eu l'occasion d'en essayer un dont vous aviez fait mention dans une de vos lettres.

Quant à Finella, elle me parle tant de vous et de votre mère, et vous lui manquez beaucoup. Comme elle sait que nous correspondons, elle vous transmet ses plus tendres amitiés dans la présente.

Joignez-y les miennes et que Dieu vous protège.

Votre dévoué,
Baltair MacNèil

À la fin de la lecture, je repliai la feuille, perplexe, les yeux fixés sur la mer. Mon ami se leva, secoua sa bure du sable qui y collait et retourna à sa barque, visiblement déçu.

« D'où tenez-vous qu'il a été fait prisonnier à Uist ? lui criai-je.

– De pêcheurs de Skye qui ont secouru Baltair en mer tout près de leurs côtes. Ils l'ont trouvé fort malade au fond d'un esquif avec un seul rameur avec lui. Le fait a été rapporté à des passeurs qui l'ont dit à d'autres passeurs, et ceux-là l'ont raconté à ceux de Mull, et ceux de Mull à moi… », marmonna-t-il, en moulinant d'un bras dans le vide au-dessus de son embarcation.

Je dépliai la feuille et la relus silencieusement. Cette lettre était en tous points une réponse à la dernière missive que j'avais adressée à Baltair MacNèil, en janvier dernier. Je me souvenais avec acuité de mon état d'âme d'alors et des propos que je lui avais tenus. Faute de feuilles de papier suffisamment grandes pour écrire, j'avais cessé là ma correspondance avec lui et, contrairement à mon ami pêcheur, je ne m'étais plus souciée de recevoir une réponse.

En glissant les yeux jusqu'au milieu de la page, je butai sur les mots « hôtes désagréables ». « Mène-t-on des missions commerciales à deux seulement dans une barque ? Peut-on maquiller des ravisseurs en "hôtes désagréables" dans une lettre ? Un apprenti chevalier de seize ans avouerait-il, sans crainte de ternir son image, avoir été capturé par des ennemis et fait prisonnier, forçant son père à lever une armée pour le défendre ? » me demandai-je avec scepticisme.

Je résolus de poser la question à Baltair le Jeune. Il fallait d'abord me mettre à la recherche de papier pour lui écrire. Certaines visiteuses en apportaient parfois dans leur bagage ; c'est donc de ce côté que j'entrepris des démarches, vite couronnées de succès. Quand, après complies, je regagnai enfin ma cellule, j'avais dans ma poche trois étroites feuilles roulées qui m'avaient été données par une aimable dame normande ne parlant pas un mot de gaélique ou de scot et avec qui j'avais communiqué par gestes.

Comme je n'avais pas l'usage d'une bougie et qu'il restait à peine plus d'une heure de clarté à cette période de l'année où le jour s'étirait jusqu'à la vingt-deuxième heure, je me mis au travail sans tarder. Je m'installai à l'écritoire de ma mère, sous la fenêtre, et vérifiai l'état de l'encre qui n'avait pas servi depuis longtemps. Mon unique plume de corbeau était passablement usée et je la taillai très court sur le biseau avec mon couteau de chasse. Au moment où j'allais inscrire le nom du destinataire sur la feuille, je suspendis mon geste. Comment aborder une question avec quelqu'un qui souhaiterait l'éviter ? « Questionner quelqu'un d'autre... », me dis-je en repensant soudain à dame Gunelle.

Je savais la châtelaine de Mallaig une fervente correspondante. Ne s'était-elle pas d'ailleurs proposée de m'écrire à la place de son fils ? Et puis, son état de santé me donnait d'autres raisons de lui adresser ma missive. Si elle m'instruisait de ses malaises, je pourrais lui suggérer quelque remède avec l'aide d'Etta. Par le biais d'une correspondance soutenue avec dame Gunelle, j'aurais régulièrement des nouvelles de Finella, de mon père, de damoiselle Ceit et, bien évidemment, de Baltair.

Mais, connaître la vérité sur les « hôtes désagréables » de Baltair le Jeune glissa vite au second plan par rapport à la perspective exaltante qui s'ouvrait à moi : établir un lien par l'écrit avec une femme aussi noble et estimée que la châtelaine de Mallaig, cela m'apparaissait vraiment le projet le plus ambitieux qui fût, mais cette opération était-elle réellement à ma portée ? Était-ce envisageable ? Pouvais-je substituer un destinataire à un autre ? Dans mon emportement, je le crus.

Afin de bénéficier du réseau de messagers établi par Baltair, je résolus qu'il me faudrait adresser les plis à son nom jusqu'à ce que sa mère me signifiât une autre façon de procéder, si elle voulait poursuivre la correspondance, bien entendu. Ne resterait plus qu'à résoudre, en temps et lieu, le problème de l'approvisionnement en papier. « Je vais quêter du papier auprès des visiteuses jusqu'à l'automne et tenter de me constituer une petite réserve, me dis-je. Je m'en ouvrirai peut-être à dame Gunelle, plus tard ».

Le cœur gonflé d'espoir dans la réussite de mon projet, je plongeai vaillamment ma plume dans l'encrier de corne et j'écrivis ma première lettre à dame Gunelle.

Le vent tourna et poussa la fumée du feu de joie en direction de dame Gunelle et de sa suite. La châtelaine de Mallaig n'eut pas le temps de couvrir son nez et sa bouche de son voile et fut secouée par une violente toux, aussitôt couverte par le son des flûtes, pìobs* et rebecs.

La fête de la Saint-Jean battait son plein dans la cour de Mallaig bondée de visiteurs en liesse. Lairds, épouses et enfants, habitants du château, manants et tâcherons, tous avaient répondu à l'invitation du chef MacNèil, pour la quatrième année consécutive.

Depuis le début des danses, nul ne prêtait attention aux trois dames en retrait, à l'ombre du donjon : dame Gunelle, Jenny et la baronne de Sunart étaient assises sur le palier de l'escalier, en surplomb de la fête qu'elles se contentaient d'observer. La première, bien qu'assez souffrante pour être alitée, ne pouvait se dérober à ses devoirs d'hôtesse ; la seconde était interdite de danser, car elle allaitait ; et la troisième, en sa qualité d'invitée de marque, n'osait quitter l'entourage de la châtelaine de Mallaig. Cependant, la baronne, le pied trépidant, se

---

* *Pìob* (mot gaélique) : cornemuse.

retenait à grand-peine d'aller attraper la dernière main de la farandole qui passait sous ses yeux.

La baronne de Sunart avait la corpulence d'une matrone et portait un accoutrement aux couleurs aussi criardes que celles qu'affichaient les filles de joie. À chacun de ses mouvements, un voile, un ruban ou un pan de guimpe s'accrochait à ses bracelets clinquants et menaçait de se déchirer. Elle se tourna vers son hôtesse et attendit qu'elle finisse de tousser pour lui prendre la main avec compassion.

« Dame Gunelle, ma chère, dit-elle. Vous n'en pouvez plus. Vous devriez rentrer et vous reposer. Ne vous inquiétez pas pour moi : dame Jenny me tiendra compagnie. Vous allez voir, nous passerons un très bon moment. Pensez un peu à vous...

– Je vous remercie, bredouilla la châtelaine de Mallaig en cherchant son souffle. Cela va déjà mieux. Après avoir si longtemps gardé le lit, il est distrayant de voir danser et d'entendre de la musique...

– C'est bien vrai ! Et le retour de votre héroïque fils apporte une note si merveilleuse à la fête. Quelle histoire passionnante que la sienne : sauvé par son geôlier... incroyable ! Admirez-le, au milieu des jeunes filles. Dieu qu'il est magnifique ! Comme vous devez vous réjouir, ma dame... »

Dame Gunelle hocha la tête d'un air peu convaincu. Certes, un grand soulagement s'était emparé de son cœur à l'arrivée inopinée de Baltair en compagnie de cet étrange Colm, le dernier jour de février. Elle se rappela la stupeur avec laquelle son mari avait identifié le cavalier qui, ce matin-là, descendait vers le château avec un homme en croupe ; l'accueil dans la cour, au milieu des préparatifs de la garnison qui allait s'embarquer pour Uist ; et la pointe d'arrogance de Baltair quand il avait présenté son sauveur, qu'il réclamait pour sa garde personnelle.

Depuis son retour, l'aîné de dame Gunelle n'avait fait qu'une chose : s'étourdir de toutes les louanges que soulevait son récit d'évasion inlassablement répété. Maintenant, sa mère n'était pas si sûre qu'il faille jubiler de le voir profiter de sa popularité pour séduire toutes les jeunes filles à sa portée.

L'esprit tourmenté, la châtelaine repéra Baltair dans la foule et ne le quitta plus du regard jusqu'à ce qu'il s'éclipsât au jardin, une damoiselle au bras. Reportant son intérêt sur la danse, elle aperçut un groupe de jouvencelles entourées d'une petite cour d'admirateurs. L'une d'elles s'en détacha, en pleurs, et dame Gunelle reconnut aussitôt Sine, l'ancienne flamme de son fils.

« Pauvre enfant, pensa-t-elle. Elle ne s'en remet pas. Et Baltair qui ne l'aide pas beaucoup. Il n'a absolument aucune pitié pour les cœurs qu'il brise. Quel fils !... »

La baronne de Sunart trouva son interlocutrice bien taciturne. Elle aurait mieux fait de partager son admiration pour l'héritier MacNèil avec son père qu'avec sa mère. En effet, Iain MacNèil considérait son fils de seize ans comme un homme fait depuis son exploit et le claironnait à qui voulait l'entendre, notamment au baron de Sunart, ce jour-là.

Le chef bomba le torse de fierté et sourit en apercevant la manœuvre de Baltair pour réussir à entraîner une fille à l'écart. Ce qu'il estimait par-dessus tout, c'était la façon avec laquelle son fils avait préparé sa fuite d'Uist, recueillant quantité d'informations et attendant son heure pour agencer son plan. Baltair avait davantage fait preuve d'intelligence que de force, ne faisant pas appel à sa formation de chevalier. L'usage de la ruse pour se sortir d'une fâcheuse situation était totalement inconnu à Iain MacNèil et la stratégie lui paraissait même un peu suspecte. Il avait toujours réglé ses différends à la pointe des claymores, grâce à la supériorité physique au combat, la sienne et celle de ses hommes. Or Baltair ne s'était pas battu à Uist, ni avec les poings ni avec une arme. Le jeune homme n'avait offert aucune résistance à son emprisonnement et n'avait bénéficié que de l'aide d'un seul homme pour s'évader.

Ce Colm représentait une énigme pour le chef. Bien qu'il fallût le considérer comme le sauveur de son fils, il n'en demeurait pas moins qu'il était un homme de Ranald. Iain MacNèil ne pouvait lui refuser la place que Baltair réclamait pour lui à Mallaig, mais il ne pouvait non plus lui accorder une totale confiance. À ses yeux, les motifs de Colm demeuraient obscurs. Il soupçonnait que le geôlier ait eu mission de s'introduire à Mallaig par le biais de son prisonnier. Aussi nourrissait-il des sentiments équivoques envers le boiteux du clan Ranald.

À la demande de Baltair, Iain MacNèil avait doté Colm d'une monture et de vêtements. Alors que son fils réquisitionnait pour son sauveur une chambre au donjon, il avait assigné au bonhomme une paillasse au corps de garde avec ses gens d'armes. Mais personne ne voulait partager quoi que ce soit avec Colm. Comme il était âgé d'une quarantaine d'années et que ses forces, liées à son handicap, ne lui permettaient pas de participer à toutes les expéditions en dehors de l'enceinte du château, il était confiné à une vie plus ou moins sédentaire entre ses murs. Ce qui posait un certain nombre de problèmes au chef MacNèil.

Colm avait tendance à s'enivrer et à harceler les servantes, malgré les avertissements qu'Iain MacNèil lui avait servis à ce sujet. On n'avait pas interdit à Colm de jouer aux dés avec les chevaliers de la maison, mais on songeait à le faire, car il s'avérait tricheur et profitait de l'immunité conférée par son titre de sauveur pour éviter les représailles qu'aurait dû encourir sa conduite. En outre, Colm s'était mis en tête d'enseigner son art de la tricherie aux jumeaux Dudh et Malcom qui démontraient déjà beaucoup d'aptitude dans les jeux de supercherie, ce qui tourmentait la châtelaine de Mallaig.

« Ce qu'il me faudrait pour Colm, songeait Iain MacNèil en examinant le bonhomme, ce serait de lui trouver une femme bien chaleureuse. Il n'y a rien comme une femme pour accaparer un homme et l'attacher de telle sorte qu'il en oublie toute idée de trahison... Je me demande s'il ne plairait pas à Ceit... Je suis persuadé qu'en septembre elle reviendra bredouille de sa chasse au mari chez le père Keith. »

Séduit par cette soudaine idée, Iain MacNèil s'excusa auprès du baron et s'empressa d'aller la soumettre à son épouse, comme il en avait l'habitude. Il la chercha du regard sur le palier de l'escalier et vit qu'il n'y avait plus personne. Dame Gunelle s'était laissé convaincre de prendre congé de sa visiteuse et de Jenny, lesquelles en avaient profité pour descendre et se mêler à la foule. Quant à la châtelaine, elle était discrètement montée à sa chambre qui baignait dans la fraîcheur et la tranquillité.

C'est là que son mari la rejoignit. Il poussa doucement la porte et vit son épouse seule, assise dans son fauteuil. Elle avait défait sa coiffe, ouvert son corsage et s'éventait avec un mouchoir.

« Ma dame, dit-il en s'approchant d'elle, vous avez chaud. Vous êtes fiévreuse de nouveau, n'est-ce pas ?

– Je suis surtout très fatiguée, mon seigneur, répondit-elle en lui tendant la main. La baronne m'a suppliée de monter et je n'ai pas su résister à l'invitation : l'air est trop sec dans la cour et cela me fait tousser davantage. Je suis désolée d'être une piètre hôtesse et une châtelaine qui manque à ses devoirs…

– Vous n'avez pas à être désolée, Gunelle. Vous êtes malade et il faut vous ménager. Ceit sera bientôt de retour à Mallaig et assumera les rôles d'hôtesse qui vous sollicitent trop. Quant à moi, j'apprécierai toujours la châtelaine exemplaire que vous êtes et demeurez en tout temps. »

Le chef MacNèil porta à ses lèvres la main blanche de son épouse, et la baisa tendrement. Puis il marcha jusqu'à l'âtre sur lequel il prit appui pour exposer son plan.

« D'ailleurs, ma dame, je voulais vous entretenir du voyage de retour de Ceit en septembre. J'ai songé à la faire escorter par Baltair, ce qui donnera l'occasion à notre fils de voir ses grands-parents à Crathes. Il va de soi que vous n'irez pas, et moi non plus. Je ne vous quitterai pas pour un aussi long voyage tant que vous ne serez pas guérie. Baltair prendra Keir avec lui, une dizaine d'hommes et Colm. Qu'en pensez-vous ?

— Mon seigneur, je vois que vous n'espérez pas grand-chose d'une escorte de Crathes pour ramener Ceit à Mallaig. Il est vrai que, moi aussi, je nourris peu d'espoir de voir notre fille revenir sous la garde attentionnée d'un fiancé désireux de nous présenter une offre de mariage... Ha, je ne sais si le retour de Ceit m'apportera réconfort ou tracas...

— Il vous apportera réconfort, ma dame. Je vous l'assure. J'y veillerai personnellement.

— Qu'est-ce à dire, mon seigneur ?

— Je vais la marier.

— Avec qui, Iain ? Vous a-t-on fait une proposition ?

— Pas encore, mais j'en aurai une. Je suis convaincu, comme vous, que Ceit ne sera heureuse que le jour où elle sera mariée. Je vais lui donner un homme qui fera son bonheur et, par le fait même, celui de tout le château et le vôtre en particulier.

— Puis-je savoir quel homme vous avez choisi pour remplir cette délicate mission, mon seigneur ?

— Colm... Voilà un homme qui ne pourra pas refuser Ceit ; qui n'exigera aucune dot ; qui va employer son temps libre à la satisfaire et qui changera définitivement de clan en intégrant le nôtre.

— Mon seigneur ! Vous n'y pensez pas ! Ceit n'en voudra jamais... Comment pouvez-vous imaginer, ne serait-ce qu'un seul instant, votre fille de vingt-trois ans dans les bras de cet ivrogne joueur et boiteux qui a le double de son âge ?

— J'avoue que cela demande un effort d'imagination, ma dame, mais je crois tout de même que Colm fera un mari acceptable et un gendre parfait. »

Désemparée devant un tel projet, dame Gunelle abandonna l'idée d'argumenter avec son mari, sachant à l'avance qu'elle ne pourrait s'opposer efficacement à lui. Iain MacNèil prit congé de son épouse sur cette conclusion et s'en retourna auprès de son invité, le baron de Sunart, pour présider le dénouement de la fête dans la cour. Sitôt qu'il eut refermé la porte, elle marcha jusqu'au lit sur lequel elle s'étendit. Une grande lassitude l'envahit et elle sombra dans un sommeil lourd. Quand elle se réveilla, elle constata qu'il était tard. La chambre avait commencé à s'assombrir et on était venu fermer les volets de jonc. La musique, très atténuée, lui parut lointaine. Pourtant, la fête se déroulait toujours juste sous ses fenêtres, trois étages plus bas. Elle entendit soudain des coups discrets frappés à la porte qui s'entrebâilla. Elle se souleva sur un coude et vit son fils Baltair entrer.

Il ne portait plus sa veste et sa chemise était ouverte sur sa poitrine qui ruisselait de sueur. Cette tenue négligée déplut aussitôt à dame Gunelle qui l'accueillit froidement.

« Vous êtes réveillée, mère, dit Baltair en entrant. Je ne voulais pas vous déranger, mais ce que j'ai reçu tout à l'heure est, en vérité, pour vous. Je vous l'apporte : c'est une lettre de Sorcha Lennox. Vous savez bien, cette gamine qui m'écrit d'Iona… Figurez-vous qu'elle préfère correspondre avec vous ! N'est-ce pas fameux ? Je n'aurai plus besoin de lui écrire si vous acceptez de le faire…

– Que vous êtes suffisant, mon fils ! dit dame Gunelle en s'assoyant dans son lit. Sorcha Lennox n'est pas une gamine et ce n'est pas parce qu'elle est d'une naissance illégitime que vous êtes autorisé à la rabaisser... De plus, c'est vous qui avez établi la correspondance avec elle sous de fausses motivations et qui maintenez la duperie. C'est indigne de votre part, Baltair...

– Mère, vous êtes injuste ! Vous savez bien que père m'a encouragé dans cette entreprise, qui a d'ailleurs beaucoup perdu de son importance au cours des années. Apprenez que je n'ai jamais menti à Sorcha Lennox. Mes propos sont toujours anodins et dénudés d'artifices. Je ne l'ai jamais déconsidérée non plus. L'ai-je blessée d'une quelconque manière ? Au contraire, je compatis à son sort et le lui écris. Je me renseigne sur les activités de son père et lui transmets ce que je réussis à apprendre. En quoi suis-je indigne ? Aurais-je dû vous faire lire mes lettres pour que vous ne m'accusiez point ? »

Baltair s'était défendu d'un ton ulcéré. Il s'avança jusqu'au lit et tendit la lettre à sa mère d'un geste brusque. Dame Gunelle se laissa retomber sur les coussins sans la prendre. Elle souffrait et s'en voulait de faire passer sa révolte sur son fils. Elle ferma les yeux et un pli de douleur lui barra le front.

« Pardonnez-moi, Baltair. Je ne m'endure plus et c'est injuste de ma part de rejeter mon amertume sur vous. Nous reparlerons de tout ceci plus tard... si vous le voulez bien, murmura-t-elle.

– Mère, je crois que Sorcha Lennox peut vous aider, dit doucement Baltair en prenant la main de sa mère dans la sienne. Vous verrez en lisant sa lettre... Dites-moi que vous allez la lire et lui répondre.

– Si elle m'est adressée, mon fils, je vais certainement la lire et si elle demande une réponse, elle en obtiendra une. »

Le reste de sa phrase se perdit dans une quinte de toux qui chassa Baltair de la chambre et fit entrer Finella qui se précipita au chevet de la châtelaine. La servante aida sa maîtresse à se dévêtir et à se rafraîchir avec de l'eau parfumée. Elle souleva les coussins derrière son dos et ouvrit les courtines pour aérer le lit. Puis elle rangea les vêtements dans le coffre, approcha une table jusqu'à la tête du lit et alluma une bougie.

Dame Gunelle observait les déplacements de la vieille Finella qui s'était attachée à la soigner depuis le début de sa maladie, remplaçant sa petite servante avec beaucoup de compétence. L'image de son cher lieutenant Lennox lui revint en mémoire. Cet honnête homme n'avait pas hésité à prendre à son service Finella jadis, ce qu'il n'avait jamais regretté. Dame Gunelle tenta un moment d'imaginer la présence de Finella au domaine de Morar et le rôle qu'elle avait joué auprès de dame Angusina et de la jeune Sorcha durant de nombreuses années.

La lettre de Sorcha que Baltair avait déposée sur les draps y était encore ; la châtelaine la prit. Elle admira l'écriture de la jeune fille en lisant le nom de son fils en grands caractères : la calligraphie longue et déliée dénotait noblesse et assurance. Gunelle éprouva une pointe de curiosité envers la fille du lieutenant Lennox qui correspondait depuis cinq années avec Baltair. Elle déplia les feuillets d'un geste fébrile en appelant sa vieille servante :

« Viens, Finella, j'ai ici une lettre de Sorcha. Nous allons en prendre connaissance ensemble...

– Je m'en doutais, ma dame. J'ai vu le forgeron avec votre fils tout à l'heure... Qu'est-ce qu'elle raconte enfin, ma petite maîtresse ? Oh ! pardonnez-moi, ma dame, je ne peux m'empêcher de l'appeler encore ainsi...

— Il n'y a pas de faute à être fidèle, Finella.

— Doux Jésus ! s'exclama la servante en jetant un œil aux trois étroites feuilles remplies de caractères serrés. Comme c'est petit, ma dame ! Comment pouvez-vous lire des mots aussi minuscules ?

— En effet, fit dame Gunelle en approchant les feuillets de la lumière. Je crois que notre jeune correspondante a beaucoup à écrire sur trop peu de papier... Voyons cela... »

Malgré la pluie froide de ce début de novembre 1442, j'avais accompagné mes trois dernières visiteuses de la saison pour leur départ de l'île. Debout sur le quai, fouettée par la bourrasque, je regardai avec envie les pèlerins s'embarquer pour Mull, retournant à leur vie privée après un voyage en communauté. Tout l'été et l'automne, j'avais assumé seule le service à notre hostellerie, et les rencontres que j'y avais faites m'avaient laissé un goût de rêverie plus intense que par les autres années. La tête farcie des histoires des visiteuses, j'avais vécu les cinq derniers mois sur un nuage d'illusions.

Je remontai au couvent d'un pas lourd et grimpai l'escalier de l'hostellerie désertée, le cœur gros ; j'allais m'ennuyer de tous ces gens de passage qui, sans le vouloir, par leurs propos, levaient pour moi le voile sur le monde extérieur à la sainte île. Je devais également reconnaître que ma correspondance avec dame Gunelle produisait exactement le même effet.

D'abord enthousiasmée par sa première lettre reçue en juillet, je réalisai à la lecture des suivantes à quel point la vie à Mallaig était celle à laquelle j'aspirais. Le château des MacNèil et les personnes qui gravitaient autour ; les événements dont il était le théâtre ; les enjeux avec lesquels devaient composer ses habitants et, surtout, l'abondance qui semblait y régner par comparaison à l'austérité du couvent Sainte-Marie : tout cela contribuait à suggérer à la pensionnaire que j'étais l'image d'un cadre de vie des plus idylliques.

Dame Gunelle engageait ses propres courriers et avait conclu une entente avec sœur Béga pour que notre correspondance soit ouverte et soutenue. Elle utilisait une encre très claire sur un papier très épais dont il m'était possible d'utiliser l'endos pour lui répondre, solutionnant ainsi mon problème d'approvisionnement. Aucun obstacle ne freinait donc mon activité épistolaire, ce qui aurait normalement dû me réjouir. Mais elle me donnait un curieux vague à l'âme et l'impression de rester sur ma faim ; souvent, les lettres de ma correspondante engendraient un incompréhensible sentiment d'amertume que je devais combattre si je ne voulais pas qu'il transparaisse dans ce que je lui écrivais.

Fort heureusement, je pouvais me concentrer sur le sujet de sa santé qui constituait l'essentiel de mes réponses. Etta et moi avions longuement discuté du cas de dame Gunelle qui m'avait expliqué ses malaises et, finalement, nous avions diagnostiqué qu'elle devait souffrir de bronchite. Dans ma dernière lettre, je lui avais recommandé l'usage du thym en infusion et en pommade, et nous attendions les résultats de ce traitement.

« Comme il me serait agréable de vous soigner chez vous, dame Gunelle, tout près de Morar », soupirai-je.

Je secouai ma mélancolie et m'activai à ranger et à balayer la longue pièce désolée de l'hostellerie qu'il me fallait maintenant fermer pour l'hiver. Ma vie reprendrait son cours à l'intérieur du couvent dont le caveau contenait une bonne quantité de provisions, certaines fournies par notre jardin et d'autres offertes par les pèlerins. On n'aurait sûrement plus à faire appel à la chasse et à la pêche pour nourrir les moniales cet hiver et mes sorties redeviendraient donc rares.

En évoquant cette morne perspective, je décidai de rendre visite à frère Gabriel avant de rentrer au couvent. Mon travail à l'hostellerie me prit tout l'après-midi et je ne pus en refermer la porte qu'à l'heure du souper. La bourrasque, qui le matin balayait le quai, s'était transformée en tempête durant la journée, l'eau coulait du toit en cascade et je relevai mon capuchon pour dévaler l'escalier glissant. J'étais décidée à braver les éléments pour aller saluer mon ami dont j'imaginais que je serais privée durant les semaines à venir. Avec un peu de chance, il serait encore dans l'anse, affairé autour de sa pêche, de ses filets et de son gréement. Mais je ne l'y trouvai point. Fait étrange et inquiétant, sa barque n'y était pas non plus. Je scrutai le détroit à travers le rideau de pluie qui masquait même le rivage de Mull, en face, et ne pus rien distinguer qui ressemblât à une embarcation. Désemparée, je repris le chemin du couvent.

Au cours de la soirée, l'inquiétude se fit un chemin en moi ainsi qu'un torrent nourri par la tempête grossit d'heure en heure. Je me couchai avec un vague pressentiment qu'accentuait le claquement sinistre des volets secoués par le vent. Au matin, le torrent avait sorti la rivière de son lit : j'étais convaincue qu'il était arrivé malheur à Gabriel le Bègue. Comme il m'était absolument impossible de m'informer de lui à quiconque au couvent, je dus attendre une première permission de sortir qui me fut octroyée que lorsque deux semaines se furent écoulées après la tempête.

Je me précipitai sur la pente caillouteuse et courus jusqu'à l'anse, le cœur affolé. Là, à bout de souffle, je m'arrêtai, incrédule. La barque de frère Gabriel n'y était toujours pas, non plus que son grand panier à gréement dont je pouvais apercevoir l'emplacement vide sur le sable entre les rochers. J'examinai avec attention le détroit et le rivage de Mull sans déceler quelque indice de la présence de mon ami. Je ne savais que penser et je fis quelques pas sur la grève, désorientée.

Je me retrouvai ainsi tout près de la cachette du « tribut de la Vierge » et je vérifiai qu'il y était toujours. Quelle ne fut pas ma surprise de découvrir le trou vide ! Mes yeux s'emplirent aussitôt de larmes et, misérable, je levai le regard sur la mer à laquelle je lançai ma question désespérée :

« Frère Gabriel, où êtes-vous ? Qu'avez-vous fait de votre panier et de votre trésor ? Il faut me le dire… »

Le sinistre cri des mouettes fut la seule réponse que j'obtins. Je m'effondrai entre les pierres mouillées de la grève et me mis à pleurer à chaudes larmes. Personne ne vint me consoler, et c'est brisée de sanglots que je me relevai longtemps après. Cependant, je me sentais mieux, on aurait dit que ma crise de désespoir avait complètement lavé mon âme. Je pris une profonde inspiration en regardant les toits du monastère qui émergeaient des arbustes de bruyère.

« Quelqu'un va me répondre là-haut… il le faut ! » me dis-je.

Résolue à en avoir le cœur net, je marchai sur la grève en direction nord. Lorsque je fus à la hauteur de l'abbaye, j'aurais dû emprunter le petit sentier qui montait le long du cimetière pour atteindre la porte des visiteurs, mais quelque chose m'en empêchait. Mes pieds, comme s'ils échappaient au contrôle de ma volonté, poursuivaient leur route entre les roches. J'aboutis ainsi à la pointe nord de la sainte île, sur la plage Blanche des moines, ainsi qu'on nommait l'endroit où le massacre des quinze moines et de leur prieur avait eu lieu, en 986. Un enchevêtrement d'algues jonchait le sol, m'obligeant à remonter vers le plateau herbeux.

De là-haut, j'aperçus au loin l'îlot où l'on avait enterré le « trésor du Fils ». Au souvenir de cette unique fois où je m'étais embarquée avec frère Gabriel, je portai mon regard sur l'endroit de la grève où j'étais montée dans l'embarcation et en étais redescendue. Non loin de là, je vis émerger entre deux rochers ce qui m'apparut être la pince de la barque de mon ami.

« Frère Gabriel ! » m'écriai-je.

Mes pieds qui m'avaient alors dirigée avec énergie refusèrent soudainement d'avancer. Je voulais me porter jusqu'au site, mais je n'y arrivais pas. Ce n'est qu'au prix d'un effort considérable que je me mis en route, découvrant au rythme de mon avancée les débris d'un bateau. Je ne pus m'approcher à plus de vingt pas de l'épave, mais je reconnus les restes de la barque de mon ami.

« Frère Gabriel a fait naufrage ! » m'exclamai-je d'une voix oppressée.

Voilà ce que mon cœur avait compris bien avant ce jour-là. Je tombai à genoux et me signai, les yeux agrandis par l'incrédulité ; je demeurai prostrée ainsi un long moment, hébétée, ne sachant que faire.

Le froid vint à bout de mon immobilisme et me secoua. Je quittai la baie sans me retourner pour emprunter le sentier des plateaux. Des larmes brouillaient ma vue et je trébuchai plusieurs fois sur le chemin du retour. Je devais avoir un air effroyable quand j'entrai au couvent, car la sœur portière me dévisagea, fort impressionnée.

« Que vous est-il arrivé, Sorcha Lennox ? Avez-vous rencontré un loup-garou ? Regardez vos vêtements... vos cheveux... vos chaussures ! Entrez vite, vous allez prendre froid...

– Dites-moi, ma sœur, soufflai-je, y a-t-il eu un enterrement chez les moines la semaine dernière ?

– Je ne crois pas, nous n'avons pas entendu leur glas. Pourquoi cette question ? Quelqu'un serait-il mort parmi nos homologues de l'abbaye ? Une de vos connaissances, peut-être... Ou bien encore, vous avez rencontré un revenant qui vous a poursuivie dans la lande ? »

L'arrivée de sœur Béga me dispensa de répondre à ces insidieuses questions.

« Sorcha, vous êtes en retard. Vous deviez travailler à l'hostellerie jusqu'à l'office de none, que vous avez évidemment manqué. Vous ne souperez pas ce soir et je veux vous voir aux vêpres. Les consignes sont là pour être respectées et les permissions, pour être méritées. Je crois que je ne peux m'exprimer plus clairement.

— Certes, sœur prieure. Pardonnez-moi », fis-je, contrite.

Je filai à ma cellule où je m'enfermai, toute tremblante. « Naufrage ne veut pas dire noyade », me répétai-je inlassablement en me berçant, recroquevillée dans mon lit durant l'heure du souper.

Le réconfort me vint d'Etta, à qui je ne m'étais jamais ouverte à propos de mes rencontres avec frère Gabriel. Après les vêpres, elle me trouva dans l'église où j'étais restée pendant que les moniales se réunissaient au chapitre. Elle m'entoura simplement de ses bras et me questionna à voix très basse :

« Qu'y a-t-il, ma douce ? tu es toute pâle et bien sale. S'est-il passé quelque chose dans la lande cet après-midi ? Tu as été si longue à revenir de l'hostellerie…

— Oh, Etta ! Je suis si inquiète… », hoquetai-je.

Puis, n'y tenant plus, je me mis à sangloter. Ma brave Etta dut faire un effort pour comprendre mon histoire décousue et entrecoupée de sanglots, qui témoignait de mon angoisse et du malheur que j'anticipais. Quand j'abordai la question de mes fréquentations avec frère Gabriel, je vis dans ses yeux qu'elle avait de l'admiration pour l'amitié que nous avions réussi à entretenir en dépit des interdits.

Etta me garda dans ses bras tout le temps que dura mon récit, puis elle m'assura qu'elle se renseignerait et qu'elle m'apprendrait la vérité, quelle qu'elle fût. Tandis que je goûtais sa chaleur réconfortante, une grande paix descendit en moi. Quand nous nous séparâmes pour complies, elle me chuchota une conclusion qui sécha complètement mes larmes :

« Tu as raison : naufrage ne veut pas dire noyade. Mais si tel était le cas, si ton ami a été rappelé par son Dieu, tu devras t'en réjouir. Cela voudrait dire qu'il est désormais assis parmi les bienheureux. Il ne peut en être autrement, Sorcha, car Gabriel le Bègue était un pur. Un homme pur chez des hommes moins purs, un simple chez des prétentieux et un esprit libre... comme le Créateur les aime. »

Nous ne revîmes jamais plus cet esprit libre sur la sainte île. Mais il n'y eut ni enterrement ni messe des morts. Si frère Gabriel avait sombré dans la tempête, la mer avait gardé son corps, car Etta apprit qu'il avait bel et bien disparu le jour de la tempête et que personne ne l'avait repêché à Iona. Elle avait également eu confirmation que les débris que j'avais découverts étaient bien ceux de son embarcation de pêche. Ce qu'elle ignorait, parce que je ne lui avais rien révélé à ce sujet, c'était le sort du « tribut de la Vierge ».

Le mystère de la disparition de ce trésor m'absorba tout l'hiver. J'étais persuadée que j'étais la seule à en connaître l'existence en dehors de frère Gabriel. Que son panier à gréement ait été enlevé par les moines, cela était tout à fait possible puisque aucun autre confrère n'avait pris sa relève à la pêche. Que frère Gabriel ait emporté le pot avec lui à sa dernière sortie en mer m'apparaissait impensable. Qu'il l'ait déplacé, voilà qui aurait été intriguant. Qu'il en ait fait don à l'abbaye ou à quelqu'un d'autre, c'était tout à fait improbable.

« Où est le pot du "tribut de la Vierge", frère Gabriel ? Où êtes-vous parti ? » questionnai-je inlassablement, incapable de croire à la mort de mon premier ami à Iona.

CHAPITRE VIII

SUIVRE LES TRACES DE FRÈRE GABRIEL

Jamais les semaines de l'Avent ne me parurent plus longues que celles de l'année 1442. Je me languissais de frère Gabriel et ne m'apercevais pas de l'état de torpeur dans lequel cela me laissait, traînant d'un office à l'autre, désintéressée et absente. J'avais maigri au point d'inquiéter Etta qui avait pourtant vu bien d'autres filles, pétries de mélancolie et d'ennui, se laisser mourir de tristesse entre les murs du couvent Sainte-Marie.

Ma bonne vieille amie cherchait par tous les moyens à secouer ma léthargie et ce qu'elle trouva alors fut un véritable exploit, quand on considère à quel point mes sorties étaient mesurées. Une épidémie de colique avait éclaté chez les moines de l'abbaye et, le frère infirmier ne suffisant plus à la tâche, on réclama rapidement les services d'Etta. Elle exigea que je l'y accompagne et c'est ainsi que, le deuxième dimanche de décembre, nous partîmes sur le sentier de l'abbaye, emmitouflées de laine et chargées de notre panier à remèdes.

Un soleil pâle de fin de journée baignait l'île d'une légère brume et l'humidité transperçait nos vêtements.

J'écarquillai les yeux en dépassant la chapelle Saint-Oran, au-delà de laquelle je ne m'étais jamais aventurée. J'entrais en territoire interdit et mon attention en fut décuplée. Les bâtiments du monastère se dressaient au milieu d'un tapis de neige immaculée, majestueux et imposants, sur fond de ciel gris. À mes côtés, Etta avait ralenti le pas.

« Contournons l'édifice, Sorcha, et présentons-nous directement à l'infirmerie derrière. Si nous ne passons pas par la porte des pèlerins, on ne nous fera pas escorter et nous serons plus libres de nos déplacements, me suggéra-t-elle, sur un ton de confidence.

– Mais, Etta, quels déplacements comptez-vous faire en dehors de l'infirmerie ? m'enquis-je.

– N'importe lequel ! N'es-tu pas désireuse de visiter l'abbaye ? N'as-tu donc aucune curiosité pour le palace de l'abbé Dominic ? Voyons, Sorcha, ne veux-tu pas voir ce que tous les pèlerins ont vu et dont tu n'as aucune idée depuis cinq ans ? »

Je ne sus que répondre. Son projet d'exploration m'avait prise de court et je n'étais pas si sûre qu'une promenade dans l'abbaye m'intéresserait. Mais je m'étais trompée. Je ne fus pas aussitôt entrée dans le bâtiment de l'infirmerie, relié par une passerelle à l'aile nord du monastère, que l'envie d'examiner les vastes corridors, l'église et les chapelles éveilla ma curiosité. Je souris à ma vieille amie qui avait vu juste en m'entraînant avec elle.

Au bout d'une vingtaine de minutes, Etta et moi avions prodigué nos soins à une trentaine de moines récalcitrants. Ma vieille amie reprit son objectif : par un discret clin d'œil encourageant, elle m'incita à m'éclipser vers l'église. Je n'hésitai pas une seconde et j'empruntai la passerelle. Je me retrouvai seule, à l'heure de l'office de none, aux abords du transept nord de l'église, une partie nouvellement reconstruite. Les chants des moines, chargés d'écho, montaient de la crypte par le large escalier, et avec eux filtrait une odeur de cire refroidie. Je me glissai le long du mur et j'avançai dans le déambulatoire désert jusqu'à la grande niche où trônait l'immense statue de saint Colomba entre deux autels. Au-dessus de l'un d'eux, entourée d'une grille ouvragée et posée sur un socle de marbre, je vis une longue monstrance de laiton et de verre. Elle contenait le fameux reliquaire en forme de main du saint fondateur dont la vénération constituait pour bon nombre de pèlerins le but ultime de leur voyage à Iona.

Fascinée, je m'approchai de la monstrance et je me hissai sur l'un des prie-Dieu disposés dans un coin. C'était un extraordinaire travail d'orfèvrerie religieuse : la main, dressée au bout d'une manche de chasuble en feuille d'or drapée et sertie de pierres précieuses, avait trois doigts tendus et deux repliés, l'annulaire et l'auriculaire, figés dans le geste de la bénédiction. Le majeur portait un rubis monté sur un anneau d'or. Sur le dos de la main était enchâssé un boîtier vitré contenant la relique que je n'arrivai pas à bien distinguer. Je levai les yeux sur l'inscription au-dessus de l'autel et j'y lus que trois ans de purgatoire étaient octroyés en indulgence aux pèlerins qui vénéraient la relique le 9 juin, date de la fête de saint Colomba. Je compris ainsi pourquoi chaque année la première semaine de juin amenait sur l'île un surcroît de visiteurs.

Je redescendis de mon escabeau de fortune et parcourus toute la niche du regard. Les murs, entièrement recouverts de panneaux de bois sculptés et peints, évoquaient des scènes de la vie du saint patron. Je pris tout mon temps pour les examiner à la lueur des lampions. Sur l'un des panneaux bas du retable, il était question du voyage du saint entre l'Irlande, où il était roi, et l'Écosse. À l'arrière-plan, un pêcheur remontait son filet de l'océan ; un phylactère sortait de sa bouche, portant une inscription que je n'eus pas le temps de lire, car mon attention fut attirée par le son d'un marteau frappant la pierre.

Je sortis de la niche et me dirigeai vers l'endroit d'où les bruits me parvenaient de plus en plus distinctement. Je découvris, au bout du déambulatoire, une large porte qui ouvrait sur ce qui me parut être un atelier. Je m'avançai prudemment dans la pièce faiblement éclairée à la torche et vis un sculpteur à l'œuvre au milieu de la poussière et des éclats de pierre. Au fond, deux autres artisans s'affairaient dans l'ombre.

Le sculpteur me faisait dos, penché sur son ouvrage posé sur des tréteaux. Trapu et chauve, vêtu de cuir sur un bliaud de chanvre, il s'activait autour d'une tête de colonne en pierre et le vacarme qu'il faisait couvrit le bruit de mes pas. Aussi pus-je l'observer un long moment avant qu'il ne me voie. Quand il se retourna enfin, je le reconnus : il s'agissait du maçon qui avait traversé de Mull à Iona dans la même barge que ma mère et moi avions empruntée à notre arrivée sur la sainte île. Je crois qu'il s'en souvint lui aussi, car il plissa les yeux et sourit en inclinant légèrement la tête. Je pris son geste pour une salutation et la lui rendis.

« Bonsoir, maître…, dis-je doucement.

– Bonsoir, damoiselle… de Sainte-Marie. Je me nomme Donald O'Brolchan, maître maçon de l'abbaye. Mes deux apprentis, fit-il en tournant la tête vers le fond de la pièce. Et vous ?

– Je suis Sorcha Lennox, messire. Je viens avec dame Etta pour assister le frère infirmier…

– Ha oui ! Les coliques…, fit-il en retournant à son marteau et à son ciseau. Vous vous êtes déplacées pour rien, si vous voulez mon avis.

– Et pourquoi donc, messire ? lui demandai-je, surprise.

– Parce que vos malades ne veulent pas guérir. Voilà pourquoi. Ils ont chapardé de la nourriture pour éviter le jeûne et ils n'y renonceront pas, même si la pourriture gagne leur butin et leurs entrailles.

– C'est insensé… », murmurai-je étonnée.

Ce faisant, je jetai un œil sur le travail de mon interlocuteur. La scène qu'il sculptait représentait un pêcheur tirant son filet à l'intérieur d'une embarcation. Et comme sur le retable de l'autel de saint Columba, un phylactère sortait de sa bouche et montait au ciel en tournoyant entre deux arabesques de nuages. Rien n'était inscrit encore sur le ruban de pierre lisse, mais je ne pus m'empêcher de penser aux mots que frère Gabriel employait pour me nommer : « Petite *ancilla Dei*. » Je sentis de grosses larmes rouler sur mes joues, incapable de m'arracher à cet instant d'émotion lié au souvenir de mon ami. Le maçon dut surprendre mon désarroi, car il entreprit de me distraire par une description exhaustive de son ouvrage, faite sur un ton de confidence, en veillant à n'être pas entendu de ses apprentis. Je suivis le doigt qu'il passait sur les contours de son ouvrage pour renforcer ses explications.

« Voici un moine pêcheur, damoiselle. Il a pêché plus de vingt ans pour le compte du monastère et il s'en est allé au printemps dernier. J'ai connu ce moine et je l'aimais bien. L'abbé Dominic n'est pas d'accord pour lui donner une place dans un décor de la nouvelle balustrade, mais il n'y verra rien. J'ai l'intention de terminer et d'installer la pièce cette nuit. Elle sera si haut perchée qu'il n'y aura que moi pour savoir ce qu'il en est. Moi et vous, damoiselle Sorcha. C'est un secret, n'est-ce pas ?

— Qu'allez-vous inscrire sur le phylactère, réussis-je à articuler.

— *Lapidem quem reprobaverunt aedificantes hic factus est in caput anguli*, c'est-à-dire la pierre qu'ont rejetée ceux qui bâtissaient est devenue la principale de l'angle.

— Ce n'est pas un peu long ? murmurai-je, fixant l'étroit phylactère nu, à travers un voile de larmes.

— Possible, répondit-il. On verra… Je graverai peut-être seulement *Tributum Virgae*, comme sur l'autre. C'était sa marotte, au frère Gabriel… »

Je tressaillis. *Tributum Virgae*, « le tribut de la Vierge ». Donald O'Brolchan reprit son travail avec ardeur, sans plus se préoccuper de ma présence. Je le fixai, incrédule, me demandant si frère Gabriel était allé plus loin avec le maître maçon que la simple mention du nom de son trésor.

Absorbée par cette question, je sortis de l'atelier en séchant mes larmes et retournai à la niche de saint Colomba. Là, je me dirigeai tout droit sur le panneau où j'avais entrevu la scène avec le pêcheur ; il se trouvait dans le bas de l'autel et n'était pas peint. Je me penchai en prenant soin de ne pas faire ombrage à la lueur des lampions et j'examinai le décor sculpté, tant avec mes yeux qu'avec mes doigts. Ce que j'avais pris pour un phylactère n'était plutôt qu'une longue vague sous forme de ruban, et ce qui m'avait semblé une inscription n'était en réalité que de fines égratignures dans le bois. Mais en y regardant de plus près, je déchiffrai deux ensembles de lettres juxtaposés. Celui du dessus formait maladroitement les mots *Tributum Virgae*, et celui du dessous, *Pusilla ancilla Dei**.

Mon cœur arrêta un instant de battre et mes mains devinrent moites. Je reculai, interdite. Ces mots gravés dans le bois n'étaient visiblement pas l'œuvre du sculpteur des panneaux. Ils semblaient avoir été écrits par une main malhabile avec la pointe d'un couteau. J'eus la conviction que cette main n'était nulle autre que celle de frère Gabriel. Intuitivement je repris mon exploration du panneau dont je parcourus le pourtour avec mes doigts. Il faisait la longueur de trois mains sur une hauteur de quatre. Sur les extrémités de son côté inférieur, mes doigts rencontrèrent deux encoches pratiquées dans la tranche. Je m'en servis comme prise pour tenter de dégager le panneau en le tirant vers moi. Mais rien ne vint. J'inspectai la partie inférieure des panneaux de gauche et de droite et je ne retrouvai pas les encoches ; je répétai l'opération sur les panneaux supérieurs avec le même résultat. Ainsi, il n'y avait que le panneau illustrant le pêcheur qui était marqué d'encoches.

---

* *Pusilla ancilla Dei* (expression latine) : Petite servante de Dieu.

Persuadée qu'il s'agissait d'un panneau amovible, je m'essayai de nouveau à le tirer en y mettant plus de force. Cette fois, la base de la pièce glissa légèrement. Je raffermis ma prise en donnant une secousse ; un grincement de bois renflé d'humidité accompagna le basculement du panneau qui sortit de son enclave et tomba sur mes genoux dans un petit nuage de poussière. Je sursautai et retins le panneau. Une forte odeur de moisi émanait de la cavité qui s'ouvrait sous l'autel. Il m'était impossible de voir à l'intérieur et, fébrile, j'y glissai une main fureteuse. Elle se heurta immédiatement à un objet rond, dur et froid comme de la pierre, que je sortis : le pot de terre du « tribut de la Vierge » avec tout son contenu !

Au même moment, les chants des moines cessèrent dans la crypte. Je réalisai qu'aucun bruit ne parvenait plus de l'atelier. Le silence était complet dans l'église. Je n'entendais que mon cœur qui cognait dans ma poitrine.

« Les moines vont remonter de mon côté », murmurai-je, paniquée.

Avant que le premier capuchon noir n'émergeât de l'escalier, j'avais remis en place le pot et le panneau. Je restai tapie dans un coin sombre de la niche tout le temps que prirent les moines pour sortir de la crypte et prendre place dans les stalles de la chapelle principale. Quand le prieur entama le récit des oraisons, je me faufilai en dehors de l'église et regagnai la passerelle.

Une sorte de bonheur m'envahit et je devais rayonner en entrant dans l'infirmerie, car Etta me sourit avec un air satisfait.

« Je t'avais bien dit que la visite en valait la peine… Nous aurons l'occasion d'y revenir. Je sais m'arranger, tu vas voir, me promit-elle.

– Volontiers ! » m'empressai-je de lui répondre.

Baltair détourna la tête pour ne pas voir la main baladeuse de Colm sur le corsage de Ceit. La messe de Noël tirait à sa fin et bientôt la chapelle du château se viderait au profit de la grand-salle pour la fête, le délivrant du spectacle désagréable auquel il était soumis. Les torches fichées dans la pierre des murs grésillaient doucement, accompagnant discrètement la voix éraillée du révérend Henriot qui officiait. L'étroite chapelle était bondée. Tous les habitants du château s'y étaient entassés debout derrière les deux seules rangées de bancs de la nef réservés à la famille et au personnel gradé. En sa qualité de futur chevalier, Baltair avait pris place parmi la garde, dans le deuxième banc, derrière Ceit et Colm qui se tenaient à la droite de ses parents. À leur gauche, ses frères jumeaux s'épiaient et se poussaient du coude. Baltair fit des efforts pour se concentrer sur la messe, mais le comportement du couple le gêna de nouveau. Ceit frémit, son hennin oscilla et le voile qui couvrait ses épaules ondula. Colm avait glissé la main sous la large manche de sa sœur et caressait sa taille. Baltair entendit un petit gloussement à ses côtés et, irrité, se demanda si l'on se moquait de sa sœur ou de Colm.

Le voyage à Crathes en septembre avait favorablement scellé la position de Colm au sein de la maison MacNèil et son titre de prétendant à la main de sa sœur. Au départ, Iain MacNèil avait chargé l'ancien geôlier d'agir comme garde personnel de Ceit durant tout le voyage et de ne pas la quitter d'une semelle, jour et nuit, alléguant qu'il lui fallait un gentilhomme d'expérience à ses côtés. Baltair s'était vu remettre une lettre pour sa sœur, dans laquelle son père confirmait le rôle de Colm auprès d'elle ; les termes dans lesquels le mandat de Colm était expliqué présentaient ce dernier sous un aspect avantageux et flattaient l'orgueil de la jeune femme. Aussi improbable que cela avait pu paraître au départ, le savoir-faire de Colm en matière de femmes avait été si efficace que Ceit était entrée à Mallaig amoureuse de lui.

Baltair n'en avait éprouvé aucune gêne, car depuis le début du voyage il avait compris l'intention de son père. Il s'était même amusé des manœuvres de Colm pour séduire sa sœur et il avait observé avec intérêt l'évolution de la situation depuis Crathes jusqu'à Mallaig. Le grand dépit qu'éprouvait sa sœur à l'issue de ces deux années passées dans la famille Keith se mua en joie durant le voyage de retour. Entourée d'attentions, Ceit devint rieuse, détendue et satisfaite d'elle-même, ce qui fit des retrouvailles entre Baltair et sa sœur un plaisir plutôt qu'une corvée.

Le jeune homme dut s'avouer qu'il appréciait beaucoup son ex-geôlier. L'aventure de leur fuite d'Uist avait créé entre eux des liens solides. Pour la première fois de sa vie, Baltair s'était mis dans la peau d'un homme d'une classe inférieure en mesurant ses valeurs et en devinant ses intérêts, fort différents des siens.

Au château des Ranald, croyant d'abord avoir appâté Colm avec ses prétendus souvenirs de la guérisseuse Etta, Baltair avait retardé le plus longtemps possible le moment où il aurait à avouer sa supercherie. Mais

Colm n'était pas revenu sur le sujet avant qu'ils n'aient atteint Skye ; le geôlier de Ranald n'avait pas paru se sentir trahi quand Baltair lui avait révélé ne pas connaître sa mère. L'intérêt de Colm pour la possibilité de recouvrer l'usage d'une arme et un statut de soldat, que le jeune homme avait laissé miroiter pour son sauveur, joua un rôle prédominant dans sa participation à l'évasion. Quand Baltair avait connu l'histoire complète de Colm, il avait découvert simplement qu'une vie misérable dans un château minable peut engendrer chez un homme de fortes aspirations, des rêves tenaces : c'était l'opportunité que sans trop le savoir il avait offerte à l'homme.

De sa rencontre avec Colm, Baltair retenait surtout une édifiante leçon sur la précarité des liens entre un serviteur et son maître. La loyauté de l'assujetti, qu'il croyait naïvement indéfectible, lui apparut alors dans toute sa fragilité. Colm avait floué les Ranald et ceux-ci attendaient leur heure pour riposter. Le silence dont s'était enveloppé le chef Ranald à Uist après l'évasion témoignait assez éloquemment qu'une opération de répression couvait. Colm était un homme mort sans la protection du clan MacNèil. D'ailleurs, la menace latente avait empêché l'ancien geôlier des Ranald d'accompagner le chef MacNèil et son fils au Tournoi des îles durant l'été qui avait suivi l'évasion.

Dix mois s'étaient écoulés depuis, et Baltair n'avait de cesse d'observer leurs serviteurs, servantes, gens d'armes, manants et clercs au château, d'étudier la condition de vie de ces derniers et leurs rapports avec ses parents. Le jeune homme se demandait lesquels parmi eux trahiraient les MacNèil s'ils y trouvaient leur profit. Il en arrivait parfois à douter même de la droiture de Colm. Son union avec Ceit lui parut stratégique et présenter une certaine garantie de fidélité au clan.

Baltair sortit de la chapelle parmi les derniers et eut juste le temps de voir son père entraîner Colm en dehors de la grand-salle. En compagnie de sa mère, Ceit affichait un air furieux. Baltair en déduisit que le manège du couple n'était pas passé inaperçu et que ses parents intervenaient pour que la situation se corrigeât. « Si j'étais père, se dit Baltair, je forcerais Colm à se déclarer. Sa cour à Ceit a assez duré et tous les deux semblent prêts à passer à l'étape suivante... »

À l'évocation de cette étape, qu'il imaginait toute faite d'ébats et de transports amoureux, le jeune homme se prit à rêvasser sur ses propres talents de courtisan. Quelques semaines plus tôt, on en avait fait les gorges chaudes à l'occasion de l'anniversaire de ses dix-sept ans ; des propos et remarques, il gardait un souvenir de gêne et d'orgueil. Baltair porta attention aux présences féminines dans la grand-salle et mit le cap sur la table des chevaliers, autour desquels les jeunes filles s'étaient regroupées.

Chaque réception au château provoquait la même division de la gent féminine : les dames d'âge mûr se tenaient du côté des ménestrels, et les jouvencelles, autour des hommes gradés et célibataires. Les plus jeunes manœuvraient de façon à intéresser un homme suffisamment pour être choisies quand les danses commençaient. L'entrée du jeune héritier MacNèil dans ce cercle créa une diversion chez les jeunes filles qui l'accaparèrent aussitôt, se mirent en frais de déployer œillades, rires et poses pour retenir son attention. Baltair redressa les épaules et sourit ; ses yeux détaillaient leurs toilettes plus que leurs visages, captivé qu'il était par les tailles, les hanches et les poitrines ceintes de soies, de velours, de broderies. Une bouffée de chaleur monta de son pourpoint. Il était impatient de danser et d'enlacer l'une ou l'autre jouvencelle. Écoutant à peine ce qui se disait dans le groupe, il chercha à capter l'attention des musiciens et de leur meneur, un joueur de rebec. L'entrée dans la grand-salle de son père, suivi d'un Colm guilleret, évita à Baltair une démarche pour déclencher le début du bal.

Iain MacNèil s'avança tranquillement jusqu'à la cheminée majestueuse au fond de la pièce, s'emparant de la main de sa fille au passage. D'un signe de tête, il demanda silence à l'assemblée, puis, à l'intention des musiciens, il annonça le début des danses :

« Ménestrels, joueurs de rebec, de cromorne, de flûte, de pìob, de clàrsach*, de tambourin, messires, mes dames, damoiselles, révérend Henriot, contrairement à la coutume, ce bal ne sera pas ouvert par moi, mais par damoiselle Ceit. Aujourd'hui, j'ai reçu une demande que je dois considérer. D'ici la nouvelle année, j'aurai certainement un gendre à Mallaig. J'appelle messire Colm de Benbecula, capitaine de la garde de ma fille, pour la faire danser le premier. »

Le teint de Ceit s'empourpra quand elle vit son garde du corps se détacher de la foule et s'avancer vers elle sans claudiquer. Dans son surcot de serge bleue doublé de vair au col et aux manches, la moustache et la barbe taillées de frais, chapeau à plume sur le chef, Colm avait fière allure. Son air distingué et l'assurance émanant de l'homme mûr effaçaient dans le souvenir de

---

* *Clàrsach* (mot gaélique) : harpe celtique.

tous la tenue négligée qu'il arborait dix mois plus tôt en entrant à Mallaig sur un canasson fatigué, monté derrière le fils du seigneur. Au spectacle qu'il offrait ce soir de Noël, l'assemblée se taisait, subjuguée. On ne s'étonnait pas tant de l'annonce du chef MacNèil que de voir la fille de la maison s'en émouvoir, car Ceit n'avait jamais rougi devant personne.

Le chef avait terminé ses déclarations ; il offrit son bras à dame Gunelle et l'entraîna au milieu de la formation. Les couples se bousculèrent en leur emboîtant le pas et les musiciens entamèrent aussitôt les mesures d'une première danse. Baltair sentit une main chaude et moite se glisser dans la sienne. L'entreprenante fille du bailli lui sourit et le tira vers les danseurs sans qu'il songeât à lui offrir la moindre résistance. Ils gagnèrent la tête de la formation, aux côtés de Ceit et de Colm, dans la ligne d'hommes et de femmes qui se faisaient face. À la première traverse des hommes, Baltair murmura ses félicitations à Colm.

« Excellent, Colm ! Comme beau-frère, je te préfère à n'importe quel autre des Lowlands.

– Merci, messire ! Je ferai de mon mieux pour satisfaire la famille MacNèil… », lui répondit Colm, à la traverse suivante.

« Il suffit que tu n'en satisfasses qu'un seul membre », se dit Baltair en lui-même en tendant la main à sa sœur qu'il croisait en dansant.

« Que complotes-tu avec Colm ? lui demanda Ceit, sur la défensive.

– Je lui disais combien je suis heureux qu'il devienne un MacNèil, susurra Baltair à l'oreille de sa sœur, quand le déplacement des danseurs la lui ramena.

— Inutile de mentir, Baltair, je ne suis pas dupe. Je sais que ça arrangerait tout le monde, ce mariage, mais ce n'est pas fait, poursuivit-elle d'un air hautain à la passe suivante.

— Ho, Ceit ! Prends tout ton temps. Je me marie-rai peut-être avant toi après tout ! » lui glissa Baltair sur un ton espiègle à leur dernier croisement.

Là se termina l'échange entre frère et sœur. Les couples se reformaient et Baltair, pour appuyer ses propos, resserra son emprise autour de la taille de la fille du bailli. Il savait pertinemment que Ceit redoutait de partager son territoire à Mallaig avec une belle-sœur, à plus forte raison si elle devait elle-même conserver son statut de célibataire. Quand il surprit le regard anxieux de sa sœur sur le couple qu'il formait avec la fille du bailli, il comprit qu'il avait fait mouche.

Quant à la cavalière de Baltair, elle ne se doutait nullement des véritables raisons de l'empressement soudain qu'il lui manifestait ; elle crut en ses propres pouvoirs de séduction sur le jeune homme et accueillit complaisamment ses avances. Baltair ne s'en priva pas. Après quelques danses, il poussa le manège un peu plus loin et décida d'entraîner la jeune fille dans le hall, à l'abri des regards. À l'arrivée du couple, deux gardes qui devisaient négligemment reprirent leur poste devant la porte du donjon. Sans l'ombre d'une hésitation, Baltair bifurqua vers le bureau où il entra avec sa cavalière, re-fermant la porte derrière elle.

Il n'eut pas besoin de longs préambules pour se sentir autorisé à prendre la bouche de la jeune fille et à l'embrasser hardiment. Soumise à la même envie que lui et fort consentante, elle lui rendit ses baisers avec fougue. Une demi-heure ne s'était pas écoulée que le couple fut débusqué par les impertinents frères jumeaux qui s'ingéniaient à espionner leur aîné. Baltair interrompit à contrecœur ses caresses et dut retourner dans la grand-salle avec sa compagne qui remettait discrètement sa tenue en ordre. En traversant le hall, le jeune homme y surprit son père en compagnie du révérend Henriot et d'un visiteur que, dans son empressement à regagner la grand-salle, il n'eut pas le temps d'examiner. Cependant, Baltair capta le regard inquisiteur que l'individu lui décocha au passage.

Un peu plus tard, le jeune homme revit le visiteur dans un coin de la grand-salle avec le révérend. Les deux hommes faisaient face à l'assemblée et il put à loisir détailler l'étranger. Plus grand qu'Henriot, l'inconnu portait comme lui la bure et la tonsure et paraissait beaucoup plus âgé. Par la couleur noire de son vêtement, Baltair déduisit qu'il appartenait à une communauté différente de celle de leur chanoine, sans doute celle d'un ordre mendiant, comme il y en avait plusieurs dans les Highlands. Leurs regards se croisèrent ; Baltair se déplaça ensuite de façon à se soustraire à la vue de l'inconnu qui ne le quittait plus des yeux. Le jeune homme se demanda pourquoi le regard de ce religieux lui causait un si grand inconfort et il finit la soirée à bonne distance, à l'autre bout de la salle. Au plus grand dépit de la fille du bailli, la surveillance dont Baltair se sentait l'objet lui enleva tout goût de courtiser et il s'enferma dans un silence anxieux et obstiné.

Le lendemain, le jeune homme ne s'attarda pas au lit et, avant l'heure des matines, il avait déjà gagné le corps de garde où flottaient encore des effluves de bière et d'uisge-beatha*. La plupart des hommes n'étaient pas descendus de la plate-forme des couchettes, mais l'entraîneur de Baltair, le chevalier Craig, était attablé devant un jeu d'échecs éparpillé et un bol de bouillon.

« Bonjour, Craig ! Comment ça se passe là-haut ? dit Baltair en faisant un signe en direction de l'étage. On se remet lentement des excès d'hier, je suppose.

— J'en connais au moins cinq qui vont y mettre la journée, répondit Craig. Qu'avez-vous l'intention de faire aujourd'hui, messire ? Vous semblez en grande forme...

— En effet ! Je crois que nous devrions sortir. Que diriez-vous d'une chevauchée sur les collines ? Nous pourrions apporter nos arcs et chasser.

— Certes, c'est une bonne idée. Cependant, messire, si vous le permettez, il serait préférable que nous reprenions nos combats avec bouclier et claymore. Vous n'êtes pas tout à fait prêt pour les épreuves en vue de votre adoubement. Si votre père maintient la date du jour de l'An pour l'événement, cela ne nous laisse plus que trois mois pour vous préparer. Et n'oubliez pas que nous n'avons pas encore abordé les techniques d'attaque équestre. Je voulais leur consacrer tout le mois de mars.

— Craig, vous ne me laisserez donc jamais de répit ! laissa tomber Baltair.

— Tu n'en as aucun besoin, mon fils », lança Iain MacNèil qui venait d'entrer dans le corps de garde.

---

* *Uisge-beatha* (mot gaélique) : whisky, eau-de-vie.

Le jeune homme et son entraîneur se retournèrent d'un seul bloc. Le chef, vêtu et armé pour sortir, vint se planter devant eux, le sourire aux lèvres.

« Avouez que vous ne vous attendiez pas à me voir si tôt ce matin, dit-il. Je suis agréablement surpris de ne pas vous trouver au lit et vous en félicite tous les deux. Je crains que les réserves de notre cellier n'aient diminué de façon alarmante hier. Il faudra voir à le regarnir. Mais pour le moment, ça n'intéresse personne... Ne trouvez-vous pas le château tranquille aujourd'hui ?

– Oui, père, répondit Baltair. Notre bon Henriot n'aura pas beaucoup de fidèles à son office tout à l'heure, j'en ai bien peur. Tout le monde cuve ce matin.

– Je crois, en effet, qu'Henriot sera seul, répondit Iain MacNèil. Il n'aura même pas l'assistance du moine mendiant pour réciter sa messe.

– Il s'est enivré lui aussi ? s'étonna Baltair.

– Pas du tout ! Il est parti avant l'aube, avança le chef. Allons, messires ! Debout ! Vous m'accompagnez. Nous sortons, j'ai des affaires à régler chez l'orfèvre d'Arisaig. »

Soulagé d'apprendre le départ de l'inconnu, Baltair s'empressa de se préparer, sans même s'enquérir des détails de la sortie. Quand le petit groupe de cavaliers qu'il formait avec son père, Craig et deux gardes gravit le plateau de Mallaig en direction sud, Baltair aperçut le moine sur la plage, seul au milieu des gréements et des barques des pêcheurs du bourg. Intrigué, Iain MacNèil reparla de l'inconnu durant le trajet jusqu'à Arisaig.

« Dis-moi, mon fils, ce moine de l'ordre des Augustins, l'aurais-tu rencontré à Uist ? Il semblait te connaître et disait venir d'une île dans les Hébrides. Curieux bonhomme que celui-là. Son discours n'était pas très clair… Notre révérend, à qui il a le plus parlé, a trouvé curieux de l'entendre s'informer de ta santé et de celle de ta mère… comme s'il connaissait la famille.

– Je n'ai jamais vu cet homme, père, répondit Baltair. Il n'y avait apparemment aucun religieux à Uist quand j'y étais. Vous devriez demander à Colm.

– Cela n'a aucune importance, poursuivit Iain MacNèil. Au fond, je ne veux pas savoir qui il est. Je l'ai trouvé plutôt bien nanti pour un moine mendiant. Il m'a vendu un objet unique en or pur. J'ai tout de suite pensé qu'il serait possible d'en tirer un bijou de mariage pour ta sœur. Mais le morceau est digne d'un prince guerrier et il mérite mieux. Je ne t'en dis pas plus, Baltair. C'est une surprise pour ton adoubement. »

Baltair jeta un œil intrigué à son père. Voyant son sourire satisfait et sachant qu'il n'apprendrait absolument rien, il se retint de le questionner. Cependant, il eut une pensée de triomphe en songeant que l'acquisition de son père lui était destinée plutôt qu'à Ceit. Quelques minutes plus tard, il ne fut pas surpris d'entendre son père lui demander de l'attendre à l'extérieur de l'échoppe de l'orfèvre. Craig haussa les sourcils d'excitation et mit pied à terre le premier.

« Mon seigneur, dit-il à Baltair, votre père a beaucoup d'estime pour vous, c'est certain. Jamais nous n'aurons vu Highlander couvrir son fils d'or comme il s'apprête à le faire à Calluinn*. Je suis fier d'être votre entraîneur et de participer à votre adoubement…

---

* *Calluinn* (mot gaélique) : jour de l'An.

– Maître Craig, quand cesserez-vous de fabuler sur ma situation ? Mon père ne me couvrira pas d'or, voyons. Que voulez-vous qu'un moine mendiant puisse vendre, sinon quelques piécettes dont on pourrait à peine tirer une bague ? Restons raisonnables ! »

Le printemps 1443 vint sans qu'Etta et moi ayons de nouveau l'occasion de retourner à l'abbaye. Le maître maçon Donald O'Brolchan avait dit vrai à propos des coliques, car l'épidémie se poursuivit après notre visite. Sœur Béga convint que nos soins ne pouvaient en venir à bout et elle n'autorisa pas d'autres sorties.

Je brûlais de confier à Etta la découverte que j'avais faite derrière le panneau du retable, mais je reculais toujours à la dernière minute. Le secret que j'avais si bien partagé avec mon ami moine prenait, à mes yeux, figure de lien avec lui. Je croyais que ce lien assurait l'intégrité de mon ami et qu'aussi longtemps que je maintiendrais le secret frère Gabriel vivrait. Le changement de cachette du pot du « tribut de la Vierge » et l'inscription sur le panneau du surnom que me donnait frère Gabriel étaient indéniablement des gestes prémédités par lui. C'était la preuve qu'il avait prévu quitter Iona et, donc, qu'il pouvait être toujours vivant.

Au matin précédant Calluinn, avant de sortir de ma cellule, je pris mon couteau que je glissai dans la poche de ma jupe. Je savais n'en avoir nul besoin, mais j'avais le goût de sentir son poids le long de ma cuisse. Comme Etta était partie la veille à Mull pour soigner son ancienne maîtresse, j'étais seule à voir aux diverses tâches qui s'effectuaient à l'extérieur de nos murs. Celle de mener au pâturage la chèvre acquise à l'automne dernier me plaisait particulièrement. Il fallait faire brouter la bête sur les plateaux herbeux puisqu'elle avait complètement rasé le pourtour immédiat du couvent durant l'hiver. Sitôt sur la lande, je filai droit vers la baie au nord-ouest.

« Va, biquette, dépêche-toi ! Nous n'avons que deux heures pour nous », lançai-je à l'animal peu habitué à être longé.

La chèvre fit un écart en sentant la corde se tendre sur son cou et poussa un bêlement de protestation. Je n'en avais cure. Une seule idée occupait mon esprit : le « trésor du Fils ». Ce butin d'objets en or était-il toujours enfoui sur l'îlot, ou bien frère Gabriel l'avait-il également déplacé ? En montant dans l'étroit sentier rocheux, je cherchais à résoudre le problème du détroit qui séparait l'îlot de la côte : en effet, comment pourrais-je traverser sans embarcation ? Quand j'atteignis le dessus du plateau, je fixai la mer, espérant que la marée serait à son plus bas et que je pourrais atteindre l'îlot en sautant de rocher en rocher. Cependant, je ne parvins pas à juger du niveau de l'eau et il me fallut descendre jusqu'à la grève. Un petit carré d'herbe particulièrement longue se présenta sur le versant de la colline et j'y attachai la chèvre autour d'une ronce. Puis je courus jusqu'à la mer ; en direction de l'îlot, je vis poindre bon nombre de rochers noirs. La marée était donc basse ! Mon cœur bondit. Je me précipitai en relevant mes jupes, pataugeant entre les cailloux mouillés, et j'atteignis la plage où le détroit était le plus mince entre l'îlot et l'île d'Iona. J'étudiai le parcours qui se dessinait de rocher en rocher pour joindre l'îlot et des larmes de déception me montèrent aux yeux. La distance qui séparait les points d'appui et le bouillonnement des eaux autour rendaient l'opération impossible. Je risquais la noyade si je m'y aventurais.

Une vague vint lécher mes souliers et je reculai. En levant les yeux sur la grève, je remarquai une ligne de débris laissés par les marées d'hiver et j'allai les examiner de près. Un large éclat de pierre noire en forme de triangle attira mon attention. J'eus vaguement l'impression qu'il m'était familier. Je me penchai vers l'objet et le reconnus aussitôt. Frère Gabriel avait déposé cette pierre comme plancher au fond du trou que nous avions creusé ensemble pour le « trésor du Fils ». Je pris une pointe du triangle et le retournai délicatement. Une couche d'algues et de coquillages couvrait l'endos de la pierre. Je sortis mon couteau et l'en débarrassai ; sur la surface humide peu à peu dégagée, deux mots gravés apparurent : *Theasaurus Filii.*

Je compris que la cachette du « trésor du Fils » sur l'îlot avait été vidée de son contenu. De ce jour, j'eus la certitude que frère Gabriel avait quitté Iona et vivait quelque part dans l'archipel ou sur le continent. Mes yeux s'embuèrent et mon regard se perdit sur la mer intérieure des Hébrides. « Frère Gabriel, murmurai-je, où êtes-vous ? Pourquoi êtes-vous parti et m'avez-vous laissée ici ? »

Iain MacNèil attendait ce moment depuis si longtemps qu'il sentit les larmes lui monter aux yeux quand son fils Baltair s'agenouilla devant lui. Cette première journée de l'an 1443 resterait gravée à jamais dans sa mémoire, tout comme l'avait été celle de son propre adoubement, trente ans plus tôt. À l'instar de son père, Baltair l'Ancien, c'était au tour d'Iain MacNèil de recevoir le serment de fidélité d'un homme qui engageait sa vie à défendre sa maison et ses biens, un homme de sa chair et de son sang.

Il n'y avait pas que le chef qui était ému. Pour tous les gens de Mallaig, cette journée au château serait mémorable, car elle était le théâtre de trois événements à la fois : la grande fête de Calluinn, le mariage de la fille unique du seigneur et, enfin, l'adoubement de son fils de dix-sept ans.

Iain MacNèil leva les yeux sur la foule entassée dans la salle d'armes et vit aux premiers rangs son épouse entourée de ses bessons ; sa fille dans ses atours de mariée ; son nouveau gendre, Colm ; son cousin Tòmas serré contre son épouse Jenny ; le révérend Henriot ; ses lairds et leurs épouses ; ses chevaliers et tous les membres de sa maison, trésorier, clerc, capitaines de garnison, hommes de métier et domestiques. Il s'éclaircit la voix pour proclamer l'adoubement :

« Baltair le Jeune, dit-il solennellement, tu as passé les épreuves du chevalier. Tu es reçu aujourd'hui devant toute la maison et le clan réuni envers lequel tu t'engages. Que ton bras soit au service de l'Église, des pauvres et des faibles. Qu'il ne commette aucun acte contraire à l'honneur. Qu'il apporte estime et respect par les armes. Que tous les coups qu'il porte soient motivés par la bravoure et l'héroïsme. Quand ton seigneur t'appellera à la guerre, tu te présenteras devant lui, portant ses couleurs, en tenue d'armes et à cheval. »

Le silence qui régnait dans la salle d'armes était presque palpable. Iain MacNèil sortit lentement son arme de son baudrier, la prit à deux mains et en appuya la lame sur l'épaule droite de son fils, puis sur la gauche. Dans le riche velours de la tunique pourpre de Baltair, représentant le sang du chevalier versé pour défendre Dieu et l'honneur, une petite marque s'imprima au contact de l'arme. Le jeune homme prit une profonde inspiration et baissa la tête.

« Baltair de Mallaig, fils du clan MacNèil, au nom de Dieu, je te fais chevalier. Sois valeureux, vaillant et humble ! Souviens-toi d'où tu viens et de qui tu es le fils. Relève-toi et reçois le baiser du chef, ton arme et tes éperons. »

Sous le coup de la même émotion que son père, Baltair redressa la tête et se leva. Quand ses yeux furent à la hauteur de ceux de son père, il constata qu'il était de la même taille que lui. Iain MacNèil sourit à son fils, rengaina son arme, lui prit la tête à deux mains et l'embrassa sur la bouche. Puis le chevalier Craig gravit les deux marches de l'estrade avec les éperons qu'il fixa aux bottes de Baltair et l'arme qu'il glissa dans son baudrier.

Alors, Baltair se tourna vers l'assemblée muette et levant le poing il cria trois « Vivat ! » retentissants auxquels les hommes répondirent d'une même voix vibrante. Avant qu'il ne descende de l'estrade, il se sentit retenu par le dos de sa tunique. Il tourna la tête et vit son père lui passer un objet autour du cou.

« Aujourd'hui, cet homme devient un guerrier des Highlands. Qu'il soit digne de cette parure des héros légendaires de son peuple ! » clama bien fort Iain Mac-Nèil en installant un torque d'or au cou de son fils.

Baltair ne voyait pas l'objet, mais en sentait tout le poids sur son cou. Il mesura l'effet de la parure aux regards émerveillés qu'elle attirait ; un murmure d'admiration parcourut la salle d'armes. Personne n'avait vu un bijou de ce type, particulier à l'ancienne civilisation celte. Les hommes furent parmi les plus impressionnés par le cadeau du seigneur à son fils. Puis soudain, les deux jumeaux brisèrent le silence en applaudissant à tout rompre, aussitôt imités par la foule, et les murs de la salle résonnèrent d'un véritable vacarme. Les chevaliers et gens d'armes frappaient le sol de leurs claymores ; d'autres entrechoquaient les boucles de leur ceinture ; des hommes tapaient des pieds sur le sol de pierre ; des dames faisaient tourner leur voile en criant et les enfants lançaient dans les airs tout ce qu'ils trouvaient, ici un bonnet, là des gants ou des chaussons.

Seule, Ceit ne se joignit pas à la liesse générale. Elle fusillait du regard les tapageurs les plus proches d'elle. Cette cérémonie d'adoubement couronnée par un cadeau d'une aussi grande valeur soulevait dans l'assemblée un enthousiasme qui lui déplaisait souverainement. Alors que le mariage de l'aînée du clan aurait dû, selon la jeune femme, l'emporter dans la faveur des gens de Mallaig, c'est un serment de chevalier, comme il s'en prononçait souvent dans les Highlands, qui retenait leur attention. Elle se tourna brusquement vers son mari qu'elle empoigna d'une main ferme.

« Allons, Colm, ne reste pas planté comme un imbécile à baver devant ton protégé. Conduis-toi comme le mari de la fille du chef, ce que tu es depuis deux heures, et remplis tes devoirs... »

Sans même attendre qu'il réagisse, Ceit l'entraîna d'un pas pressé vers la sortie de la salle d'armes. Puis ils traversèrent la grand-salle en trombe, bousculant au passage les domestiques ébahis qui dressaient les tables pour le banquet. Colm se laissait remorquer sans piper mot, un sourire au coin des lèvres. Il avait compris depuis longtemps que son épouse jalousait la place qu'occupait Baltair à Mallaig et dans le cœur du chef du clan. « Voyons voir si je serai capable de lui faire passer ses humeurs au lit... », se dit-il en s'acheminant vers la chambre nuptiale.

Un corbeau se posa sur le volet ouvert de la bergerie dans un bruissement d'ailes ; surprise, la chèvre que je trayais sursauta et me mordit la main. Aussitôt, je renversai tout le contenu du seau sur ma tunique. Je me retins à grand-peine de frapper la bête responsable du dégât. Je sentais le lait couler le long de mes jambes et la marque des dents acérées bleuissait rapidement au creux de ma paume.

« Sotte biquette ! lui sifflai-je. Que t'ai-je fait ? Ton lait est maigre et le fromage qu'on en tire est amer ! Voilà ! Je te maudis, toi, ton pis, ta barbiche et tes sales dents ! »

Je regrettai aussitôt mon emportement. Maudire une créature de Dieu n'était guère intelligent et, ce faisant, je démontrais une sottise égale à celle de la bête insultée. Je jetai un regard mauvais au corbeau qui me fixait dans les yeux d'une façon si étrange que j'en éprouvai de l'appréhension.

« Cet oiseau est un mauvais présage, me dis-je. Un présage de mort… »

Je me secouai pour faire disparaître ces morbides pensées et portai mon attention sur ma tunique et le seau renversé. Depuis la découverte de la pierre gravée de l'inscription « trésor du Fils », j'étais constamment distraite et j'accumulais maladresse sur maladresse. J'étais certaine que le lait perdu me vaudrait une réprimande de sœur Béga. Notre prieure avait intensifié ses efforts pour me faire passer du statut de postulante à celui de novice à Sainte-Marie et exigeait de moi une discipline de plus en plus stricte. À Pâques, elle m'avait reparlé de sa proposition vieille de deux ans, à laquelle je n'avais pas encore formellement donné suite.

Je ramassai le seau en soupirant et j'abandonnai la chèvre dans le foin détrempé par son lait. Je grimpai directement au réfectoire pour rendre compte de ma déconvenue à la responsable du repas, mais c'est sœur Béga que j'y trouvai. Contrairement à ce que j'attendais, elle examina ma tenue souillée d'un œil distrait et n'émit aucun reproche quand je lui avouai avoir renversé le lait. Déconcertée par son silence, j'exposai les faits de l'accident en détail, mais sœur Béga ne parut pas m'entendre. Ce qui m'intrigua le plus fut le regard indulgent dont elle m'enveloppa pendant mes explications. Ce n'était pas son habitude de laisser passer un incident de cette nature sans semonce, pourtant j'en fus quitte pour aller me changer de vêtements sans autre forme de procès.

Mais quand, à none, sœur Béga fit réciter à l'assemblée les psaumes de la messe des morts, je commençai à m'interroger. Autre fait inquiétant : ma mère était absente à cet office, ce qui ne lui était jamais arrivé. Me demandant si je la trouverais souffrante, je gagnai sa cellule sitôt l'office terminé. Je l'y trouvai prostrée sous le crucifix, face au mur, les bras en croix, immobile et silencieuse ; seules ses lèvres bougeaient sur de muettes prières. Je demeurai immobile derrière elle, n'osant ni m'en approcher ni la distraire de ses dévotions.

J'entendis alors, par la fenêtre ouverte, sonner le glas de l'abbaye, puis celui de notre chapelle y répondre, comme cela se faisait pour marquer un décès sur l'île. Quelqu'un était passé de vie à trépas. « Mais qui ? » me demandai-je. Ce ne pouvait être que du côté de l'abbaye, car je n'avais pas remarqué d'absence durant l'office de none, mis à part celle de ma mère, et aucune visiteuse n'était malade dans notre hostellerie. Soudain, je pensai à frère Gabriel et mon cœur se serra. Après huit mois, était-ce possible qu'on ait trouvé et ramené sa dépouille à Iona ?

Je fis demi-tour pour sortir de la cellule et j'aperçus à ce moment-là, sur la table près de la porte, une lettre ouverte. Elle étalait, sans discrétion, une effroyable communication qui tenait en quelques lignes et que je pus lire aisément en étirant le cou :

Dans Sa grande sagesse, le Créateur a rappelé à lui son serviteur bien-aimé, le lieutenant William John Lennox, ce mardi après Pentecôte de l'an de grâce 1443. Le corps a été inhumé à Édimbourg ce même jour. Dieu prenne son âme et l'accueille dans Son royaume.

Je sentis mes joues s'enflammer, mes tempes bourdonner et les murs se mirent à basculer autour de moi. Je m'affaissai en gémissant :

« Père... Père... »

TROISIÈME PARTIE

1443

Chapitre ix

Quitter Iona

Quand je revins à moi, j'étais étendue sur le sol, les genoux relevés et la tête appuyée sur un vêtement roulé en boule. Ma mère avait posé une main sur mon front et m'observait avec inquiétude.

« Te sens-tu mieux, ma fille ? Tu as eu un malaise… Je vais t'aider à te relever… Viens, dit-elle en me soulevant les épaules.

– Mère, quand avez-vous eu la nouvelle ? Depuis quand savez-vous que père est mort ? demandai-je en m'assoyant.

– Notre prieure m'a remis la lettre ce matin, me répondit-elle d'une voix très calme. Je crois qu'elle l'a reçue hier ou avant-hier. Peu importe, Sorcha, le résultat est le même. Nous voici orphelines. Une année de deuil commence pour nous deux. Joins-toi à moi pour prier. »

J'étais encore sous le choc et je n'eus pas la force de m'opposer. Avec une extrême lenteur, je me laissai guider sous le crucifix où je m'agenouillai aux côtés de ma mère, qui reprit le cours de ses prières. Il me semblait entendre sa voix au travers d'un filtre, comme dans un rêve. Incapable de me concentrer, je ne disais mot. De temps à autre, je la regardais de biais, me demandant comment elle faisait pour démontrer si peu d'affliction. Au moment de mon malaise, ma mère s'était désignée autant que moi en parlant d'orphelines. J'en déduisis qu'elle devait se sentir aussi démunie et abandonnée que moi. Nous demeurâmes ensemble jusqu'à l'heure du coucher où, l'esprit vide, je regagnai ma cellule.

Cette nuit-là, je ne trouvai pas le repos. Le silence de Sainte-Marie m'oppressait et il me fallait parler de mon père à quelqu'un. J'enfilai mes bas, je mis ma tunique sur ma chemise et sortis de ma cellule à la recherche d'Etta. Je savais trouver ma vieille amie à l'infirmerie où elle dormait au milieu de ses potions et de ses remèdes. Je frappai doucement à sa porte, l'entrouvris ; Etta bougea dans son lit et lança un « Qui va là ? » engourdi de sommeil.

« C'est Sorcha, chuchotai-je.

– Oh, mon enfant ! C'est toi… Viens, viens tout près… »

Comme un barrage qui cède, je fondis en larmes et me précipitai dans ses bras, guidée par le son de sa voix dans le noir. Elle me tint longtemps contre elle, me berçant et caressant mes cheveux. Son lit était devenu un rocher au milieu d'eaux tumultueuses auquel je m'agrippai avec détresse. Quand la tempête fut passée, nous parlâmes à voix basse.

Elle savait déjà la nouvelle et elle avait eu le temps de réfléchir aux conséquences de ce décès sur ma situation. En outre, elle avait surpris, entre sœur Béga et l'aumônier du couvent, une conversation dont il y avait tout lieu de s'inquiéter.

« Dis-moi, ma chérie, me demanda-t-elle, veux-tu rester à Sainte-Marie avec ta mère et moi ? Veux-tu prononcer tes vœux ? Car c'est ce que va exiger notre prieure, désormais. Tu ne pourras demeurer ici sans t'engager, j'en sais quelque chose. Au couvent, on est pensionnaire, novice ou religieuse.

— Mais, ne pourrais-je être servante, comme vous ?

— Tu peux le lui demander, bien sûr. Mais il ne faut pas trop espérer de ce côté. S'il fallait qu'on accepte comme servantes toutes les jeunes pensionnaires qui ne peuvent plus payer, je crois que plusieurs familles se débarrasseraient de leurs filles à bon compte en les envoyant à Sainte-Marie avec une seule année de pension dans la poche. Tu sais, sœur Béga t'envie un peu. Tes activités à l'extérieur, ta correspondance avec dame Gunelle, tes connaissances en médecine : tout cela l'agace et son projet, Sorcha, c'est de te cloîtrer. Je l'ai entendu le dire à l'aumônier et elle lui a demandé de te rencontrer.

— Pourquoi moi ? Ne peut-elle se contenter de ma mère qui veut bien se faire religieuse ? Oh, Etta, je ne veux pas de cette vie ! Je veux sortir d'Iona… Je veux faire comme vous avez fait, gémis-je.

— Ma pauvre enfant ! Crois-tu que la vie de servante dans une mansarde de pêcheur soit bien meilleure que celle de religieuse dans un couvent ? Tu vois, Sorcha, je suis vraiment heureuse d'être revenue à Sainte-Marie et j'espère que j'aurai la chance d'y finir mes jours…

— Mais moi, implorai-je, je ne veux pas mourir ici !

— Même si on te trouvait une place à Mull ou ailleurs, sœur Béga ne te laisserait tout simplement pas partir. De cela, j'en suis certaine. Si tu veux vraiment quitter Iona, ma chérie, il te faudra t'enfuir…

– Alors, je vais fuir, répondis-je soudain. Je retrouverai la tombe de mon père et je l'honorerai. Jamais il ne m'aurait abandonnée dans un couvent ! Etta, je dois quitter Iona... »

Cette idée ne m'avait jamais effleuré l'esprit, mais à peine l'avais-je émise qu'elle prit une force inouïe. Plus je l'examinais, plus elle s'enflait, gagnant en ampleur tout ce que la situation d'urgence lui conférait. Je me dégageai des bras d'Etta, me reculai au bout du lit et couvris mes longues jambes repliées de ma chemise.

« Mais pour aller où, Sorcha ? Tu es sans relations familiales, sans argent et sans protecteur, murmura ma vieille amie. Une jeune fille ne peut aller comme cela sur les chemins. Il t'arriverait malheur... Ah, si seulement la châtelaine de Mallaig avait continué à t'écrire ! Pourquoi ne répond-elle plus à tes lettres ? Cette noble dame t'accueillerait sûrement si elle connaissait ta situation... Il faut qu'elle l'apprenne. »

Le souvenir de Mallaig appela dans mon esprit fébrile celui de Finella. Au contraire de ma mère, ma vieille servante devait être très affectée par le décès de mon père, si elle l'avait appris. Comme j'aurais voulu que l'on se console mutuellement de notre malheur ! Une nouvelle bouffée d'émotion envahit mon cœur et je replongeai dans les bras d'Etta. Mon amie s'étendit sur les draps et me garda serrée contre elle. Nous étions à l'étroit dans le lit, mais combien je me sentais réconfortée par sa présence !

« Ma chérie, me dit-elle après un moment, laisse un peu de temps passer avant de prendre ta décision. Tu as eu un choc en apprenant cette terrible nouvelle. Il serait plus sage d'attendre pour mettre à exécution un quelconque plan de fuite. Promets-moi de ne pas partir sans me le dire… et d'en parler avec ta mère.

– Je vous le promets, ma chère Etta. Je ne partirai pas sans vous faire mes adieux, mais je ne peux en parler avec ma mère : elle raconte tout à notre prieure. »

Nous restâmes silencieuses après cette promesse. Bientôt, j'entendis ronfler Etta. Alors, les yeux grands ouverts dans l'obscurité, bercée par le son bruyant de sa respiration, je me mis à réfléchir à dame Gunelle. N'ayant conservé aucun de ses feuillets, sur l'endos desquels je lui répondais, je ne pouvais pas m'y référer pour évaluer sa disposition à m'accueillir. J'avais beau fouiller mes souvenirs, rien ne m'indiquait que je pouvais me réclamer d'elle, encore moins de son fils, qui ne m'avait plus adressé de missive depuis longtemps. En outre, l'interruption de ma correspondance avec la châtelaine depuis un an demeurait une énigme pour moi. Puis Mallaig céda peu à peu la place à Édimbourg dans ma réflexion. « Édimbourg, me dis-je à l'aube. Le lieu de sépulture de mon père sera ma destination en quittant Iona. Je vais découvrir cette ville et, avec l'aide de Dieu, je m'y ferai une place. J'en suis capable ! »

J'observai le décor de l'infirmerie que je connaissais si bien et qui se dessinait clairement au fur et à mesure que le jour se levait. L'armoire à remèdes, les vieux bahuts et la table dont se servait Etta pour préparer ses mixtures apparurent de plus en plus nettement, mais je les examinais comme si je les voyais pour la première fois. Avant qu'ils ne soient en pleine lumière, je me levai en prenant soin de ne pas déranger le sommeil de ma vieille amie et je regagnai ma cellule. Ma décision était prise et impérative. Je ne voulais ni ne pouvais attendre. L'heure de quitter Iona avait sonné !

Le surlendemain, sœur Béga me fit venir dans son bureau pour un entretien auquel, cette fois, je m'étais préparée. C'était une magnifique matinée de mi-juillet. Le ciel d'un bleu parfait jetait une lumière éblouissante sur le jardin en fleurs du cloître que je traversai d'un pas déterminé. Je gravis l'escalier presque en sautillant et me présentai à la porte de la supérieure, le cœur gonflé d'espoir et de confiance dans mon plan. Je ne fus pas sitôt assise devant elle que je lui demandai la permission de faire le pèlerinage au monastère et de voir l'autel de saint Colomba. Je lui expliquai que je voulais, par cette démarche, prier pour le repos de mon père et obtenir la grâce d'être éclairée par le saint sur la vie contemplative qui s'offrait à moi.

Notre prieure m'écouta calmement, sans m'interrompre. Je surpris une lueur de triomphe dans son regard quand j'évoquai la vie monastique, et je ne fus pas surprise de la voir mordre à l'hameçon.

« Je suis heureuse que vous me parliez de vos intentions, ma fille, me dit-elle sur un ton suave. Notre aumônier souhaite vous rencontrer à ce sujet. Aussi, c'est avec joie que je vous accorde ce que vous sollicitez. Je vais lui demander de vous accompagner dans vos dévotions au monastère. Il fera en sorte que vous ayez la chance de prier seule, devant l'autel du saint. La proximité de pèlerins pourrait nuire à votre réflexion. Vous partirez donc avec lui demain, dimanche, après la messe de prime. »

J'exultai presque en sortant de son bureau. Le plan que j'avais échafaudé semblait vouloir fonctionner. Cependant, je n'avais pas prévu que la perspicace religieuse me doterait d'une escorte au monastère. J'allais devoir trouver le moyen de me débarrasser de l'aumônier à l'autel de saint Colomba, car cette visite n'avait d'autre but que celui de reprendre le « tribut de la Vierge ». J'avais besoin d'argent pour voyager et ce trésor, pensais-je, me revenait puisque frère Gabriel avait gravé mon nom sur sa cachette.

Etta estimait que trois problèmes devaient être résolus pour vivre en dehors du couvent : la famille, l'argent et le protecteur. Avec le « tribut de la Vierge », je résolvais la question de l'argent ; mon couteau de chasse remplacerait le besoin d'un protecteur durant le voyage. Ne restaient plus que les relations familiales. Or, la famille ne m'avait pas été d'une grande utilité à Iona pour réussir à établir de solides amitiés. J'avais donc décidé de m'en passer, ce que j'expliquai à Etta en lui faisant part de mon projet, le soir même.

Je l'inquiétai beaucoup. Sa tête se mit à osciller d'une façon plus prononcée qu'à l'habitude et elle m'écouta d'un air contrit, en pétrissant ses mains l'une contre l'autre. Comme nous étions au cœur de la saison des pèlerinages, je comptais sur la présence des nombreux visiteurs sur l'île pour m'en évader : je me glisserais dans un groupe qui repartirait. Aussi, j'avais l'intention de me présenter à l'office de prime le lendemain en emportant tout ce que les poches profondes de mes vêtements pourraient contenir.

Quand j'eus fini de lui exposer mes intentions, Etta resta muette. Je la pris dans mes bras pour lui faire mes adieux, sachant que nous n'aurions pas d'autres occasions d'être seules. De grosses larmes roulaient sur ses joues plissées et je me sentis soudain honteuse de l'abandonner. Puis elle se dégagea de mon emprise et, me retenant par les bras, elle releva la tête et me regarda dans les yeux. D'une petite voix implorante, elle me fit une série de recommandations décousues :

« N'oublie pas la sauge, ma chérie. Gardes-en toujours sur toi, et fais attention aux voleurs. Il y en a partout, même parmi les pèlerins. Ménage tes souliers, aussi. Enlève-les chaque fois que tu le pourras, car tu en auras besoin cet hiver. Ensuite, évite de coucher dans les granges, c'est plein de vermine, tu es souvent mieux à la belle étoile. Surtout, n'accorde pas ta confiance au premier venu, les hommes ont des intentions plus mauvaises que bonnes devant une jeune fille seule. Ne bois pas l'eau des rivières, mais l'eau des sources qui descendent des montagnes… Ne t'approche jamais des groupes de personnes qui agitent des clochettes et demandent l'aumône sur les routes : ce sont des lépreux qui te contamineraient au moindre contact. Chaque fois que tu le pourras, demande asile dans les monastères, ils sont sûrs, et, dans les villes, va dans les hôtels-Dieu. On y accorde aux errants trois nuits dans un lit propre, de la nourriture et des vêtements. Si tu devais te servir de ton couteau pour te défendre, essaie de viser ton adversaire entre le cou et l'abdomen, là où il suffit d'une seule frappe pour se libérer. Aux abords des villes… »

Dame Gunelle était songeuse. La nouvelle de la mort du lieutenant Lennox la tourmentait, car elle faisait de Sorcha une orpheline. Mais depuis près de dix mois, la châtelaine de Mallaig était sans nouvelles de sa jeune correspondante du couvent Sainte-Marie. Ses propres messagers n'avaient rapporté aucune réponse aux deux dernières lettres qu'elle avait écrites à la jeune fille. Ce silence l'intriguait.

La châtelaine de Mallaig n'arrivait pas à croire au destin que la jeune fille avait décidé de suivre, décision qui lui avait été révélée dans une note laconique de la prieure du couvent Sainte-Marie. Ce pli, reçu au début de juillet, portait le sceau de l'abbaye et n'avait pas transité par les courriers rattachés à Mallaig, mais par ceux du prieur Dominic. Dame Gunelle ouvrit son coffret de correspondance et y chercha la note qu'elle déplia et relut.

Couvent Sainte-Marie d'Iona, sœur Béga, prieure, à dame Gunelle, châtelaine de Mallaig

Ma dame, que Dieu vous bénisse. Vous avez eu la bonté de vous intéresser à notre jeune pensionnaire, Sorcha Lennox, et il m'a fait plaisir de favoriser votre liaison épistolaire. Il m'appartient de vous aviser qu'elle sera désormais rompue et que cette rupture est commandée par les desseins de Dieu. En effet, Sorcha et dame Angusina, sa mère, ont été désignées pour servir à Sainte-Marie et elles ont toutes les deux entrepris leur noviciat. Ainsi, elles prononceront leurs vœux d'ici deux ans, en la sainte île d'Iona.

Que Dieu les assiste dans leur choix. Que Dieu vous garde !

Ne pouvant plus rien pour son cher lieutenant, dame Gunelle souhaitait venir en aide à sa fille et à son épouse. Par exemple, offrir de payer leur pension au couvent, leur évitant ainsi de devoir prononcer leurs vœux. Elle soupçonnait en effet que ce choix était motivé par l'indigence dans laquelle la mort du lieutenant les laissait.

Pour en avoir le cœur net, elle plongea la main dans le coffret et en sortit les dernières lettres de la jeune fille qu'elle entreprit de relire une à une. Les pages glissaient silencieusement entre ses mains, tandis que ses yeux y cherchaient des indices quant au penchant de la jeune fille pour la vocation religieuse. Mais au bout d'une heure de lecture, dame Gunelle constata que plusieurs petites phrases révélaient exactement le contraire du désir de se cloîtrer :

> *... car vos lettres sont si pleines de vie que je les relis plusieurs fois avant de m'en séparer pour vous répondre à l'endos des feuilles...*
>
> *... j'aimerais vous administrer moi-même cette potion...*
>
> *... votre lettre arrive à point. Elle me soulage du poids du silence qui est si lourd au couvent en hiver...*
>
> *... je crois que les prières ne sont pas toujours suffisantes pour guérir les maux, ma dame. Dieu semble ne pas vouloir intervenir dans les petites choses...*
>
> *... ma mère n'a pas de nouvelles de mon père et n'en demande jamais...*
>
> *... je chante très peu aux offices, avec les moniales. Cela me fait trop ennuyer de Morar où nous avions souvent la visite d'un troubadour...*

... nous allons bientôt rouvrir notre hostellerie. J'ai une telle hâte de rencontrer de nouvelles visiteuses...

Elle rassembla les feuilles éparses et les remit en ordre dans le coffret où s'entassait la correspondance, avec le sentiment que la jeune fille ne voulait pas d'une vie contemplative, ni même d'une vie dans un couvent. Désireuse de consulter la correspondance que Baltair avait échangée avec Sorcha, dame Gunelle fit venir son fils.

« Vous m'avez demandé, mère ? s'enquit-il, en faisant irruption dans la chambre, quelques minutes plus tard.

– Oui. Pardonnez-moi de vous déranger, mon fils. Vous êtes si peu au château ces temps-ci qu'il faut profiter des moments où vous y êtes...

– Mais bien sûr ! Cela me fait plaisir de vous être utile, ma dame. Je vous en prie, ne vous excusez pas. Que puis-je faire ? »

Baltair déposa un baiser sur le front de sa mère, puis prit place dans le fauteuil en face d'elle. Il remarqua le coffret de correspondance ouvert sur la table et reconnut l'écriture sur la lettre du dessus : celle de Sorcha Lennox. Dame Gunelle observait son fils avec une lueur d'admiration dans les yeux. Depuis son adoubement, il ne portait plus de surcot à col et le torque brillait en permanence autour de son cou puissant.

« Baltair, j'ai reçu une note du couvent de Sainte-Marie qui me laisse perplexe. On m'annonce que Sorcha Lennox et dame Angusina vont prendre le voile...

– À la bonne heure ! Cela va régler leur problème de pension, lança Baltair, avec un air satisfait.

– Certes, répondit la châtelaine. Mais je ne crois pas que ce soit une bonne solution pour la jeune Sorcha. Le peu que je sais de ses aspirations m'est dévoilé dans ses lettres et rien ne transparaît clairement. Or, je me souviens de l'une d'elles, qui vous était adressée. Cela remonte à quelque temps déjà et Sorcha parlait de l'éventualité de la mort de son père. J'aimerais relire cette lettre, Baltair. L'avez-vous toujours ?

– Je suis désolé, mère. Je n'ai rien gardé de ma correspondance avec cette fille quand j'ai vu que vous acceptiez de la poursuivre.

– Vous me dites que vous avez tout jeté ?

– En effet, j'ai tout brûlé. À quoi me servait-il de garder ces lettres ?

– Mais il faut tout garder, Baltair ! Vous êtes impitoyable !

– Mère, ne vous chagrinez pas pour ma correspondance. Que vouliez-vous apprendre dans ces lettres ? Je me rappelle peut-être certains passages. Il y en a même une que j'ai apprise par cœur quand j'étais en captivité. Rappelez-vous, la lettre qui me parlait des remèdes fabriqués à Iona… Voulez-vous l'entendre ? Je vais vous la réciter : "Sorcha Lennox à Baltair MacNèil. Très cher ami et correspondant, Dieu vous garde. J'ai reçu votre dernière lettre avec beaucoup de retard, car vous me parlez de la Saint-Jean alors que nous sommes en automne…"

– Silence ! Je ne veux pas entendre votre correspondance avec cette pauvre enfant ! Je vous en prie, Baltair, essayez d'être respectueux, l'interrompit dame Gunelle, sur un ton offensé.

– Que vous êtes susceptible quand il s'agit de "cette pauvre enfant" ! Je ne sais plus comment vous parler d'elle… À vrai dire, Sorcha Lennox m'a écrit huit lettres en tout et pour tout. Dans chacune d'elles, il est question de ce qu'elle fait au couvent et en dehors. Puis invariablement, elle s'informe de son père, de Finella, de Ceit et de… mes activités. Ah oui, j'oubliais ! Au début, elle voulait aussi entendre parler du roi. Voilà ! Quelle information vous intéresse là-dedans ? »

Dame Gunelle se leva impatiemment et fit quelques pas en silence. L'attitude de son fils, faite de désinvolture et de suffisance, l'irritait. Elle décida de changer de tactique avec lui.

« Quelle impression générale vous laissent ces huit lettres ? Comment percevez-vous Sorcha Lennox ? Décrivez-la-moi, Baltair, demanda-t-elle en se plantant devant son fils.

– Vous la décrire ? Heu… Mais, je ne la connais pas assez, ma dame. Mais, où voulez-vous en venir ? Que désirez-vous savoir à la fin ? Je ne peux pas croire que vous m'ayez fait venir ici pour parler de la fille du défunt lieutenant Lennox, s'impatienta Baltair.

– Si fait ! Ce que je désire savoir est relativement simple, mon fils. À votre avis, Sorcha Lennox souhaitait-elle devenir moniale ? La question est-elle claire ?

– On ne peut plus claire, mère ! À cette question, ma réponse sera non. Sorcha a pu changer d'avis, mais quand nous nous écrivions, elle démontrait plus d'intérêt pour la vie *extra-muros* du couvent qu'*intra-muros*. La lettre dont vous m'avez parlé tantôt était même très explicite à ce sujet. D'après le souvenir que j'en ai, Sorcha Lennox écrivait que, contrairement à sa mère, elle redoutait de passer le reste de ses jours à Iona.

— Bien ! C'est exactement ce que je pense. Je vous remercie, mon fils. Votre éclairage m'a été très utile.

— Vraiment ? J'en suis fort aise. Je vous laisse donc, si vous n'avez plus besoin de moi, dit Baltair en se levant.

— Je vais avec vous. Si votre père est disponible, j'aimerais m'entretenir avec lui d'une mission que je veux vous confier. Allons-y ensemble… », fit dame Gunelle.

Baltair s'effaça pour laisser passer sa mère devant lui. Vaguement inquiet, il la suivit jusqu'au bureau, dans l'aile est du donjon. Quand ils s'engagèrent dans le grand escalier à vis, il regarda le bas de sa robe glisser d'une marche à l'autre et prit soin de ne pas l'écraser du pied. Il essayait de deviner la nature de la mission dont sa mère voulait l'investir et une pensée lui vint à l'esprit : soustraire Sorcha Lennox au cloître. « Mère veut m'envoyer à Iona pour retirer cette fille du couvent », songea-t-il, avec une moue de dépit.

L'heure suivante confirma son appréhension. Baltair ne dit mot et, tout le temps que dura l'entretien, il demeura assis à l'écart près de la fenêtre. Dame Gunelle avait choisi d'exposer sa demande debout, face à la table où son mari était assis. Cela lui conférait une position d'autorité. Baltair admira la verve et l'habileté avec lesquelles sa mère développa son projet devant son père plutôt réticent qui offrit d'abord de payer la pension de la damoiselle afin qu'elle demeure à Iona sans prendre le voile. Puis, voyant que son épouse insistait pour la faire sortir du couvent, il proposa de la placer dans une famille de leur connaissance. Mais la châtelaine voulait prendre la jeune fille à Mallaig, à titre de suivante.

Alors, à bout d'arguments, Iain MacNèil céda et n'émit plus d'objections, se rendant aux volontés de son épouse :

« Soit, ma dame, dit-il. Ce sera comme vous l'entendez. C'est vous la châtelaine, après tout. »

Puis, il se tourna vers Baltair :

« Tu as entendu, mon fils ? Tu pars en pèlerinage à Iona avec mission d'enlever une jeune novice. Je n'ai pas de navire à ta disposition en ce moment, mais par route, si tu ne traînes pas, c'est l'affaire de quinze jours. En partant demain, tu seras revenu pour le Tournoi des îles, à la Saint-Pierre*. Je te donne le chevalier Craig, prends deux hommes de ton choix, plus tes deux frères. Il est temps que ces garçons-là escortent les membres de la famille.

– Pas Dudh et Malcom, père ! protesta Baltair en sautant sur ses pieds. Ils n'écoutent personne, ils vont nous retarder avec leurs coups pendables. Vous les connaissez, ils ne pensent qu'à faire des bêtises…

– Baltair, je ne te demande pas ton avis. Tes frères seront de l'expédition, un point c'est tout, répondit Iain MacNèil avec fermeté.

– Voyons, Baltair, tenta de tempérer dame Gunelle, d'une voix douce. Vos jeunes frères savent se comporter avec discipline quand il le faut. Ayez un peu plus de clémence. Vous avez eu treize ans vous aussi et vous ne faisiez pas que des bourdes à cet âge. Pourquoi en serait-il autrement de Dudh et Malcom ?

– Parce que ces imbéciles sont différents de moi…, dit Baltair en fixant son père avec défi.

---

* La Saint-Pierre est une fête du calendrier religieux, célébrée le 1er août.

251

— Ils ne sont pas si différents et certainement moins imbéciles que tu ne le penses, répondit Iain MacNèil. Ce qui te démarque d'eux, Baltair, c'est que tu es leur aîné et chevalier. Et crois-moi, ça ne fait pas de toi un être supérieur. Tu n'as pas pour mission de sortir tes frères : je t'envoie en expédition pour ramener ici Sorcha Lennox et je les désigne pour faire partie de ton escorte. Compris ?

— Fort bien, père, répliqua sèchement Baltair. Puisque vous ne me donnez pas le choix… Pour ce qui est des deux autres hommes, je prends Gawin et Colm. La mère de votre gendre vit peut-être encore à Iona et cela pourrait nous être utile. »

Baltair fit un léger salut de la tête en direction de son père et, avec prestance, il tourna les talons pour sortir du bureau. En passant devant sa mère, il inclina imperceptiblement la tête, un sourire au coin des lèvres, et lui dit d'un ton qui cachait mal son ironie :

« Ma dame, il se peut que Ceit soit insupportable durant notre absence : je vous prive de votre gendre qui l'occupe si bien. En compensation, vous aurez la paix du côté des jumeaux… »

Dès le lendemain, la petite escorte dûment constituée quitta Mallaig avec le jeune chevalier Baltair à sa tête. Ignorant la présence de ses frères, l'aîné MacNèil menait le groupe à un train d'enfer et même le chevalier Craig, qui était le meilleur cavalier, avait peine à suivre. Ils firent un premier arrêt à Arisaig pour faire boire les chevaux. Pris de remords en voyant les bêtes mouillées, Baltair ralentit l'allure par la suite. Ils entrèrent dans un village à la nuit tombée et trouvèrent refuge chez un métayer du clan.

Le deuxième jour de l'expédition, ils traversèrent le comté de Moidart. Baltair demeurait taciturne. Son beau-frère, heureux de sortir, devisait joyeusement avec Craig et Gawin. Pour leur part, Malcom et Dudh étaient enchantés de leur voyage ; d'excellente humeur, ils appréciaient la route et la commentaient avec ferveur. Tantôt le sommet d'une colline, tantôt la profondeur d'un cours d'eau, tantôt la découverte d'une pierre levée, tous les aspects du paysage soulevaient chez eux un même enthousiasme bruyant.

Ennuyé par ce bavardage qu'il qualifiait d'enfantin, Baltair manœuvra de façon que ses frères occupent la queue de leur petite troupe. Mal lui en prit, car c'est ainsi qu'il les perdit de vue vers la fin de la journée. En entrant dans le village de Salen, il se rendit compte que les deux garçons n'étaient plus derrière. Désireux de se mesurer dans une course, les jumeaux s'étaient laissé sciemment distancer par le groupe et, dans le vif de l'action, ils s'étaient trompé de chemin en bifurquant à l'ouest, vers une autre péninsule.

Baltair fulminait. Il envoya le chevalier Gawin à leur recherche et attendit leur retour dans une ferme, en compagnie de Craig et de Colm qui prenaient la chose avec philosophie alors qu'il piaffait d'impatience. Colm sortit ses dés et commença une partie avec Craig. À la nuit tombée, Gawin et les jumeaux n'étaient pas revenus. Le paysan et sa femme montèrent se coucher à l'étage, abandonnant aux visiteurs la place près du feu. Après avoir vidé les pichets de bière qu'on leur avait offerts, Craig et Colm s'enroulèrent dans leurs manteaux et s'endormirent, sans autre souci que de prendre un repos bien mérité. Quant à Baltair, il ne ferma pas l'œil de la nuit, trop furieux pour être inquiet.

Au matin, les nerfs à fleur de peau, il annonça à Craig qu'il le désignait pour accueillir les retardataires et que lui-même et Colm poursuivraient la route jusqu'à Lochaline, où ils les attendraient avant de faire la traversée du détroit de Mull.

« Si vous n'êtes pas arrivés lundi, lui déclara Baltair, nous nous embarquons sans vous. Vous n'aurez qu'à patienter à l'auberge de Lochaline. Nous vous reprendrons en revenant. Voilà cinq deniers, cela devrait suffire à votre pension. Dieu vous garde, Craig !

– Dieu vous garde, messire », lui répondit le chevalier Craig en empochant les pièces.

Baltair enfourcha aussitôt son cheval et partit au galop. Colm se mit en selle avec un peu moins d'entrain, salua son partenaire de dés et plongea dans le nuage de poussière que la monture de son jeune maître avait soulevé derrière elle.

Je ne dormis pas beaucoup cette nuit-là. Inlassablement, je repassais dans ma tête les détails de ma fuite entremêlés aux conseils d'Etta. Dès que les premières lueurs blanches s'étendirent au plafond de ma cellule, je sortis du lit et commençai mes préparatifs. Je possédais peu de choses : mon couteau, un livre de prières, un chapelet, une cuillère, ma plume et une corne d'encre, les sept lettres de Baltair MacNèil, une paire de chaussons, un bonnet, des gants, un fuseau de fil et une aiguille, de l'amadou et un petit fusil pour faire du feu.

Tout cela trouva place dissimulé dans mes nombreux vêtements. En effet, j'avais enfilé, de façon que rien ne paraisse louche, deux chemises de lin, une tunique par-dessus un bliaud de drap, deux paires de bas, ma cape et un tablier dont je comptais faire un baluchon, une fois sortie de la sainte île.

Avant de refermer la porte de ma cellule, j'y prome-nai un regard de mélancolie. Six années de ma vie étaient enfermées entre ces quatre murs que je laissais pour un hypothétique asile que je ne connaissais pas encore, et dont je ne savais même pas s'il existait quel-que part dans la cité d'Édimbourg.

Quand je descendis l'escalier, je me sentis un peu lourde et chaudement vêtue. La sueur qui perlait à mon front était-elle due à mon équipement de fuyarde ou à ma nervosité ? Je passai par le cellier et subtilisai un sachet de sauge, des noix et quelques pommes séchées. Puis je me glissai dans l'église et pris place derrière les moniales. Tout au long de l'office de prime, j'épiai leurs regards et espérai que mon accoutrement ne me trahi-rait pas.

Il en fut de même avec l'aumônier qui, une heure plus tard, m'entraînait sur le chemin de l'abbaye. Le peu d'intérêt qu'il me porta me rassura complètement sur ma tenue et je me détendis, entièrement tournée vers ce qui allait suivre. Mon plan se déroula à une vi-tesse et avec une facilité qui, longtemps après son exé-cution, continuèrent à m'étonner.

D'abord, l'aumônier me fit entrer dans l'abbaye par la porte des visiteurs. Le vestibule était désert, car l'office du dimanche n'était pas encore terminé au monastère. Après m'avoir marmonné une excuse que je ne compris pas, il m'abandonna purement et simplement dans la chapelle de saint Colomba. Les pèlerins étant retenus à l'office, la niche était alors vide. Je me précipitai aussitôt sur le retable, dégageai d'un coup sec le panneau du pêcheur. Je m'emparai du pot et en versai le contenu dans la seule poche encore libre qu'il me restait. J'eus le temps de replacer le pot, ainsi que le panneau, avant de filer dans le déambulatoire jusqu'au porche de l'église.

Je me tassai dans un coin et j'attendis. Il s'était à peine écoulé un quart d'heure que l'office finit et libéra une horde de pèlerins à laquelle je me mêlai. Ils étaient une douzaine et portaient avec eux leurs bagages. J'en déduisis qu'ils terminaient leur pèlerinage et quittaient Iona ce jour-là. Je les suivis dans leurs dernières dévotions d'une chapelle à l'autre, puis à leur sortie de l'abbaye, jusqu'à l'hostellerie du couvent. Là, je craignis que les femmes du groupe n'y fissent halte, mais il n'en fut rien. Tous les pèlerins s'acheminèrent vers le quai d'embarquement en dévalant avec précaution la pente caillouteuse.

Mon cœur bondissait dans ma poitrine et mes jambes flageolaient. Je ne pouvais m'empêcher de regarder la route par-dessus mon épaule, surprise et soulagée à la fois de ne voir personne à ma poursuite. Bientôt, les toits du couvent Sainte-Marie disparurent derrière les arbres, et je respirai à l'aise. Je me concentrai sur le bavardage ambiant. J'avais déjà une première interrogation : combien coûtait la traversée ?

Sur le quai, une autre dizaine de pèlerins attendaient les passeurs de Mull, au milieu de leurs sacs. Voulant éviter des questions embarrassantes, je me mêlai aussitôt à eux, de manière que ceux qui m'accompagnaient depuis l'abbaye me croient des leurs. Mais personne ne faisait attention à moi, tous étant absorbés par leur départ imminent. Dans le groupe des pèlerins qui se trouvaient déjà sur le quai, je détectai, à leur habillement, un couple de drapiers. Le mari et la femme étalaient leur marchandise sur eux avec ostentation. Je m'en approchai et j'épiai leur conversation.

Ils avaient fait le pèlerinage pour le compte de leur seigneur, à qui ils rapportaient l'effigie de saint Colomba comme preuve. La dame, plutôt corpulente et très fardée, promenait fièrement la médaille sous le nez de ses voisins, comme s'il s'était agi d'un trophée. Je ne pus éviter qu'elle me la montre à moi aussi. Ce faisant, elle détaillait ma tenue avec une mine dédaigneuse.

« Voyez comme elle brille, me dit-elle. En avez-vous une, damoiselle ?

— Je suis désolée, ma dame, je n'en ai pas les moyens, lui répondis-je, avec un air de résignation. J'ai fait le pèlerinage pour mon propre compte et je ne suis guère argentée. Orpheline, je suis venue recommander l'âme de mon père à Dieu ; je lui avais promis ce pèlerinage avant sa mort.

— Brave fille ! Qui se soucie aujourd'hui d'exécuter les dernières volontés d'un parent ? Plus personne ! Croyez-moi, vous avez bien du mérite, là ! Où allez-vous maintenant, ma chère ?

— Je retourne à Édimbourg, ma dame. Si je le peux…

— Comment, si vous le pouvez ? Qu'entendez-vous par là ?

— C'est que je ne connais pas la route de retour, ma dame. Je suis venue à Iona avec des gens qui m'y ont laissée avant de repartir. Comme c'est mon premier voyage, j'hésite sur la marche à suivre pour arriver à destination…

— Messire Hudson, fit-elle en se tournant vers son mari, cette brave fille est orpheline. Elle se rend à Édimbourg et est sans transport. Ne pourrions-nous pas l'emmener avec nous à Lochaline, puis la mettre sur un navire jusqu'à Dumbarton ?

— Quel est ton nom, ma mignonne ? s'enquit messire Hudson en me dévisageant curieusement.

— Sorcha, messire. Ma mère est née MacDonnel à Loch Duich et mon père est John William Lennox. Il a servi dans l'armée écossaise. Il était posté à Édimbourg quand il est décédé, répondis-je, résolue à ne pas dévoiler que j'étais de Morar.

— Je ne connais pas tes parents. Ce n'est guère un métier payant que celui de ton père… Il te faut un protecteur, ma jolie. Je crois pouvoir faire quelque chose pour toi… »

Son épouse battit des mains en entendant sa réponse. Pour ma part, j'étais perplexe. J'hésitais à leur faire confiance, mais, pour une première escale, me joindre à eux ne me sembla pas très risqué.

« Je vous remercie, messire Hudson, lui dis-je. Vous êtes bien aimable. Dites-moi, est-ce que Lochaline est sur la route d'Édimbourg ?

— Heu… pas exactement. C'est dans le comté de Morvern. Je suis drapier, attaché au château d'Ardtornish, répondit mon interlocuteur d'un air important. Je travaille exclusivement pour le compte du seigneur McLeans. Je fais venir de la laine de partout en Écosse et nous la traitons au château. Je vais chaque année à

Lübeck, acheter du drap que nous teignons. Mon maître possède deux navires... »

Ses explications n'allèrent pas plus loin, car trois esquifs de passeurs s'amenaient sur le détroit, suscitant impatience et bousculade chez les voyageurs. Avant qu'ils n'accostent, les pèlerins s'étaient déjà partagés en trois groupes. Messire Hudson et son épouse me poussèrent avec eux et leurs ballots dans l'une des files. Je ne protestai pas et c'est en cette étrange compagnie que je quittai la sainte île, quelques minutes plus tard. Je ne me retournai pas quand je fus à bord. Je rabattis le capuchon de ma cape pour masquer mon désarroi. « Adieu Iona, adieu Etta, adieu ma mère », me dis-je, le cœur soudain gros. Je réalisais à cet instant précis que je ne les reverrais sans doute jamais plus.

Le rivage de Mull s'approchait avec une telle lenteur qu'il me semblait que des fils invisibles retenaient notre esquif à Iona. Je jetai un coup d'œil à l'épouse du drapier qui avait pris place à mes côtés et je surpris son regard intrigué posé sur le bas de mes jupes. Elle leva la tête et nos yeux se rencontrèrent. Je sus qu'en examinant ma tenue elle avait deviné que j'étais en fuite.

« Vous n'avez aucun bagage, ma fille ? fit-elle d'un air soupçonneux.

– Non, ma dame », répondis-je, confuse.

Je détournai la tête, incapable d'allonger une explication. Des trois esquifs, le nôtre fut le dernier à accoster à Mull. Messire Hudson s'empressa de retenir les services d'un charretier. Je vis quatre chariots à bœufs s'éloigner avec une partie des pèlerins d'Iona. Il me tardait que l'on se mette en route à leur suite, car l'isolement avec le couple de drapiers me tracassait. Messire

Hudson conclut heureusement très vite la transaction pour notre passage et nous pûmes grimper à bord de la voiture. Un jeune homme monta à côté du charretier, le drapier et son épouse prirent place au milieu de la voiture et je montai derrière eux, serrée entre les bagages. Ils ne m'adressèrent plus la parole. Durant le trajet sur l'île de Mull, qui nous demanda toute la journée, je les surpris à plusieurs reprises se chuchotant à l'oreille et j'en nourris quelques inquiétudes. Ils ne partagèrent pas avec moi leurs provisions de bouche et je puisai dans ma réserve de pommes séchées et de noix pour me sustenter.

L'île de Mull était très montagneuse et couverte de brumes légères. Le sentier que le convoi emprunta longeait d'abord un long loch à notre gauche, puis serpentait entre les collines rondes du milieu de l'île où nulle habitation n'était visible. Le jour descendit lentement et la caravane s'arrêta enfin dans un hameau pour la nuit. J'eus le goût de me joindre aux occupants des autres voitures et de m'enquérir de leur destination, mais je n'osais fausser compagnie aux Hudson. C'eût été impoli.

Les voyageurs discutaient haut et fort, déployaient leurs couvertures de couchage, se dégourdissaient les jambes et échangeaient des gourdes d'eau ou de vin. Certains allaient se soulager, d'autres, se rafraîchir au puits. L'un d'eux sortit une flûte dont il se mit à jouer. Des hommes préparèrent un petit feu pour chauffer de l'eau et quelque nourriture. Des femmes se rassemblèrent aussitôt autour en ouvrant leurs besaces.

Quand ce fut l'heure du coucher, les voyageurs se partagèrent entre les deux granges mises à leur disposition et je ne suivis pas les Hudson à l'intérieur. Fidèle aux conseils d'Etta, je choisis un petit coin herbeux au bout d'un potager et, à la faveur de l'obscurité, je me départis de certains objets contenus dans mes poches et les rassemblai dans mon tablier. J'ôtai ma tunique et une paire de bas que je pliai pour me faire un oreiller. Puis je m'enroulai dans ma cape. La fatigue des deux dernières nuits blanches eut vite raison de moi et de mon anxiété. Sans un seul regard pour le ciel étoilé, je sombrai dans un sommeil profond jusqu'à l'aube.

Un soleil radieux frappant mon visage me réveilla très tôt le lendemain. J'étendis mes membres engourdis et examinai mon campement : durant mon sommeil, mes effets épars étaient sortis de mon tablier. Munie de fil et de mon aiguille, j'entrepris de m'en confectionner un sac qui pourrait contenir mes affaires et se porter en bandoulière. J'y aménageai un compartiment pour y conserver la nourriture. La toile du tablier était solide, comme tout ce qui était fait au couvent Sainte-Marie, et elle durerait longtemps si je prenais soin de ne pas laisser le sac traîner au sol. J'enlevai l'une des poches vides d'une chemise et je m'en fis une petite aumônière dans laquelle je glissai les pièces de monnaie du « tribut de la Vierge ». Je la fermai avec une broche prélevée dans le trésor et la fixai à ma ceinture. Je fus assez satisfaite de mon travail. J'avais tout à fait l'air d'une voyageuse quand je regagnai le groupe des pèlerins à l'heure du départ.

Le couple de drapiers me fit plutôt bon accueil quand je les rejoignis. Messire Hudson jeta un œil sur mon nouveau sac et ma tenue. Il nota l'apparition de mon bliaud qui la veille était sous ma tunique, et celle de l'aumônière à ma ceinture.

« Bien dormi, ma mignonne ? me lança-t-il.

– Très bien, messire. Vous-même ? m'enquis-je, poliment.

– Excellent ! me répondit-il en se tournant vers son épouse. N'est-ce pas, ma dame ? Ça faisait longtemps que nous n'avions partagé la même couche... La sainte île a ceci de désagréable qu'elle sépare les maris des femmes. »

La dame semblait quelque peu chiffonnée et ne se donna pas la peine d'appuyer la réponse de son mari. Elle me prit par le bras et m'entraîna à la voiture que nous occupions le jour précédent.

« Ne faites pas attention à mon mari, ma chère, me dit-elle sur un ton de babillage. Il a tendance à devenir impertinent dès le jour après dimanche... Ce matin, nous sommes les seuls à prendre la bifurcation vers le nord. Tous les autres vont à Oban. Ils s'embarquent au château de Duart qui est à une heure de route à l'est. Quant à nous, notre voiture va longer le détroit de Mull et vous allez voir comme le paysage est joli... »

L'épouse du drapier avait raison. Le large bras de mer qui séparait l'île de Mull de la côte du Morvern était impressionnant. D'énormes pins se dressaient sur la rive opposée et les hauts vents en faisaient osciller la cime doucement, comme si la main de Dieu les peignait. Au-dessus d'eux, le ciel présentait de longs nuages mouchetés ressemblant au pelage d'un chat, ce qui me fit penser à celui que nous avions à Morar. Se souvenant des caresses qu'elle lui prodiguait si bien, ma main passa discrètement sur la toile rêche de mon bliaud. Puis mes yeux se posèrent sur les abords du sentier où des grappes de fleurs jaunes contrastaient avec le sol dur et sec sur lequel résonnaient les sabots du bœuf de notre attelage.

À mesure que le soleil montait dans le ciel, je sentais la chaleur transpercer mes vêtements et réchauffer mon corps. Mes épaules se détendirent et j'emplis mes poumons d'air pur par longues bouffées. Tous mes soucis se dissipèrent aussitôt ; j'étais heureuse et je souris enfin à ma première journée de liberté.

Nous étions les seuls passagers, les Hudson et moi. J'étais montée sur la banquette à côté du charretier de sorte que messire Hudson et son épouse puissent prendre leurs aises, affalés sur leurs sacs. Après avoir échangé quelques phrases ensemble au départ, mari et femme s'assoupirent. Quant au charretier, il n'était pas très bavard. L'homme, qui devait être âgé d'une quarantaine d'années, avait de longues mains calleuses, portait une veste courte et des braies de laine bleue. Un large chapeau de paille couvrait la partie supérieure de son visage buriné par le vent de la mer. Il mâchonnait une brindille de foin et recrachait de temps à autre le jus qu'il en tirait.

J'aurais dû profiter du sommeil des Hudson pour engager la conversation avec lui et ainsi glaner quelques informations utiles pour mon voyage, mais je n'arrivai pas à l'intéresser à mes questions. Lentes à venir, ses réponses demeuraient évasives. Après quelques efforts infructueux, je décidai de garder le silence et de jouir pleinement de notre paisible randonnée. Au bout d'une heure, nous aperçûmes au loin sur le chemin deux cavaliers progressant dans notre direction, enveloppés d'un nuage de poussière. J'observai avec intérêt l'avancée des premiers voyageurs que nous croisions depuis notre débarquement sur Mull.

Les cavaliers galopaient et leurs vêtements volaient autour d'eux dans un même mouvement, semblable à une vague. J'admirai le spectacle en prenant conscience que je n'avais pas vu de chevaux depuis six ans. Combien d'autres choses toutes simples avais-je perdu l'habitude de voir à Iona ? me demandai-je. Quand les cavaliers ne furent plus qu'à cent pas de notre équipage, ils sortirent du sentier pour nous contourner de mon côté et je pus mieux les voir. L'un était jeune et portait des armoiries sur son haubert, alors que l'autre était beaucoup plus vieux et vêtu plus sobrement. Le premier retint davantage mon attention : il allait tête nue et ses cheveux bruns, trempés de sueur, lui collaient au front. À son cou, j'aperçus un large collier doré qui me fit immédiatement penser au torque que frère Gabriel avait retiré de la mer un jour. Au moment où le cavalier passa à ma hauteur, je reconnus avec stupeur ce torque que j'avais nettoyé avec un coin de ma jupe, le jour de sa découverte.

Au même instant, notre voiture pénétra dans le nuage de poussière et le charretier protesta. Il se couvrit le visage de son chapeau en toussant.

« Quelle saleté ! maugréa-t-il. Ces jeunes chevaliers se croient maîtres des routes. Toujours pressés, il leur faut parcourir le pays comme si le diable était à leurs trousses. Que leur importe les pauvres hères qui sont à pied ou en chariot à bœufs ? Ils les étouffent de poussière allégrement sans se donner la peine de saluer. Et ça se croit les défenseurs de Dieu ! »

Je fus surprise par la violence de la sortie de mon taciturne compagnon contre les cavaliers. Je me retournai vivement pour les voir s'éloigner, intriguée par la parure du plus jeune et par le mot « chevaliers » lancé par le charretier. Avant qu'il ne soit plus possible de le faire, je réussis à détailler le blason qu'ils affichaient : l'écu avait, séparés par deux bandes jaunes, quatre champs sur fond bleu dont l'un affichait l'anneau, l'autre, l'étoile, le troisième, le croissant et le dernier, un larmier. Ce blason ressemblait, par ses couleurs, à celui de la maison MacNèil. À la différence que ce dernier se composait de trois champs seulement, au lieu de quatre.

« Savez-vous qui ils sont, messire ? demandai-je au charretier, quand les cavaliers furent loin.

— Je n'en sais bougrement rien, mais ce sont des Highlanders. Ça se voit à leurs armes », bougonna-t-il, avant de replonger dans son mutisme.

Messire Hudson s'était réveillé et tentait de comprendre ce qui se passait en tapotant son pourpoint pour dégager la poussière qui y collait. Il se redressa, regarda la route derrière lui et les cavaliers déjà loin.

« Qui était-ce ? lança-t-il au charretier.

— Personne, glapit celui-ci, en replaçant son chapeau sur sa tête.

— Puisque vous le dites », laissa tomber le drapier.

Il se cala de nouveau confortablement entre ses bagages, me faisant dos pour se protéger de la saleté qui entrait dans la voiture. Il me vint à l'esprit de lui décrire le blason, mais son attitude me retint. Je fermai les yeux pour mieux rappeler l'image du blason à ma mémoire. « Il me semble que c'était un blason du clan MacNèil », pensai-je.

CHAPITRE X

TROQUER LA VIEILLE MONNAIE

En début d'après-midi, notre équipage atteignit la petite baie de Fishnish où accostait le passeur qui traversait les voyageurs de Lochaline, sur l'île de Mull. Messire Hudson se frappa les mains de contentement quand il aperçut la barge amarrée. Il partagea aussitôt son enthousiasme avec son épouse :

« Quelle chance, ma dame ! s'exclama-t-il. Le passeur est là. Nous n'aurons pas à l'attendre... Nous pourrons souper au château ce soir, ma chère. Je vous avoue que je ne suis pas fâché de rentrer. Quel voyage fastidieux... »

Le passeur nous accueillit comme s'il nous attendait. Nous apprîmes que c'était exactement ce qu'il faisait. Il avait su, par des marins d'Oban, que des pèlerins allaient quitter Mull du côté de Lochaline et, comme il avait déjà traversé deux cavaliers le matin même, il avait décidé de demeurer quelque temps dans la baie, avec l'espoir de nous voir arriver.

C'était un homme simple et jovial ; un sourire permanent éclairait son visage rond et rose. Je lui trouvai tout de suite une mine aimable et liai conversation avec lui durant la traversée. J'en profitai pour m'enquérir de l'identité de ses deux passagers de la matinée, mais il ne put satisfaire ma curiosité.

« Je n'ai jamais rencontré jeune chevalier d'un abord plus stoïque que celui-là, damoiselle. Je me suis même demandé s'il n'était pas muet. Son compagnon répondait à sa place avec l'air de dire " ne posez pas de questions ". En tout cas, ils appartiennent à un clan du nord… peut-être de Skye, mais je n'y connais rien en armoiries. Si les seigneurs ne se présentent pas, je ne peux pas savoir qui ils sont. »

Je me rappelai qu'une lettre de Baltair MacNèil parlait des principes héraldiques. Elle faisait partie de nos premiers échanges épistolaires. Je fouillai dans mon sac et retrouvai les sept plis du jeune homme, classés par ordre chronologique et liés par une ficelle. Je pris la première lettre, datée de janvier 1438 et m'absorbai dans sa lecture, bercée par le mouvement des vagues. Je fus aussitôt frappée par l'étrangeté de cette correspondance. Je réalisai, pour la première fois, combien il était singulier que ce garçon, qui ne m'avait jamais vue, décidât de m'écrire. Je ne m'étais pas préoccupée de connaître ses motivations, ni à cette époque ni par la suite. Or, à sa relecture, cette première lettre de Baltair MacNèil me révéla à quel point son initiative était insolite. Je tombai enfin sur le passage que je cherchais et le parcourus avec attention :

Les signes dans les champs marquent le rang familial de celui qui porte l'écu. Ainsi, le premier champ des armoiries de notre famille porte l'anneau, car mon arrière-grand-père était le cinquième fils MacNèil ; le deuxième

267

champ est celui de mon grand-père Baltair l'Ancien, qui était le troisième fils, figuré par l'étoile. Le croissant dans le troisième champ signifie que mon père était second. Dès que je serai reçu chevalier, j'aurai droit à mon propre écu qui comportera alors un quatrième champ, avec un larmier au centre, puisque je suis fils premier-né.

Ébahie, je levai les yeux sur les eaux du détroit de Mull. Elles avaient emporté, quelques heures plus tôt, mon correspondant de Mallaig, devenu chevalier sans que je l'aie su. Car, j'en étais désormais convaincue, les armoiries que j'avais vues sur le haubert du jeune chevalier qui avait croisé notre attelage sur l'île de Mull étaient bien celles de la famille MacNèil ; et le torque qu'il portait, celui du « trésor du Fils ». Que signifiait tout ceci ? C'était pour moi un indéchiffrable mystère sur lequel je n'eus guère le temps de méditer, car la rive de Lochaline était maintenant toute proche.

Le judas se referma d'un coup sec. Baltair jeta un œil à Colm qui haussa les épaules. Le jeune homme recula de quelques pas pour avoir une vue d'ensemble de la façade du couvent Sainte-Marie. À la hauteur du deuxième étage, les volets étaient tous clos. La porte était massive et les hauts murs de l'édifice n'offraient aucune prise à qui voudrait les escalader. La nuit tombait rapidement et, bientôt, on n'y verrait plus clair.

Baltair revint à la porte et frappa de nouveau, cette fois avec autorité.

« Ouvrez-moi, mugit-il. Je dois parler à Sorcha Lennox, vous dis-je…

— Messire, je crois que vous n'obtiendrez rien de la sorte. Les moniales n'ouvriront pas si la damoiselle est cloîtrée. Il faut s'y prendre autrement. Si on allait voir du côté de leur hostellerie ? Je vois de la lumière dans cette aile. Quelqu'un pourrait peut-être nous renseigner là-bas », proposa calmement Colm.

Baltair fixa d'un œil meurtrier la petite porte ferrée du judas, les lèvres fermées sur un juron qui ne demandait qu'à sortir. Il savait que son beau-frère avait raison : il ne fallait pas s'attendre à ce qu'on leur donnât accès à la jeune fille si celle-ci était devenue novice. Il soupira et revint à sa monture d'un pas accablé. La mission de dame Gunelle commençait à sérieusement lui peser. D'abord les jumeaux qui lui avaient fait faux bond avant d'arriver à Salen ; puis Gawin qui ne les avait pas ramenés à temps pour leur embarquement vers Mull, l'obligeant à se séparer de Craig ; et finalement, les moniales qui ne voulaient rien entendre.

Il prit la bride de son cheval et, Colm sur les talons, se dirigea au bout de l'édifice, vers le grand escalier de bois qui menait à l'hostellerie des femmes. Avant qu'ils ne l'aient atteint, un volet s'ouvrit et une bassine apparut, dont le contenu se déversa à leurs pieds. En même temps, un bruit de caquetage entremêlé de rires de femmes s'échappa de la fenêtre. Baltair fit une moue écœurée et s'empara de la bride du cheval de son compagnon.

« Toi, tu montes là-haut, tu t'informes et moi, je t'attends ici, ordonna le jeune homme.

— À vos ordres, messire », répondit Colm, un sourire en coin.

Le beau-frère rajusta rapidement son pourpoint, son chapeau, brossa légèrement ses manches, frappa ses gants l'un contre l'autre pour en dégager la poussière et fit de même avec ses chausses. Puis, arborant son air le plus convenable, il gravit l'escalier de l'hostellerie. Baltair vit Colm frapper à la porte, celle-ci s'ouvrir et se refermer sur lui. La minute suivante, il l'entendit hurler.

« Quoi, encore ? » s'étrangla Baltair en grimpant l'escalier quatre à quatre.

La scène que le jeune homme surprit en ouvrant la porte de l'hostellerie était digne d'un théâtre de ménestrels. Colm, à genoux devant une vieillarde, lui enserrait la taille de ses bras, le visage enfoui dans son tablier et gémissait d'une voix éraillée :

« Mère, mère, ma mère chérie… Je ne pensais jamais plus vous revoir… C'est la Providence qui m'amène ici… Ha ! Dieu tout-puissant ! Dieu de miséricorde ! »

Baltair observait les retrouvailles de la mère et du fils d'un œil ennuyé, se demandant combien de temps allaient durer les épanchements de son beau-frère. C'est la vieille dame qui réagit la première. Elle se dégagea doucement de l'enlacement de son fils, le fit lever et sortir de l'hostellerie, car la présence d'hommes n'était pas admise dans ce lieu. Baltair les précéda au-dehors. Ils descendirent tous les trois l'escalier à la queue leu leu et s'installèrent autour d'un puits pour faire plus ample connaissance.

Dès que la vieille servante de Sainte-Marie apprit l'identité de Baltair, la pièce de théâtre recommença de plus belle ; la femme tomba à genoux et s'empara des mains du jeune homme, en l'implorant :

« Messire Baltair, c'est vraiment Dieu qui vous envoie ! Vous devez retrouver la jeune Sorcha, elle court un grand danger à l'heure qu'il est… J'ai si ardemment prié pour que votre famille la réclame et vienne la chercher. Et vous êtes là ! Plaise au Ciel qu'il ne soit pas trop tard !

— Que dites-vous, dame Etta ? l'interrompit Baltair en la relevant. Où faut-il chercher Sorcha Lennox ? Elle n'est pas au couvent ?

— Elle n'y est plus depuis deux jours, messire. Elle s'est enfuie…

— Il ne manquait plus que cela ! » lâcha Baltair.

Accablé, les bras ballants, la tête rejetée en arrière, le jeune homme se mit à arpenter le sentier entre l'escalier et le puits.

« Pourquoi faut-il qu'elle attende le moment précis où j'arrive pour partir ? se lamenta-t-il à voix haute. Elle est là, bien tranquille durant six ans, à écrire des lettres, à prier et à biner le jardin du cloître, et toc ! elle décide tout bonnement de déguerpir ! Damoiselle Lennox en a assez du couvent ? Alors, pouf ! Elle saute dans le premier esquif et vogue la galère… Elle cesse d'écrire à la seule famille qui aurait pu la tirer de là, ne la prévient pas de ses intentions, ce qui aurait évité à sa protectrice de se faire du mauvais sang. Rien ! Plus de nouvelles ! Terminée, la correspondance avec la châtelaine de Mallaig ! Et son fils, qui n'a que cela à faire, perd son temps et sa peine à venir la cueillir là où…

— Nenni, messire ! Vous n'y êtes pas du tout ! Cessez immédiatement vos doléances ! » fit Etta avec emportement.

271

D'un pas ferme, la mère de Colm vint se planter devant le jeune homme. Sa tête oscillait si fort que la guimpe qui la coiffait descendit sur son front. Elle leva un doigt légèrement crochu qu'elle pointa dans les airs, presque sous le nez de Baltair. Saisi, il se tut et recula d'un pas.

« Premièrement, ce n'est pas Sorcha qui a cessé d'écrire, mais votre mère, jeune homme. Deuxièmement, jusqu'à la mort de son père, Sorcha Lennox n'avait aucune raison de quitter Iona. C'est l'obligation de prendre le voile qui l'a fait fuir, et non pas, comme vous le supposez, une pure fantaisie... Pour un homme de votre qualité, la perspicacité et la délicatesse vous font lamentablement défaut. Et si vous voulez mon avis, je crois que c'est Sorcha qui, de vous deux, a perdu son temps et sa peine. Ingrat personnage ! Faux chevalier ! Misérable individu !

– Mère ! Je vous en prie, intervint Colm en s'interposant entre elle et Baltair. Ne traitez pas messire Baltair ainsi. C'est un malentendu. Il n'a pas voulu insinuer que damoiselle Lennox était écervelée. Au contraire, il en pense beaucoup de bien, n'est-ce pas, messire Baltair ?

– Dame Etta, avança Baltair qui poursuivait une autre idée, savez-vous à quand remonte la dernière lettre que Sorcha a reçue de ma mère, et la date à laquelle Sorcha a elle-même écrit à dame Gunelle pour la dernière fois ? »

Interdite, Etta posa deux doigts sur sa bouche. Elle regardait tour à tour son fils et Baltair, les sourcils froncés par l'effort de concentration. Elle venait de comprendre que la correspondance n'avait pas été interrompue ni par l'une ni par l'autre, mais qu'elle avait probablement été interceptée et que la responsable en était la prieure de Sainte-Marie. Soudain découragée, elle s'appuya contre son fils et fondit en larmes.

Pris au dépourvu, les deux hommes tentèrent de la réconforter, mais se sentirent vite maladroits dans cette entreprise. La vieille femme s'avéra inconsolable. Désemparé, Baltair abandonna la partie au bout d'une demi-heure et laissa la mère et le fils ensemble. Il enfourcha son cheval et prit le chemin de l'abbaye, à la recherche de l'hostellerie des hommes. La nuit était alors tout à fait tombée et le jeune chevalier n'aspirait plus qu'à dormir dans un lit.

Dès notre débarquement au quai de Lochaline, une voiture était venue chercher le couple de drapiers dont je dus me séparer. Je trouvai leurs adieux quelque peu froids, mais j'étais néanmoins soulagée de les quitter. Les regards insistants de messire Hudson m'avaient plusieurs fois mise mal à l'aise. Avant de me quitter, il m'assura qu'il me trouverait une place sur le prochain navire de son seigneur, en partance pour Dumbarton. Cet endroit était, selon lui, un bon point de départ pour gagner Édimbourg. Quant à son épouse, prenant un air important, elle me recommanda à l'unique aubergiste du village.

L'établissement de cet homme n'était rien d'autre qu'une petite maison qui possédait deux chambres à l'étage. Celle qu'il offrit de me louer pour un denier la nuit, gîte et couvert, donnait sur la montagne. Elle comportait deux lampes au mur, une petite table, un bahut sur lequel était posé un bassin d'eau pour la toilette et un large lit garni. Je n'eus d'yeux que pour ce dernier. Je pris la chambre sans songer à marchander et je m'étendis, sitôt la porte refermée. Je vis alors, sur son linteau, une tige de fer que je pouvais faire coulisser. Ce qui ne me rassura qu'à demi. Je me levai tout de même pour barrer la porte et revins au lit en attendant qu'on m'apportât mon souper. « Un denier par nuit, songeai-je. Combien de nuits vais-je passer ici, avant que je ne m'embarque pour Dumbarton ? »

J'ouvris mon aumônière afin de faire le compte de l'argent que je possédais. Je ne me souvenais plus à quoi ressemblait un denier et je disposai les pièces verdâtres sur le drap, les alignant par grosseur. Il y en avait vingt-cinq, dont quatre de la largeur d'un dessus de pouce, vingt, de celle d'un doigt, et une très large, qui ressemblait à un sou. Je frottai énergiquement cette dernière, mais je fus incapable de déterminer ce que c'était, sinon qu'elle avait apparence d'or. Je fis de même avec le lot de quatre pièces, puis avec celui de vingt.

Pour la plupart, l'effigie des pièces était complètement effacée. Mais sur une, moins usée que les autres, je découvris avec surprise la tête et le nom de Jules César. Je réexaminai plus attentivement toutes les pièces. Elles semblaient avoir été frappées dans le précieux métal et présentaient les mêmes caractéristiques que la pièce de Jules César. Je conclus que j'étais en possession de monnaie ancienne. Dans le « tribut de la Vierge », il n'y avait aucune des pièces qui avaient cours en Écosse, que ce soit le denier d'argent, le sou, le groat, le noble ou demi-noble.

« Comment vais-je pouvoir payer avec de telles pièces ? Qui en connaît la valeur ? À moins que je ne les fasse fondre pour l'or… Mais il n'y a sûrement pas d'orfèvre dans ce village », songeai-je.

Je m'empressai de rassembler le contenu de mon aumônière quand on secoua la porte, quelques minutes plus tard. J'ouvris à la femme de l'aubergiste qui m'apportait mon souper, sur un petit plateau.

« Excusez-moi, ma dame. Je barre toujours quand je voyage seule, lui dis-je en la laissant entrer.

— Vous n'avez pas à vous excuser, damoiselle Sorcha, tout le monde s'embarre dans les auberges. Même les chevaliers armés jusqu'aux dents ! Ceux qui sont partis ce matin ont fait exactement comme vous dans cette chambre. Remarquez, ils avaient l'air d'être poursuivis. Dans ces cas-là, ça se comprend.

— Vous voulez parler du chevalier Baltair MacNèil, me hasardai-je à lui demander en repensant aux cavaliers que j'avais croisés sur l'île de Mull.

— Ha ! Je ne sais pas s'il y avait un Baltair parmi eux, mais les deux chevaliers étaient de ce clan. Le plus vieux est d'ailleurs reparti pour leurs terres, à Mallaig, alors que le plus jeune a traversé à Mull avec un troisième homme, dénommé Colm.

— Savez-vous ce que le chevalier MacNèil allait faire à Mull ?

— C'est que vous êtes bien curieuse, damoiselle… Vous les connaissez ?

— C'est possible, répondis-je avec prudence. Le passeur m'a parlé d'eux.

— Il a dû en dire peu de bien. C'est le genre de clients pas commode. Non pas qu'ils se battent et cherchent noise à tout venant, mais ce sont des gens hautains, fermés et soupçonneux. Apparemment, ils avaient perdu la moitié de leur escorte et se trouvaient fort contrariés de devoir se séparer pour poursuivre le voyage. Mais je n'ai aucune idée de ce qu'ils allaient faire à Mull. Bon, je vous laisse, damoiselle… et bon appétit ! »

Je barrai la porte derrière elle et j'approchai la table du lit, afin de manger plus commodément. Une sorte de ragoût de mouton, avec des pois et des haricots, flottait dans un bouillon gras, au creux d'un grand bol d'étain. Une épaisse tranche de pain de seigle et un large pichet de bière complétaient le repas, qui m'apparut des plus copieux en comparaison des maigres menus du couvent. Je sortis aussitôt ma cuillère et, avec un bonheur indicible, je dévorai ce premier repas sur le « continent ». Tout de suite après, bien repue, je me dévêtis, fis ma toilette sans allumer de lampe et me glissai entre les draps. Je tournai la tête et contemplai la largeur du lit en pensant à Baltair MacNèil et à ses compagnons qui y avaient sans doute dormi.

Au matin, dès que j'entendis les premiers bruits de la maisonnée, je sortis de la chambre et, munie du plateau, descendis prudemment à la cuisine où la femme de l'aubergiste s'affairait au-dessus des chaudrons. Elle me sourit et fit signe de déposer le plateau et de m'asseoir à la petite table dressée dans un coin. De là, je pouvais regarder par la fenêtre ouverte sur une journée qui promettait d'être magnifique. Je soupirai de satisfaction.

« Ainsi, vous êtes avec nous pour une quinzaine, damoiselle Sorcha ? me dit-elle. Mon mari m'a dit que vous allez vous embarquer sur le bateau du seigneur McLeans quand il va mettre les voiles sur Dumbarton.

— Pas avant quinze jours ? m'exclamai-je.

— C'est bien ce qui me semble. Le seigneur MacLeans est parti au Tournoi des îles avec ses nobles. Il ne sera pas revenu avant la deuxième semaine d'août. Alors, vous voyez, cela fait bien quinze jours avant qu'il ne mette le cap sur Dumbarton… »

Cette information m'atterra. Je ne pouvais pas tenir quinze jours dans cette maison et y épuiser mon pécule, dont j'ignorais d'ailleurs la valeur. Je vis alors le passeur traverser le chemin avec un gréement de pêche sur l'épaule. Je le suivis des yeux un moment, jusqu'à ce qu'il ait disparu en direction du quai.

Il me fallait trouver le plus vite possible un autre bateau que celui du seigneur McLeans, et le passeur était sans aucun doute celui qui pourrait m'aider. Je devais tenter ma chance, pensai-je. J'engouffrai le petit pain qu'on m'offrit pour déjeuner et je sortis de l'auberge en priant le Ciel de continuer à me soutenir, comme Il l'avait fait depuis mon départ d'Iona.

Le quai de Lochaline n'était pas très long et ouvrait sur un loch qui fournissait un abri naturel aux navires qui y mouillaient. Ce matin-là, je dénombrai deux navires et trois barges, dont celle du passeur. Les embarcations dansaient doucement en cadence sur les eaux et leurs mâts pointaient les uns vers les autres. Outre deux hommes qui déplaçaient des marchandises sur le quai, il y avait le passeur, penché sur un filet. Je marchai directement à lui et le saluai.

« Bien le bonjour, damoiselle, me répondit-il joyeusement. Êtes-vous bien installée chez l'aubergiste ? C'est quelque peu sommaire, mais propre. Et ce sont d'honnêtes gens...

— Mes hôtes sont très prévenants, messire. Je vous remercie. Je vois que vous vous adonnez à la pêche quand il n'y a pas de passagers à traverser. Esturgeon, loche, saumon ? Que prenez-vous ici ? »

Je m'accroupis à ses côtés et m'intéressai à ses prises, un long moment, heureuse de partager la science de la pêche que m'avait inculquée frère Gabriel durant six ans. Puis j'amenai la conversation sur la navigation et les liaisons entre Lochaline et les autres ports des Hébrides. Il m'apprit que l'un des navires en rade repartait, ce matin-là, pour Ballachulish et qu'il arrivait souvent à son capitaine de prendre des passagers sans rien leur demander. Je me montrai aussitôt intéressée.

« Mais où allez-vous donc, damoiselle ? Hier, votre destination était Dumbarton au sud par le golfe de Clyde, aujourd'hui vous voulez aller au nord sur le loch Linnhe, et demain...

— J'irai à Édimbourg, complétai-je. Si, bien sûr, il y a des routes qui nous y mènent à partir de Ballachulish...

— Tous les chemins mènent à Édimbourg, plus ou moins. Mais si vous voulez y aller par route, la plus directe et la plus proche d'ici est sans nul doute celle qui part d'Oban. Je ne comprends pas d'ailleurs pourquoi vous n'avez pas quitté Mull de ce côté-là, hier, avec tous les autres pèlerins.

— Sauf mon respect pour messire Hudson, je crois qu'il m'a mal conseillée, répondis-je. Je ne connais pas la région et il m'a proposé un itinéraire par la mer. Peu m'importe le moyen de transport pour me rendre à destination, ce qui compte pour moi, c'est de ne pas m'attarder. Je n'ai pas de grandes ressources et je ne peux me permettre de voyager longtemps. Même pour payer l'aubergiste, je suis en difficulté... »

Je le regardai droit dans les yeux, me demandant jusqu'à quel point je pouvais lui accorder ma confiance. Il ne cilla pas et soutint mon regard, avec un air franc et compatissant. Alors, je me lançai à l'eau. Je lui expliquai le but de mon voyage et lui révélai que je ne possédais que quelques pièces de monnaie ancienne, probablement en or. Il lâcha les mailles de son filet, se frotta la main droite sur ses braies et me la tendit.

« Je m'appelle Ailig O'Malley. Mon métier est passeur et je peux vous conduire à Oban, aujourd'hui même, si vous voulez. Là, je connais un armurier qui achète les objets en or. Si vous acceptez que je vous le présente, il examinera vos pièces. Si elles ont de la valeur, vous pourrez lui en vendre. Vous serez payée et me paierez en retour. Je ne prendrai pas au-delà de ma peine. Ce sera dix deniers, et je donnerai à l'aubergiste le denier que vous lui devez... »

Il vit dans mes yeux que j'étais hésitante. Je regardai sa main tendue un moment et, ne pouvant décemment pas la refuser, je la pris. Il dut sentir la mienne trembler légèrement.

« Je m'appelle Sorcha Lennox, messire O'Malley..., fis-je d'une voix ténue.

— Damoiselle Lennox, vous n'avez rien à craindre, me dit-il. Ai-je la tête d'un détrousseur ? Je suis un passeur de métier et un honnête homme. Je m'offre à vous aider. Mais vous pouvez aussi vous dépêtrer seule. Voyez ce gros navire, là : il part demain pour Oban. Il prend des passagers pour un sou* la traversée. L'armurier dont je vous ai parlé s'appelle Maxwell. Vous trouverez son échoppe dans la rue Du Fort… Je n'ai rien à cacher et je ne floue personne. Ceci dit, vous avez parfaitement raison de vous méfier. C'est normal ; je ferais la même chose à votre place.

— Je ne sais pas si vous avez la tête d'un détrousseur, car je n'en ai jamais rencontré, dis-je. Rien ne me permet de croire que vous voulez abuser de ma situation. J'accepte donc votre proposition, messire O'Malley. Quand souhaitez-vous partir ? »

Le grand ébranlement d'Etta allait bien au-delà des retrouvailles inespérées avec son fils Colm et de son insoutenable inquiétude pour Sorcha. Depuis le départ de la jeune fille, elle se sentait désemparée, démunie et presque étrangère au couvent. Elle s'était réfugiée dans l'hostellerie, vaquant aux diverses tâches, l'esprit ailleurs. Et cet ailleurs était fait de son passé d'errante, à la fois à l'intérieur du couvent et en marge de celui-ci. Elle n'avait jamais pleinement assumé le rôle de moniale, ni longtemps celui de mère.

En retrouvant son fils abandonné, elle se souvint de la mère et de la nourrice qu'elle avait été jadis à Uist. Mais en laissant partir Sorcha, elle avait perdu tout ce qui avait fait d'elle une véritable mère. Cette enfant, elle

* Un sou vaut douze deniers.

devait bien s'avouer qu'elle la chérissait comme sa propre fille. Colm était un homme mûr qui avait grandi sans elle et qui n'avait nul besoin de sa protection, alors que la jeune Sorcha incarnait à ses yeux la vulnérabilité et l'innocence mêmes.

Ce matin-là, tremblante de fatigue et de vieillesse, elle guetta longtemps les deux voyageurs par la fenêtre de l'hostellerie dont elle avait ouvert tout grand les volets. Des larmes roulaient sur ses joues sans qu'elle songeât à les essuyer. Ils apparurent enfin, en haut de la colline, et quand leurs montures passèrent sous sa fenêtre, elle vit distinctement Baltair MacNèil lui adresser un signe de la main et de la tête. Alors, elle poussa un soupir et s'accrocha à la promesse que son fils lui avait faite en la quittant la veille : retrouver Sorcha et la ramener auprès de la châtelaine de Mallaig.

Baltair et Colm descendirent au quai d'Iona et mirent pied à terre. Aucune barge n'était en vue. Ils se consultèrent du regard, sachant bien ce qu'ils pensaient l'un et l'autre, et ils s'assirent à l'écart des trois pèlerins qui se trouvaient là. Ils espéraient que le premier passeur à se présenter n'offrirait pas la même résistance à traverser leurs chevaux que celui qui les avait pris la veille. Ce dernier s'était montré plus que rébarbatif à leur demande, alléguant que les bêtes enlevaient la place aux pèlerins dans la barge et qu'ils s'avéreraient complètement inutiles sur la sainte île.

En son for intérieur, Baltair devait reconnaître que le passeur avait raison : se déplacer à cheval sur une île aussi petite était honteux. Il jeta un œil du côté des trois passagers et surprit leurs regards malveillants qui confirmaient son erreur de jugement : il aurait normalement dû confier les chevaux à un paysan de Mull, avant de traverser à Iona.

« Colm, décris-la-moi encore, demanda-t-il à son compagnon, les yeux fixés sur l'île de Mull.

— Ma mère prétend qu'elle est très grande, une tête de plus qu'elle-même. Elle porte, soit une tunique de serge brune, soit un bliaud vert. Elle n'a pas dit dans quelle étoffe, le bliaud… Bon, ensuite, Sorcha Lennox a les cheveux bruns, presque noirs. Pas bouclés et pas relevés dans une coiffe. Elle se fait une seule tresse qui lui descend jusqu'à la taille. Elle n'a pas dit si la taille est fine ou non… Bon, continuons. Ses yeux sont également bruns. Elle en a deux… »

Rapide comme l'éclair, Baltair décocha un coup de gant à son beau-frère qui l'évita de justesse en basculant le corps en arrière.

« Hé oui ! Et elle a dû te raconter que Sorcha Lennox a deux oreilles, deux bras, deux jambes, dix doigts et dix orteils…, siffla Baltair.

— Que nous n'aurons pas l'occasion de voir si elle porte ses chaussures en peau de veau marin, poursuivit Colm en se redressant. Elles sont doublées à la semelle et lacées sur la cheville. Ma brave mère n'a pas dit si les chevilles sont fines…

— Silence, ça suffit, espèce de sot ! Avec une telle description, je suis sûr de la reconnaître parmi cent…, fit Baltair, exaspéré. Je n'en ai rien à faire qu'elle ait ou non la taille et les chevilles fines. Par contre, toi, cela semble beaucoup t'intéresser…

— Voyons, messire, répliqua Colm, espiègle. Je suis un homme marié… et joliment marié. Chacun sait que votre sœur est une beauté qui va finir par me damner. Aucune jouvencelle, si belle soit-elle, ne pourra la supplanter dans mon cœur et dans mon lit…

– Tais-toi, te dis-je ! Ne me fais pas regretter d'avoir renvoyé Craig à Mallaig à ta place », gronda Baltair.

Il songea au retour du chevalier Craig et il essaya d'imaginer l'accueil que son père lui avait fait. Iain Mac-Nèil avait-il approuvé la décision de son fils d'avoir scindé la petite garnison et d'avoir envoyé Craig avec Gawin pour raccompagner au château les jumeaux indisciplinés ? Baltair se rassurait en se disant qu'il n'avait pas l'odieux d'avoir chassé ses frères puisque, par leur comportement, ils s'étaient eux-mêmes exclus de l'expédition.

Avec la fuite de Sorcha Lennox, la mission prenait un tour nouveau. L'opération ne consistait plus à enlever une jeune fille d'un couvent, mais bien à la sauver des dangers qui la guettaient sur la route d'Édimbourg.

« Sorcha n'a qu'une idée en tête, c'est de retrouver la tombe de son père, avait confié Etta à son fils. Qu'elle soit la proie des malfaisants sur les chemins ne l'inquiète nullement ! Cette pauvre enfant ignore tout du monde. Elle croit que son couteau va la sortir des pièges et la prémunir contre les attaques, mais elle ne sait même pas s'en servir. Si vous ne la retrouvez pas très rapidement, elle est perdue ! »

Baltair savait que la mère de Colm avait raison. Sorcha Lennox n'était pas en sécurité en dehors d'Iona et s'exposait à de multiples périls partout ailleurs. Mais tout bien considéré, il préférait prendre en chasse la jeune fille sur la route d'Édimbourg que de l'enlever sur l'île d'Iona. Quant à la ramener à Mallaig, cela demeurait le but de l'équipée et le propre de sa mission.

Dans cette perspective, Baltair estima qu'ils allaient mieux s'en tirer à deux hommes qu'à six. Un moment, il observa Colm qui ne lui parut pas affecté par la rencontre avec sa mère. Au contraire, son beau-frère jouissait visiblement de sa sortie hors les murs de Mallaig. Sa désinvolture et son côté taquin en témoignaient éloquemment.

Un nuage passa devant le soleil et tout le paysage s'obscurcit. Quelques gouttes se mirent à tomber. Baltair tourna son regard vers le détroit et aperçut une barge de passeur qui avançait sur les eaux agitées. Il bondit aussitôt sur ses pieds, décidé à faire partie de la première traversée. Le temps jouait en sa défaveur. Sorcha Lennox, bien qu'elle fût à pied, avait déjà quarante-huit heures d'avance sur eux. « Même si elle ne peut pas être rendue bien loin, pensa-t-il, je ne suis pas sûr de la retrouver aujourd'hui ni demain. Ce contretemps risque d'empêcher ma participation au Tournoi des îles, mais tant pis. »

Sentant mon couteau battre contre ma cuisse à chaque pas, je marchais le dos un peu raide, aux côtés du passeur Ailig O'Malley dans les rues d'Oban. La traversée s'était déroulée presque en silence, par grand vent. Nous avions si peu échangé ensemble que je me demandais s'il ne s'apprêtait pas à rompre son engagement envers moi. Aussi, je respirai plus à l'aise quand j'aperçus enfin l'enseigne du maître armurier.

Maxwell travaillait seul, sans apprenti, dans une échoppe basse qui ressemblait beaucoup à une forge. Un large brasier, une enclume, un bassin d'eau et une longue table surchargée de marteaux, de formes pour modeler les plaques d'armure, de poinçons et de rivets de tous formats occupaient la longue pièce. Au fond de celle-ci se trouvait une porte ouverte sur ce qui devait être son logement.

Mon guide et l'armurier se saluèrent chaleureusement comme deux hommes qui se connaissent de longue date, puis je fus présentée. Le but de ma visite intéressa tout de suite Maxwell qui entreprit de m'expliquer ce qu'il faisait avec l'or fondu. Il me montra la visière d'un heaume qu'il agrémentait de fleurons en or. Je vis également des gantelets de chevalier et un chanfrein pour le cheval, garnis de la même façon.

« Je ne m'intéresse pas à la valeur des pièces anciennes, mais à leur poids en or, me dit-il. Il en va de même pour tout autre objet. L'hiver dernier, on m'a vendu un énorme chandelier que j'ai entièrement fondu. Il provenait probablement d'une église, mais je m'en fiche. La simonie, ce n'est pas mon affaire. Ce qui compte, c'est l'or que je peux tirer de ce que j'achète. Habituellement, dans des pièces de monnaie, il n'y en a pas beaucoup, mais montrez-moi les vôtres. Je vais voir ce que je peux vous en donner… »

Avant que je n'ouvre mon aumônière, un homme grand et armé entra dans l'échoppe, flanqué de deux gardes. Il devait s'agir d'un seigneur important, car l'armurier m'abandonna pour le servir avec empressement. Au même moment, nous entendîmes une voix éraillée qui venait du logement :

« Qui arrive ? Maxwell, c'est le médecin qui est là ?

– Non ! Cesse de crier, répondit-il, ennuyé. Il ne viendra pas ce matin… je te l'ai pourtant dit !

— Votre femme est encore souffrante, Maxwell ? demanda le seigneur.

— Bah ! Elle ne fait que se plaindre, lui répondit l'armurier. Et puis, les médecins… Vous savez ce que c'est, mon seigneur. Ils viennent une heure et repartent avec le fruit d'une journée de travail. »

Puis, se tournant vers moi, Maxwell ajouta :

« Excusez-moi, damoiselle Lennox. Je vous reviens bientôt. Le chevalier que voici s'apprête à partir pour le Tournoi des îles et vient chercher ce qu'il m'a confié de son équipement…

— Prenez votre temps, maître Maxwell. Si vous voulez, je puis examiner votre femme en attendant. Je m'y connais un peu dans les soins aux malades…, avançai-je.

— Faites, faites ! Elle est par là », siffla-t-il en montrant du menton la porte du logement.

J'interrogeai Ailig O'Malley du regard et il haussa les épaules. Il s'assit sur un banc, l'armurier reprit le service de son client et j'allai voir la malade. Elle était assise à l'entrée, sur un lit encombré de linges souillés. Deux autres femmes s'activaient à cuisiner autour du feu près de la fenêtre. Au fond, un jeune enfant jouait par terre avec des fuseaux de bois. Le plafond de la pièce était si bas que je dus incliner la tête en passant sous une poutre.

« Vous êtes guérisseuse, damoiselle ? J'espère que vos traitements ne sont pas de la sorcellerie, dit la malade de but en blanc. Mon mari fait des histoires quand je demande un médecin, mais nous ne sommes pas des indigents. Nous pouvons consulter de vrais savants…

— Ma dame, je ne veux pas m'imposer, lui répondis-je. Si vous préférez attendre votre médecin… Mais sachez que je n'administre pas de remèdes de charlatan. J'ai appris à guérir avec les religieuses et ma science est la leur : la médecine des plantes et des simples.

– Quelles religieuses ? fit-elle, sur la défensive.

– Les augustines du couvent Sainte-Marie à Iona, ma dame.

– Vous sortez d'un couvent et vous avez des pièces d'or avec vous…, ajouta-t-elle, de plus en plus méfiante.

– J'ai reçu un héritage, ma dame… Écoutez, je vais me retirer, je ne veux pas vous déranger davantage, fis-je, peu désireuse d'aller plus loin dans les confidences.

– Non ! protesta-t-elle. Restez. Examinez-moi. Venez ici, je vais vous expliquer ce qui ne va pas… »

Je ne découvris rien d'autre que des troubles de digestion chez la femme de l'armurier, mais je pris néanmoins tout mon temps pour l'écouter et la conseiller. À la fin, elle m'invita à boire un verre de clairet qu'elle commanda à l'une des femmes qui se trouvaient avec elle.

« Mon mari ne croit pas à mes malaises, me chuchota-t-elle. Il regimbe à payer un médecin. Les hommes ont peur de la maladie et c'est pourquoi ils ne veulent pas en entendre parler. Entre femmes, on se comprend mieux à ce sujet. Laissez-moi vous donner un conseil, moi aussi, à propos de votre monnaie en or : si vous pensez qu'elle est ancienne, allez voir l'évêque de Glasgow. Il vous en donnera beaucoup plus. C'est un connaisseur. C'est ce que j'ai suggéré à un moine, l'hiver dernier. Il nous est arrivé avec de gros morceaux tout ternis parce qu'il les avait laissés dans l'eau de mer. Presque uniquement des objets religieux. S'il les avait tous cédés à mon mari, il n'en aurait pas tiré grand-chose.

Allez, faites ce que je dis, damoiselle. Si vous avez besoin d'argent, vendez vos pièces à l'évêque.

– Je vous remercie, ma dame. J'y penserai », lui promis-je en la quittant.

Je fus bien avisée de suivre ce conseil. Quelques minutes plus tard, Maxwell m'offrit si peu pour mes pièces que je ne lui vendis que le nécessaire pour payer le passeur, plus cinq sous pour mes dépenses immédiates. Durant l'échange, je pris soin de ne pas lui montrer le contenu de ma bourse, ni ne mentionnai que je possédais d'autres petits objets en or. Bien que l'armurier s'avérât un acheteur peu intéressant pour moi, je ne pouvais pas en vouloir au passeur de me l'avoir présenté. Aussi, je témoignai de la reconnaissance à mon guide de Lochaline quand je pris congé de lui après la vente.

Une heure après mon arrivée chez Maxwell, je sortis de son échoppe, plus incertaine que lorsque j'y étais entrée. Ma première expérience de transaction démontrait que le « tribut de la Vierge » allait constituer un problème plus qu'une solution aux besoins de ressources pour le voyage. En me dirigeant vers la place publique, j'inscrivis la ville de Glasgow sur mon itinéraire vers Édimbourg. Une pensée occupait mon esprit depuis ma conversation avec la femme de l'armurier : le moine dont elle avait parlé, vendeur d'objets liturgiques qui avaient séjourné dans la mer, pouvait-il être frère Gabriel ? Étais-je en train de répéter avec le « tribut de la Vierge » le commerce qu'avait exercé mon ami quelques mois plus tôt avec le « trésor du Fils » ? Mon cœur se mit à battre plus fort. « Frère Gabriel, me dis-je, si vous êtes allé chez l'évêque de Glasgow, je vais l'apprendre et j'aurai enfin la certitude que vous êtes vivant ! »

Ce mardi était jour de marché à Oban. Autour du puits communal, les marchands avaient dressé leurs étals, exposant à la vue des passants de la nourriture, des étoffes, des cuirs et des contenants en terre et en bois. Je passai près d'un petit enclos qui regroupait quatre chèvres et deux bœufs. Perché sur la clôture, un jeune bouvier les criait, l'air peu convaincu. Je lui souris et poursuivis mon exploration du marché. Devant un étal de fromages et de pâtés, incapable de résister à l'odeur alléchante qui s'en dégageait, je m'achetai une petite tourte chaude que j'engloutis en trois bouchées.

J'atteignis d'un pas tranquille le bout de la place publique. Là, un vendeur de laine bouchonnait le cheval attelé à son chariot chargé de ballots. Une fillette d'une dizaine d'années était assise sur l'un d'eux et m'examinait d'un œil curieux. Je m'en approchai et la saluai. Elle me répondit avec un air ravi :

« Bonjour, ma dame ! Êtes-vous dame Arabel, celle que mon père attend ? s'enquit-elle.

— Non, je ne le suis pas. Je suis Sorcha Lennox, lui répondis-je. Qui est dame Arabel ?

— C'est la marchande de laine. Elle va nous acheter tout notre lot aujourd'hui. Mon père ne vend qu'à cette dame depuis des années. Cela lui évite d'être absent trop longtemps de notre ferme. Comme ça, il entre à Oban le matin et repart l'après-midi. Je m'appelle Ailina et mon père, c'est Bruce l'éleveur. Je l'accompagne pour la première fois. »

La petite semblait si contente de parler avec moi qu'elle m'invita à prendre place avec elle sur un ballot de laine. Avec l'accord de son père, je grimpai dans le chariot et m'installai confortablement à ses côtés. Elle m'apprit que leur ferme se trouvait à une vingtaine de miles, à la tête du loch Awe. C'était à l'est, sur la route menant à Glasgow. L'enthousiasme qu'elle mit à répondre à toutes mes questions m'amusa tant et si bien que je demeurai une heure à bavarder en sa compagnie.

Messire Bruce nous jetait de temps à autre un œil bienveillant, dans lequel je reconnus l'amour paternel, pour l'avoir surpris dans le regard de mon propre père. Il reçut enfin la visite de la marchande qu'il attendait et conclut rapidement sa vente. Les hommes de dame Arabel déchargèrent tous les ballots, nous obligeant, la fillette et moi, à descendre. Déplorant de devoir me quitter et alléguant que leur ferme était sur ma route, la fillette supplia son père de m'emmener avec eux. Messire Bruce accepta sans se faire prier. Sa fille s'empara de ma main, les yeux brillants de bonheur et je ne pus me retenir de lui donner un baiser sur le front.

Nous reprîmes place à bord du chariot qui s'ébranla et sortit d'Oban sous un ciel bleu de fin d'après-midi, m'emportant de nouveau sur la route avec des inconnus. Je souris à mon destin qui se chargeait de tracer mon parcours vers Édimbourg, et d'y placer d'honnêtes gens pour m'y conduire.

L'enquête de Baltair commença aussitôt que la barge, sur laquelle il était monté avec Colm et leurs montures, atteignit le quai de Mull. Il se dirigea droit vers le seul charretier qui attendait les pèlerins sur le chemin. Nonchalamment adossé à sa voiture, ce dernier mâchonnait une tige de foin et examinait, sous la lisière de son large chapeau de paille, le jeune chevalier et son acolyte qui faisait descendre les chevaux. Il les avait reconnus.

« Messire, se présenta Baltair, je suis Baltair Mac-Nèil de Mallaig. Je suis à la recherche d'une jeune fille qui a traversé, dimanche dernier. Avez-vous pris des passagers ce jour-là ?

— Bien possible. J'en prends à tous les deux jours durant la saison, marmonna le charretier.

— Elle s'appelle Sorcha Lennox…, poursuivit Baltair en fouillant dans la bourse en cuir attachée à sa ceinture.

— Je ne demande pas le nom de tous mes passagers… Et puis, je n'étais pas le seul charretier dimanche dernier. Nous étions quatre voitures dans le convoi qui a traversé l'île. Il devait bien avoir une vingtaine de pèlerins qui ont pris place à bord, répondit l'homme rendu plus bavard à la vue des pièces dans la main du jeune chevalier.

— Ha ! je vois, dit Baltair avec dépit. La jeune fille que je cherche est grande, heu… à peu près de ma taille, cheveux bruns et yeux bruns… elle porte un bliaud… ou une tunique verte, enfin… Cela vous rappelle-t-il quelque chose, messire ?

— Oui, mon seigneur. Et cela devrait vous rappeler quelque chose à vous aussi, répliqua le charretier en tendant la main. Vous l'avez croisée, votre jeune fille, hier matin.

— Où ça ? fit Baltair, ébahi.

– Quelques miles avant la baie de Fishnish… Elle était montée à côté de moi », dit le charretier en montrant, d'un mouvement de la tête, sa voiture derrière lui.

Stupéfait, Baltair laissa tomber deux pièces dans le creux de la main du bonhomme, puis se tourna vers Colm qui l'avait rejoint, les brides de leurs montures à la main.

« Tu l'as vue, toi ? On a croisé cette voiture ? Je n'ai rien vu, moi, bredouilla-t-il.

– Vous n'avez rien vu et moi non plus, parce que nous ne cherchions personne à ce moment-là…, répondit laconiquement Colm.

– Ils ont traversé à Lochaline, ajouta le charretier, un sourire sournois au coin des lèvres.

– Qui ça, "ils" ? répliqua Baltair, vaguement inquiet.

– Bah, elle et ceux avec qui elle voyageait. Hudson, le drapier et sa femme. Pas très recommandables, ces gens-là, surtout lui. On a peine à imaginer cet individu en pèlerinage, poursuivit le charretier sur un ton plein de sous-entendus.

– Bon, je vous remercie, coupa sèchement Baltair. Viens, Colm, on retourne à Lochaline !

– À vos ordres, messire, dit Colm qui rajouta à l'intention du charretier : Soyez salué, mon brave, passez une bonne journée et que Dieu vous garde ! »

Le charretier toucha le bord de son chapeau et regarda les deux cavaliers sauter en selle et déguerpir sur la route en soulevant un nuage poudreux dans leur sillage. Il cracha par terre.

« C'est ça, maugréa-t-il. Que Dieu vous garde et que le diable vous étouffe dans votre poussière ! »

Son imprécation ne fut pas exaucée, car une fine pluie accompagna Baltair et Colm tout au long de leur chevauchée à travers l'île de Mull. À la fin de la journée, ils atteignirent la baie de Fishnish, peu poussiéreux mais passablement mouillés. Ils mirent pied à terre sur la plage et scrutèrent la rive de Lochaline de l'autre côté du détroit, à la recherche du passeur. Quand le jour commença à descendre, aucun passeur ne s'était montré ; les deux hommes durent se résigner à camper pour la nuit.

Baltair se sentait à la fois impatient et contrarié. Les propos du charretier l'avaient alarmé en lui rappelant combien Sorcha était à la merci des gens qu'elle rencontrait. Et de s'imaginer qu'il avait tout bonnement croisé la jeune fille, sans y prendre garde, lui démontra à quel point il pouvait être exaspérant de poursuivre une personne qu'il n'avait jamais vue. Il dormit très mal, enroulé dans son plaid humide.

Chapitre XI

Changer d'identité

Je passai cinq jours chez Bruce, l'éleveur. Sa famille vivait sur un plateau au milieu de la lande, dans une maison solide, coiffée d'un épais toit de chaume et entourée d'un troupeau de moutons. Deux bambins et une mère, enceinte de plusieurs mois, me firent bon accueil le soir de notre arrivée. Le lendemain, voyant l'état des travaux domestiques, je décidai d'offrir mon aide à la femme et mis la jeune Ailina à contribution. Le rythme du labeur, que j'avais perdu depuis mon départ d'Iona, m'apporta la sérénité et apaisa mon inquiétude latente.

J'eus le temps de beaucoup repenser à Etta et à ses conseils et, à l'évocation de nos adieux, je ressentis son grand désarroi. Comme ce dimanche de mon départ d'Iona me sembla loin, soudain ! Que de chemin j'avais parcouru en quelques jours ! Ma vie de fuyarde était tout enveloppée d'une fébrilité où mes peurs se mélangeaient à l'émerveillement d'être libre et de voyager.

Un soir, le goût d'écrire à Etta me vint avec force, surtout pour la rassurer sur ma situation. Mais mon amie ne savait pas lire et je n'avais d'ailleurs pas la possibilité d'utiliser un courrier. Puis, je songeai à ma mère et me rendis compte à quel point nous nous étions éloignées l'une de l'autre durant notre séjour à Iona. J'étais certaine qu'elle était allée de l'avant dans son projet de noviciat à Sainte-Marie et j'espérais que ma fuite n'y avait pas fait obstacle. Je craignais, en effet, la réaction de sœur Béga face à mon départ de Sainte-Marie et la forme de représailles qu'elle exercerait contre ma pauvre mère, qui pouvait aller jusqu'à lui refuser de prononcer ses vœux. « Mais je suis partie, me dis-je. Inutile de revenir en arrière. Je n'ai aucune raison de me morfondre pour ma mère, car elle va rester à Iona, c'est son destin… Le mien est d'aller dire adieu à mon père. »

Le dimanche, jour de la Saint-Pierre, j'accompagnai mes hôtes à l'église paroissiale. Une pluie drue tombait depuis l'aube et les chemins étaient fort boueux. Par précaution, j'avais emporté mon sac avec moi et je m'en félicitai, car je quittai ce jour-là la famille de Bruce, l'éleveur.

Une petite troupe de ménestrels s'étaient installés sur le parvis de l'église, avec leur voiture fermée par des toiles bariolées. Au sortir de la messe, ils présentèrent aux paroissiens un mystère chanté et joué au son d'une harpe et d'un rebec. Mais ils durent bientôt interrompre leur représentation à cause de la pluie. Fascinée par ce divertissement si rare, la famille de messire Bruce s'attarda autour des membres de la troupe.

Trois jeunes hommes, hardis et expressifs, et une fille nommée Janet, réservée et nerveuse, composaient ce curieux ensemble d'interprètes. Ils arrivaient des Highlands, où ils avaient fait le tour des châteaux, et redescendaient vers le sud, en direction de Glasgow. Les deux plus grands, Archibald et Robert, étaient les plus jaseurs, se coupant la parole l'un l'autre en racontant leurs histoires. Ils s'exprimaient en langue scot et savaient aussi le latin. Un seul d'entre eux, Haki, se débrouillait en gaélique, ce qui m'étonna fort.

Je découvris plus tard, durant le voyage, que plus je m'éloignais des Highlands, moins j'entendais de gaélique. Nous avions toujours parlé le scot à Morar, car c'était la langue de mon père qui venait des Lowlands ; par contre, j'utilisais le gaélique avec ma mère qui était une Highlander. À Iona, les moniales parlaient l'une ou l'autre langue, tout comme les voyageuses à l'hostellerie. Frère Gabriel s'exprimait en gaélique et en latin, dame Gunelle correspondait en scot et Baltair MacNèil employait un mélange de scot et de gaélique dans une même lettre. Naïvement, je m'étais imaginé que tous les Écossais parlaient indifféremment scot et gaélique. Ces ménestrels natifs des Lowlands me détrompèrent. Je constatai vite que, à quelques exceptions près, la langue gaélique n'avait cours que chez les Écossais des Highlands et de l'archipel des Hébrides.

Curieuse, moi aussi, je m'approchai de la voiture et admirai avec ébahissement son installation. Tout était coloré dans ce fatras de draperies, de voiles et de décors peints. J'aperçus une levrette blanche aux yeux exorbités, tapie dans un coin et, dans une petite cage dorée, deux oies grasses. Sur le dessus de celle-ci reposait une collection de chapeaux de tout genre, surmontés de plumes teintes de couleurs criardes, empilés les uns dans les autres. Les ménestrels eux-mêmes portaient des habits invraisemblables, réversibles et très longs, relevés dans leur dos avec des épingles.

Fascinée, je les écoutai tout en les dévorant des yeux. Messire Bruce, qui remarqua mon intérêt, me suggéra de partir avec eux, s'ils acceptaient de m'emmener. Haki l'entendit et, sans préambule, me pria de me joindre à la troupe. Il le fit avec une telle sincérité que je n'hésitai pas une minute et j'acceptai le bras qu'il me tendit pour me hisser à bord de la voiture. Quand l'équipage se mit en branle peu après, j'agitai une main heureuse à l'endroit de l'aimable famille qu'avait été pour moi celle de Bruce, l'éleveur de moutons. Une semaine s'était maintenant écoulée depuis mon départ du couvent et, confiante, j'entreprenais une nouvelle étape de mon voyage en compagnie des ménestrels Robert, Archibald, Haki et Janet.

Protégés de la pluie sous un porche, Baltair et Colm s'étaient postés près de l'église d'Oban pour mieux observer l'entrée des paroissiens à la messe. Le jeune homme espérait surprendre Sorcha Lennox, car, il en était certain, si elle était encore à Oban, elle ne manquerait pas l'office du dimanche. Il doutait cependant que la jeune fille fût toujours dans le bourg, qu'il avait, sans succès, passé au peigne fin avec son beau-frère. Par ailleurs, comment et avec qui aurait-elle quitté Oban, alors qu'aucune carriole de voyage n'était entrée ou sortie du village ces derniers jours ? D'un regard perçant, Baltair scruta chaque femme qui traversait la place. La pluie avait forcé les gens à se couvrir, et les capuchons laissaient peu entrevoir les visages, ce qui décuplait la nervosité du jeune homme.

« Montre-toi, marmonna-t-il entre ses dents. Voilà trois jours perdus à te chercher dans ce bourg, sans compter que tu me fais manquer le Tournoi des îles...

— Patience, messire, susurra Colm. Il y aura bien quelqu'un qui l'aura vue depuis mardi... si Ailig O'Malley ne vous a pas menti, bien entendu.

— Ce satané passeur de Lochaline ne me dit rien qui vaille, affirma Baltair qui, prenant un air soupçonneux, imita Ailig O'Malley : "Que lui voulez-vous, à cette damoiselle ?" On aurait dit qu'il se prenait pour son garde, ajouta le jeune homme en élevant la voix. Si cela se trouve, il nous a lancés sur la mauvaise piste et Sorcha Lennox n'est jamais venue à Oban en quittant Iona.

— Si, messire, elle y est venue, dit une passante qui s'était arrêtée, attirée par la parure de cou que le jeune homme exhibait.

— Comment le savez-vous, ma dame ? dit Baltair en sursautant.

— Parce qu'elle est passée, mardi, à l'échoppe de mon mari, Maxwell l'armurier, répondit-elle en détaillant le chevalier d'un œil expert.

— Pour y faire quoi ? laissa échapper Baltair, éberlué. Elle n'a pas d'armure...

— Ah, mon mari fait un travail des plus spécialisés, messire ! On lui commande des pièces de partout dans le comté, et pourquoi ? Parce qu'il fond l'or et en garnit l'équipement des chevaliers. Et c'est précisément pour l'or que Sorcha d'Iona lui a rendu visite. Elle lui en a vendu », expliqua la femme de l'armurier, satisfaite d'elle-même.

Interloqué, Baltair regardait la femme de Maxwell plantée devant lui, babillant tout en tirant sur son capuchon. Il ne savait plus quoi dire. Que Sorcha Lennox possédât de l'or dépassait l'entendement ! Colm fut le premier à réagir et poursuivit l'enquête :

« Comme c'est intéressant, ma dame ! Nous n'avions jamais pensé que l'or pouvait se travailler ailleurs que chez les orfèvres. Heu… dites-moi, pensez-vous que damoiselle Sorcha soit encore à Oban ? Nous avons un message pour elle…

— Je n'en sais rien. Je n'ai pas pu la revoir, car je ne suis pas sortie de chez moi cette semaine. J'ai été souffrante et, avec ce temps, mon état ne s'arrangera pas… Mais si elle a quitté Oban, messire, c'est sans doute pour aller à Glasgow.

— Vraiment ? Elle vous a dit qu'elle devait s'y rendre ? poursuivit Colm, d'un air détaché.

— Non, c'est moi qui lui ai suggéré de voir… »

Jetant un œil vers Maxwell qui s'amenait, elle s'interrompit. Elle se pencha précipitamment à l'oreille de Colm et lui souffla : « L'évêque achète la monnaie ancienne… » Puis, sans plus un mot, la femme se détourna et suivit son mari vers l'église.

« Cette Sorcha est incroyable ! s'exclama Baltair quand le couple se fut éloigné. Où a-t-elle bien pu dénicher de l'or ? Tu vois, Colm, je doute qu'il s'agisse bien d'elle. Ça me semble tellement invraisemblable…

— À moi aussi, messire. Pourtant, je suis certain que c'est bien de Sorcha Lennox que la femme de

299

Maxwell parlait. Souvenez-vous, elle a dit "Sorcha d'Iona". Peut-il y avoir deux Sorcha sur la sainte île ? J'avoue qu'il est intrigant de savoir cette fille en possession d'or…

— Si cela est, je suis soulagé de penser qu'elle n'est pas complètement démunie pour voyager…, murmura Baltair en se grattant la tête.

— C'est au contraire très inquiétant, messire, dit Colm. Une jeune fille de quinze ans, seule et inexpérimentée, avec de l'or dans sa besace… Vous voyez ce que je veux dire ? »

Baltair ne répondit pas. Un voile d'anxiété passa dans son visage. Il prit une profonde inspiration et examina les derniers paroissiens à entrer dans l'église, en se demandant ce qu'il fallait faire. Devait-il déduire que Sorcha Lennox avait quitté Oban et se lancer sur sa piste en direction de Glasgow ? Devait-il attendre encore et essayer de rencontrer d'autres personnes qui, comme la femme de l'armurier, pourraient le renseigner sur la jeune fille ?

La présence d'or entre les mains de la fuyarde changeait toute la donne. Il était maintenant permis de penser que Sorcha Lennox se procurerait des biens, tels de nouveaux vêtements qui brouilleraient la description sur laquelle il s'appuyait ou, encore, qu'elle acquerrait une voiture ou un cheval, ce qui accélérerait sa progression vers Édimbourg. « Aujourd'hui, elle a une semaine d'avance sur moi », conclut Baltair pour lui-même.

Silencieux, Colm observait son beau-frère et devinait assez bien le cours de ses pensées. Il sourit de contentement quand il entendit son jeune maître prendre la décision qu'il espérait : galoper jusqu'à Glasgow.

Malgré la grosseur de la voiture, j'estimai l'équipage des ménestrels très rapide. Le robuste cheval qui le tirait était alerte et Haki avait la main leste sur les guides. Il encourageait régulièrement la bête à accélérer par un registre de sifflements aussi variés que les notes d'un flûtiau.

Vers midi, nous atteignîmes le loch Fyne et la pluie cessa. À l'intérieur de la voiture, après que nous eûmes amplement fait connaissance, Janet, Archibald et Robert s'endormirent. Pour leur laisser plus d'espace, je montai à côté d'Haki, sur le banc. Si j'avais conservé une prudente réserve avec les ménestrels et ne m'étais pas beaucoup livrée, je m'ouvris davantage quand je fus seule avec Haki durant tout l'après-midi.

Le garçon avait treize ans et il était le frère de Janet, de cinq ans son aînée. Sous son calot de cuir, sa tignasse rousse et bouclée lui collait au front et ses larges épaules contrastaient avec son aspect maigrichon. Il ne chantait ni ne jouait d'un instrument, mais il assurait le confort de la troupe, agençait les décors du théâtre, transportait le matériel, soignait le cheval, la levrette et les oies et, enfin, réparait et conduisait la voiture.

J'appris également qu'il agissait à titre de gardien. Il me montra un couteau qu'il extirpa de sa ceinture et fit, dans les airs, quelques passes rapides avec la main gauche. Je sortis le mien et lui prêtai. Enroulant la bride autour de son avant-bras, il prit mon arme pour l'examiner avec ses deux mains. Il la retourna plusieurs fois, émit un sifflement admiratif et me demanda de lui faire une démonstration de son maniement.

« Montre voir comment tu fais, me fit-il, en me re-
donnant le couteau.

– Je ne m'en suis jamais servie pour me défendre.
Je l'ai surtout utilisé comme couteau de chasse, pour
dépouiller des lièvres et des lagopèdes, répondis-je en
saisissant le couteau par la lame.

– Cela paraît, tu le prends de la mauvaise manière,
constata-t-il. Chasser, c'est bien différent que de se battre. Si tu voyages seule jusqu'à Édimbourg, tu auras
plus souvent à te défendre qu'à chasser…

– Je sais que tu as raison, Haki, lui dis-je. J'aimerais beaucoup… Enfin, je veux apprendre. Peux-tu me
montrer comment m'en servir contre une attaque…
quand tu en auras le temps ?

– J'ai toujours le temps, Sorcha. Je suis très heureux de te montrer ce que je sais faire. Je suis plutôt habile avec cette arme-là. Je ne m'en vante pas, mais j'ai
déjà tué un homme. Un seul coup à la gorge et il s'est
vidé en un rien de temps. Il s'en était pris à ma sœur… »

Je frissonnai en entendant cela. Haki s'en aperçut
et s'interrompit avec un sourire contrit. Il me laissa
l'initiative de la conversation et garda presque le silence
pour le reste du trajet. J'en vins même à penser qu'il ou-
blierait son offre, mais, lorsque la voiture fit halte pour
le souper, il me la rappela.

Par une descente abrupte, notre équipage avait atteint le loch Lomond, grand et majestueux, qui s'étendait à perte de vue sur notre droite comme sur notre
gauche. Nous sautâmes en bas de la voiture pour nous
dégourdir les jambes. J'étais émerveillée du paysage et je
me tins longtemps sur la grève à le contempler. Haki
vint me trouver, accompagné du cheval, de la levrette

blanche et des deux oies qui se précipitèrent à l'eau. Il laissa brouter le cheval dans les fougères du sous-bois et lança des bâtons à la levrette pour la faire courir.

Avisant une souche pourrie et assez haute, il sortit son couteau et me fit signe de prendre le mien. Il s'approcha de l'amas de bois mou et le tritura de son arme pour en vérifier la résistance. Il exécuta ensuite deux ou trois pas d'évitement sur place, quelques voltes des bras et piqua son couteau profondément dans la souche.

« Hop là ! Au ventre ! lança-t-il. Attention, on laisse la lame à cet endroit une seconde, on enfonce bien, et, d'un coup, on remonte vers le haut, dans les côtes. L'ennemi ne se relèvera jamais. »

Il retira le couteau, me jeta un œil pour apprécier l'attention que j'accordais à sa démonstration, puis exécuta un nouveau coup sur une autre partie de l'arbre.

« Vlan ! À l'épaule ! Ici, on n'attend pas. Sitôt la chair perforée, tu descends ta lame vers le cœur… Si ton agresseur est armé et qu'il porte son arme de ce côté-là, tu es certaine qu'il va l'échapper. Si c'est de l'autre côté, tu fais la même chose avec l'autre épaule. Là… Maintenant, je refais plus lentement les deux passes ; après, c'est ton tour. Cette souche se désagrège vite. Je veux t'en laisser un peu… »

Je déglutis avec peine en regardant les lambeaux de bois que la lame d'Haki détachait à chaque assaut. Je sentais un goût âcre sur ma langue et mon couteau glissait dans ma main en sueur. À la seule idée de transpercer le corps d'un homme, mon cœur se révulsa ; je me demandai sérieusement si je voulais apprendre à me battre au couteau. La levrette choisit ce moment-là pour sautiller autour de moi, ce qui me sortit de ma torpeur momentanée.

« À toi, Sorcha ! » lança Haki en me faisant face.

Indécise, je baissai les yeux sur mon arme. Haki vint derrière moi, plaça mes doigts un à un autour du manche, puis il couvrit de sa main mon poing qu'il pressa. Je sentis sa chaleur passer de sa peau à la mienne.

« Tenir très ferme, légèrement vers le haut, chuchota-t-il à mon oreille. Vas-y maintenant ! »

Mon malaise se dissipa dès les premiers coups que je portai à la souche. J'eus droit à presque une heure de leçon et m'en tirai si bien que mon maître rayonnait de bonheur quand nous rejoignîmes le groupe autour du feu pour le souper. Archibald et Robert se mirent en frais de rapporter tous les événements qui avaient obligé la troupe à se défendre durant leur périple dans les Highlands. Quant à Janet, elle se taisait et épiait mes réactions. J'éprouvais certes de la fierté des compliments dont Haki me combla, mais je doutais de mes capacités à attaquer un adversaire en chair et en os. Un peu plus tard, quand je rangeai mon couteau dans mon sac pour dormir, il m'apparut sous un tout nouveau jour et j'en frémis. En faisant mes prières, je demandai au Tout-Puissant de m'épargner l'épreuve d'avoir à m'en servir pour occire.

Le lendemain midi, notre équipage entra à Dumbarton, sur la rivière Clyde. Dominé par un château perché sur un promontoire rocheux, le petit bourg se serrait autour de son port. J'examinai avec intérêt les navires qui y mouillaient. Je tentai d'imaginer à quoi ressemblait celui du seigneur McLeans, dans lequel le drapier avait voulu me faire monter. Finalement, n'avais-je pas atteint, avec une bonne semaine d'avance, la destination que le drapier m'avait proposée à mon départ d'Iona ?

« Haki, cria Archibald du fond de la voiture, monte directement au château ! L'intendant nous a demandé de repasser quand nous serions de retour. »

L'équipage bifurqua aussitôt sur le sentier qui grimpait à l'assaut de la colline entièrement occupée par le château de Dumbarton et ses fortifications. Je sortis la tête pour examiner l'édifice. Deux imposantes tours carrées et hautes de quatre étages étaient reliées par le corps de logis seigneurial, qui, lui, en avait trois. Archibald avait raison de dire que l'arrivée de la troupe était souhaitée, car la sentinelle cria la levée du pont dès qu'elle reconnut notre équipage.

Avec empressement, l'intendant nous accueillit dans la cour, se félicitant du hasard qui ramenait les ménestrels au château au moment où son maître organisait un grand banquet. Archibald, qui semblait agir comme porte-parole de la troupe, conclut rapidement avec lui les ententes relatives à notre séjour. Puis Haki disparut aux écuries avec la voiture, tandis que j'accompagnais Janet, Archibald et Robert à l'intérieur.

Considérée d'emblée comme un membre du groupe, je reçus le même accueil des gens du château qui, à mon grand soulagement, ne me posèrent aucune question. J'hésitais encore, par prudence, à révéler qui j'étais et d'où je venais. Je fus frappée par la facilité avec laquelle une parfaite étrangère comme moi pouvait être introduite dans une grande maison, du seul fait d'accompagner des gens connus des hôtes. Ainsi, je pus me promener librement avec Janet d'une pièce à l'autre du château et rencontrer la châtelaine et les dames de sa suite. Auprès de ces dernières, nous apprîmes que le banquet était offert en l'honneur d'Ingrid, la fille de la famille, qui venait de donner naissance à un héritier.

On nous pria de rendre visite à cette dernière et au nouveau-né dans leur chambre. C'est donc en la présence de la jeune mère, de son enfant et de la nourrice que nous passâmes le reste de la journée. Je constatai que Janet pouvait se montrer très avenante et loquace quand les circonstances l'exigeaient. Par un détour de la conversation sur les tenues vestimentaires, Ingrid se mit à parler de sa garde-robe et il ne fut plus question pour elle d'aborder d'autres sujets avec nous. Janet et moi nous prêtâmes de bonne grâce à l'exhibition des costumes que la fille du seigneur nous présenta avec force commentaires. Elle nous montra finalement des toilettes dont elle voulait se défaire en raison du changement de taille qu'elle avait subi lors de sa grossesse. Janet me jeta alors un œil si rapide que je fus la seule à saisir le message qu'il exprimait. Je pris conscience que les vêtements portés à Sainte-Marie paraissaient des plus communs et désuets, et qu'ils ne convenaient guère pour la maison d'un seigneur.

« Si l'une de ces robes me seyait, ma dame, dis-je discrètement à l'intention de la jeune mère, et que vous consentiez à me la vendre, je serais bien preneuse…

– Ah, damoiselle Sorcha, ne parlons pas d'argent ici ! s'exclama Ingrid. Cela m'amuse tant de vêtir une dame… Allons, essayons la plus longue tout de suite ! Déshabillez-vous, nous allons vous aider… »

Je n'aurais pu davantage enchanter notre hôtesse qu'avec cette demande. Durant une heure, la chambre se convertit en salle d'habillage, où j'enfilai tour à tour deux bliauds à corset et passementerie, deux robes lacées en futaine et une cotte en drap vermillon. Finalement, je fixai mon choix sur une robe pourpre très simple et à peine usée. Elle était en futaine veloutée, cintrée à la taille et lacée sur la poitrine avec des rubans de velours. La jupe extrêmement large retombait en de volumineux plis qui camouflaient deux larges poches. Attachées avec des cordelettes et de petites agrafes en bronze finement ouvragées, ses longues manches fendues sous le coude et au poignet laissaient paraître ma chemise blanche qui faisait un élégant contraste.

Je souris à la longue glace devant laquelle Ingrid me poussa, ravie de mon choix. Ma silhouette me stupéfia : je remarquai la longueur de mon cou que le décolleté dégageait, le galbe de ma poitrine et de mes hanches, ainsi mises en valeur par la coupe du vêtement. En découvrant cette nouvelle image de moi-même, je constatai que mon corps était bien devenu celui d'une femme ; j'en reçus confirmation par le regard admiratif de Janet au-dessus de mon épaule. « Oh, mère, mère chérie, ma pauvre mère, songeai-je en soupirant, comme vous seriez éblouie et fière de contempler votre fille aujourd'hui ! Et toi, mon aimable Etta, vois les larges poches qui pourront recevoir mon couteau et des sachets de sauge ! »

Renonçant à fouiller chaque lieu qu'il traversait avec Colm, Baltair lança sa monture sur la route la plus courte en direction de Glasgow. Ainsi, les deux hommes prirent le même chemin que celui emprunté plus tôt par la troupe de ménestrels. Ils effectuèrent peu de haltes sur leur parcours, s'arrêtant seulement le temps de laisser les bêtes récupérer. Ils dormirent à la pointe nord du loch Long et chevauchèrent si bien, le lendemain, qu'ils entrèrent à Dumbarton à la nuit tombée.

La masse imposante du château se découpait sur un ciel éclairé par une pleine lune. Baltair l'examina un moment, puis pressa les flancs de sa monture en lançant « Allons-y ! » plus à l'intention de Colm que de sa bête. Comme il sied à tout chevalier qui traverse les terres d'un seigneur, Baltair se devait de saluer le maître de Dumbarton et de présenter ses hommages à sa châtelaine. Il se sentait abattu et aurait préféré dormir dans une auberge plus qu'au château, car il savait que son devoir l'obligerait à accepter l'hospitalité que lui offrirait le seigneur, ce qui le retiendrait probablement très tard dans la nuit. En d'autres circonstances, une visite de courtoisie au maître de Dumbarton lui aurait plu, mais, ce soir-là, la fatigue et la contrariété liées à sa mission faisaient en sorte que ça ne l'intéressait pas du tout.

Quand les deux cavaliers atteignirent les murs de fortifications, ils virent des torches allumées autour des portes et des guérites et entendirent le son de la musique par les fenêtres de la grand-salle. Le pont-levis était abaissé et la herse, levée ; après s'être consultés du regard, ils engagèrent leurs montures dans la cour.

Baltair déclina ses noms et titres au capitaine de la garde en poste à l'entrée et fut aussitôt introduit dans la grand-salle avec Colm. Ils s'arrêtèrent sous le portail pour examiner la pièce surchauffée et encombrée, où régnait une ambiance de fête foraine. Une cinquantaine de personnes, dames, clercs, chevaliers, gens d'armes fourmillaient entre de grandes tables que jonchaient les restes d'un festin. À cette vue, l'estomac de Baltair se contracta de faim. Il leva les yeux au fond de la pièce et vit le seigneur de Dumbarton présider l'assemblée avec sa dame et ses nobles, devant une troupe de ménestrels dont le chien blanc faisait des acrobaties. Baltair sentit soudain une main nerveuse empoigner son bras.

« Messire, là, dans le coin, c'est Ranald avec ses hommes ! » lui chuchota Colm à l'oreille, sur un ton affolé.

Baltair tourna vivement la tête dans la direction que Colm lui indiquait et vit le chef Ranald entouré de sa garde. Son esprit en alerte compta automatiquement huit hommes armés. Au même moment, celui qui se tenait le plus près du chef Ranald dirigea son regard vers eux. C'était Lindsay, l'intendant du château d'Uist, qui dressa aussitôt la tête en les reconnaissant.

« Damnation ! siffla Baltair. On sort d'ici, Colm : ils sont huit ! »

Jamais Baltair et Colm n'avaient décampé aussi vite. En moins de deux, ils se retrouvèrent dehors, récupérèrent leurs chevaux à l'écurie, sautèrent en selle et sortirent en trombe de l'enceinte du château, les hommes de Ranald à leurs trousses. Fonçant à l'aveuglette dans l'obscurité du chemin qui dévalait vers le bourg, le jeune chevalier et son beau-frère galopèrent sans se retourner. Ils tentaient de maintenir l'avance que leurs montures, qui n'avaient pas encore été dessellées, leur donnaient sur leurs poursuivants. Sachant qu'elles n'étaient pas fraîches et seraient vite rattrapées, Baltair opta pour les bois au sortir du bourg. Il piqua droit sur la forêt qui se dressait à la lisière d'une colline. Quand il l'atteignit avec Colm, les cavaliers de Ranald émergeaient du bourg au triple galop ; ces derniers n'eurent pas le temps de les voir entrer dans la futaie et ils poursuivirent leur course sur la route. Baltair et Colm mirent pied à terre et immobilisèrent leurs chevaux afin qu'ils fassent le moins de bruit possible.

Durant un long moment, les deux hommes n'échangèrent aucune parole. Baltair caressait l'encolure mouillée de sa monture en fixant le chemin où déclinait le martèlement des sabots de la troupe de Ranald. Colm lui jeta un œil penaud et osa une question :

« Qu'est-ce qu'on fait, maintenant, messire ?

– À toi de trouver une solution, grinça Baltair entre ses dents. C'est toi qu'ils veulent. Ça fait longtemps que Ranald attend cette chance et, crois-moi, il ne va pas lâcher le morceau. On le croyait au Tournoi des îles, hé bien, il n'y est pas ! On va l'avoir sur le dos pendant un certain temps, j'en ai peur…

– Ma présence à vos côtés risque de compromettre votre mission, messire Baltair, avoua piteusement Colm. Si vous voulez, on se sépare et je me débrouille seul pour regagner Mallaig.

– C'est ça, ta solution ? Fameux ! » lâcha Baltair.

Le jeune homme en avait plus qu'assez de l'aventure. Ce qui lui était apparu un jeu d'enfant, avant son départ de Mallaig, devenait une périlleuse corvée. La poursuite de Sorcha Lennox ne l'amusait plus et il espérait en finir d'une quelconque manière. Baltair s'écrasa sur ses talons, la tête entre les mains, luttant pour ne pas montrer son accablement à son compagnon. Inquiet, son cheval lui souffla dans le cou et poussa son épaule, lui faisant perdre l'équilibre. Baltair roula au sol, où il s'étendit de tout son long, les bras en croix.

« Trouve autre chose, Colm. Il ne sera jamais question qu'on se sépare, quoi qu'il arrive. Compris ? grogna-t-il à son compagnon.

– Compris, messire. Dans ce cas, je propose que l'on gravisse la colline à la faveur de la nuit et qu'on gagne Glasgow par l'arrière-pays, demain.

– Joli programme, messire mon beau-frère. Pourquoi ne dormirait-on pas un petit peu, là, dans la fougère ? Cela nous ferait du bien, non ? suggéra Baltair d'un ton faussement suppliant.

– Certes, messire mon beau-frère, mais on ne peut pas se le permettre. Allez, debout ! répondit Colm en tendant la main. Nous dormirons à Glasgow, dans une confortable auberge, là où personne ne pourra nous trouver. »

Une bousculade à l'entrée de la grand-salle interrompit le numéro d'Haki et de la levrette, près desquels je me trouvais. Mes amis cessèrent de jouer de leurs instruments et un silence total tomba sur les convives du banquet. Le seigneur se leva, l'œil furibond, et hurla un impérieux « Qu'est-ce que c'est ? » L'intendant du château courut s'informer à la porte d'entrée, s'ouvrant un passage dans la foule. Puis, aussi subitement qu'ils s'étaient tus, les gens se remirent à parler tous en même temps. D'un air offusqué, le seigneur se rassit et fit signe à mes amis de reprendre la musique.

Je vis que Haki n'arrivait pas à obtenir de la levrette qu'elle recommence ses tours d'adresse. Elle jetait des yeux égarés en tous sens et piétinait nerveusement autour de lui. Il décida de me l'amener.

« Tiens, Sorcha, me souffla-t-il. Garde-la-moi une minute. Je vais voir ce qui se passe derrière… Je reviens de suite. »

Je pris la chienne sur mes genoux et j'entourai de mes bras son petit corps tremblant en me penchant en avant pour mieux la couvrir. Je lui chuchotai des paroles apaisantes et réussis à la tranquilliser, puis toute mon attention revint à mes amis. Ils avaient repris leur merveilleuse musique sans trop s'émouvoir de la mauvaise humeur du seigneur. Mais, moi, je partageais le sentiment de frustration de ce dernier. Le spectacle des ménestrels m'avait jusqu'alors tant ravie et émue que la brève interruption m'irritait. Avant que l'intendant ne revienne avec des explications pour son maître, Haki fut près de moi.

« Une chasse à l'homme, apparemment, dit-il. Toute la délégation du seigneur Ranald est sortie. Ils pourchassent un singulier chevalier qui porte un torque d'or au cou…

— De quelle maison est-il ? chuchotai-je, alertée.

— Je n'en sais rien. »

Un étrange sentiment de déjà-vu m'envahit. Le torque d'or ne faisait certes pas partie de l'équipement courant des chevaliers. « Qu'est-ce que Baltair MacNèil fabrique à Dumbarton ? me demandai-je. D'abord à Mull, puis ici… comme s'il était sur mes traces… »

Le lendemain, le mystère s'éclaircit. Dans la grand-salle où nous avions dormi, les ménestrels et moi, je rassemblais nos bagages avec Janet et Haki quand je surpris une conversation entre le seigneur de Dumbarton, qui avait fait irruption, et le capitaine de sa garde, qu'il questionnait :

« Ranald est-il revenu, capitaine ? je veux lui parler, ordonna-t-il.

— Personne de sa délégation n'est rentré de la nuit, mon seigneur, répondit le garde. Ils sont tous partis. Nous ne les reverrons probablement pas.

— Pitoyable ! fustigea le maître. Si Ranald avait des comptes à régler avec les MacNèil, il n'avait qu'à le faire à Mallaig ou chez lui, à Uist ou bien, comme les autres chefs des Highlands, au Tournoi des îles ! Mais pas chez moi ! Ce n'est pas une façon de représenter son clan à un banquet...

— Certes, mon seigneur, répondit prudemment le capitaine. Mais personne ne s'est battu, je puis vous le confirmer. Aucun coup n'a été porté, aucune arme n'a été dégainée, aucun blessé parmi vos invités. En vérité, je n'ai été témoin d'aucun règlement de comptes au château hier...

— Peu m'importe, capitaine ! Les Ranald ont interrompu la fête et m'ont dérangé. Je ne l'accepte pas ! Cela ne se fait pas », clama le maître avec agacement en quittant la salle.

Janet et moi, nous nous regardâmes, interdites. L'événement de la veille, même s'il s'était avéré peu perturbateur, avait suffisamment choqué notre hôte pour que la troupe décidât d'écourter son séjour au château. Janet haussa les épaules d'indifférence.

« Bah, il s'en remettra ! Le seigneur de Dumbarton cherche toujours des raisons pour donner au moins une réception par mois. Reprendre le banquet d'hier, prétendument raté, sera sa prochaine excuse. Quant à la châtelaine, elle trouvera bien un autre troubadour que Robert pour lui faire la cour..., commenta-t-elle à voix basse.

« — Comment, Robert fait la cour à la châtelaine ? dis-je.

— Bien sûr, et Archibald fait de même avec sa fille. C'est normal. Que penses-tu qu'ils font tous les deux en ce moment, au lieu de nous aider ? Ils chantent l'amour dans la chambre des dames avec les chevaliers qui étaient ici, hier.

— Et le seigneur de Dumbarton le sait ? Il les laisse faire ? demandai-je, de plus en plus étonnée.

— Voyons, Sorcha, c'est aussi pour ça qu'il nous engage. C'est le rôle des ménestrels de chanter la beauté de la noble dame et celui des chevaliers de se dévouer à son service en s'éprenant d'elle. Ça se passe ainsi dans la plupart des châteaux, tu ne le savais pas ?

— Je l'ignorais », murmurai-je.

L'explication de Janet me plongea dans une profonde réflexion. Je m'avançai jusqu'à la fenêtre et contemplai le paysage, l'air absent. Que les troubadours exercent une sorte de cour galante auprès de leurs hôtesses en célébrant l'amour par leurs chants et leurs poèmes ne m'étonnait qu'à demi. Mais que les chevaliers fassent plus ou moins la même chose avec une dame noble et mariée me surprenait et m'offusquait. Je pensai aussitôt à Baltair MacNèil, le seul chevalier que je connaissais et que, la veille, j'avais imaginé sur ma piste. Venait-il faire sa cour à l'épouse du seigneur de Dumbarton ou à sa fille ? Sitôt émise, cette hypothèse me déplut. Je me rappelai alors la discussion entre notre hôte et son capitaine, où il avait été question de règlement de comptes. Baltair MacNèil avait, à l'évidence, un différend avec le dénommé Ranald d'Uist et ils avaient choisi de se rencontrer à Dumbarton. Le nom d'Uist me rappelait d'ailleurs quelque chose. N'était-ce pas là que le fils MacNèil avait été emprisonné ? « Voilà bien un excellent motif de règlement de comptes... », me dis-je.

Curieusement, je fus soulagée de croire que Baltair MacNèil n'était pas à ma poursuite ou occupé par le service courtois envers les dames de Dumbarton, mais aux prises avec des problèmes d'honneur et de vengeance. Je chassai aussitôt le « chevalier au torque d'or » de mon esprit et l'abandonnai à ses problèmes. Je voulais fixer mon attention sur la prochaine étape de mon périple, Glasgow, à moins d'une journée de route. Je me préoccupai donc de ma visite à l'évêque tout en m'ingéniant à trouver comment être reçue à son palais. Une certaine tristesse s'insinua dans mes pensées, car j'appréhendais de quitter la compagnie de mes amis ménestrels. En effet, Haki m'avait appris que la troupe poursuivrait sa route vers le sud après Glasgow, alors que, moi, je m'en irais à l'est, vers Édimbourg.

Je devais afficher un air soucieux quand je montai à bord de la voiture ce matin-là, car Janet m'en fit la remarque. Je me glissai à côté d'elle et, le cœur battant, lui confiai mon projet. Je ne fus pas très explicite sur la nature des objets en or que je voulais vendre et, discrète, elle ne me demanda pas de détails. Janet était une fille intelligente et sensible, capable de se mettre dans la peau de la personne qu'elle souhaitait conseiller. Et c'est ce qu'elle fit durant la discussion qui suivit, à laquelle se joignirent bientôt Robert et Archibald.

Pendant tout le voyage entre Dumbarton et Glasgow, nous cherchâmes ensemble la meilleure façon de m'introduire chez l'évêque.

« Je suis persuadée qu'une femme qui n'est ni mariée, ni veuve, ni religieuse ne peut avoir directement accès au palais de l'évêque de Glasgow, avança Archibald.

— Je crois même qu'un homme sans titre est dans la même situation, renchérit Robert.

— Il te faudrait un intermédiaire influent, dit Janet.

— Ça me semble très compliqué, fis-je. À qui peut-on faire confiance pour une affaire de ce genre ? Ces quelques pièces en or sont tout ce que je possède... Vous savez, j'ai peur de me faire flouer.

— Tes craintes sont sans doute fondées. Il y a tellement de rapaces dès qu'on parle d'or... », admit Archibald.

Janet recula un peu le buste et m'examina longuement, en silence, puis sourit malicieusement.

« Dans cette robe sombre et élégante, avec ton naturel naïf et irréprochable, il manquerait peu de chose pour que tu fasses une parfaite veuve respectable... Une coiffe sobre, un voile de poitrine et un anneau au doigt, bien sûr. Guère plus ! J'ai tout ce qu'il faut ici...

— Me faire passer pour veuve ? Mais on va me demander le nom de mon mari ? m'inquiétai-je.

— Inventes-en un ! fit Archibald.

— N'importe lequel, ajouta Robert, cela n'a pas d'importance. Et puis, parfois, il suffit de mentionner le nom d'un comté, d'une ville ou d'un clan. Tant que le nom choisi n'est pas entaché de quelconque façon.

— Écoute, Sorcha, poursuivit Janet, tout ce que Son Éminence entendra, c'est que tu es une brave veuve sans défense, détentrice de monnaie ancienne, qui s'adresse à un connaisseur et acheteur susceptible de s'y intéresser. Voilà !

— Vous pensez vraiment que ça pourrait marcher ? demandai-je, incertaine, en regardant Janet dans les yeux. Tu en es sûre, toi ?

— Oui, je le pense, fit-elle sérieusement. J'ai l'habitude du jeu et des déguisements et je puis t'affirmer que les apparences ont parfois plus de poids que la réalité.

— Dans cette entreprise, tu ne dupes personne, Sorcha, expliqua Archibald. Peux-tu me dire quel acheteur se soucie beaucoup du nom de son vendeur ? Tu ne vas pas demander à l'évêque une dispense de mariage ou une faveur ; tu ne veux pas lui acheter des années de purgatoire pour ton père, ta mère ou je ne sais qui de ta famille. Ce que tu t'apprêtes à faire avec lui, c'est du commerce d'objets. Alors, où est le problème ? »

J'avais envie et besoin de croire à leur plan et je l'adoptai sans plus argumenter. Satisfaits d'avoir réglé un problème, Archibald et Robert gagnèrent le bord de la voiture où ils s'installèrent. Je jetai un regard reconnaissant à Janet qui me tapota l'épaule d'un air entendu, puis se mit en quête des accessoires qu'elle jugeait essentiels à ma nouvelle image de veuve. Quant à l'anneau de mariage, preuve de mon statut, je savais en posséder un dans le « tribut de la Vierge ». Discrètement, je fouillai dans le compartiment de mon sac qui abritait les pièces d'or du trésor et je retrouvai le petit anneau celte que frère Gabriel avait retiré des entrailles d'un poisson, le jour où il m'avait présenté sa découverte.

Je le glissai à mon annulaire et constatai avec ravissement qu'il m'allait à merveille. Ne restait plus qu'à lui redonner son lustre et je m'employai aussitôt à le frotter avec énergie. Soudain, comme une vague qui submerge un coin de plage sec, une vive émotion s'empara de mon cœur et mouilla mes yeux. Les paroles de frère Gabriel me revinrent à la mémoire en même temps que l'image du pot du « tribut de la Vierge » enfoui entre les roches : « Le Seigneur a nourri son peuple du plus pur froment, alléluia, il l'a rassasié du miel sorti de la pierre, alléluia ! » Pour dissiper mon trouble, je portai doucement l'anneau à mes lèvres et l'embrassai avec ferveur. « Frère Gabriel, si vous avez réussi à vendre quelque objet du "trésor du Fils" à l'évêque de Glasgow, il achètera le "tribut de la Vierge"... », murmurai-je pour moi-même, pleine d'espoir.

Le lendemain de notre arrivée dans la populeuse ville de Glasgow, Haki me conduisit au palais de l'évêque. Érigé sur le flanc de la colline dominée par la cathédrale, l'édifice imposant ressemblait à une résidence royale. Je réalisai par la suite qu'il s'agissait bien de la demeure où les rois d'Écosse séjournaient, quand ils étaient de passage à Glasgow.

Je me présentai à la porte principale, l'esprit en alerte, et l'on m'ouvrit spontanément, car le mercredi était la journée des audiences de l'évêque. Plusieurs nobles attendaient déjà dans l'antichambre où je fus introduite, et je pris place un peu à l'écart d'eux. Quelques minutes s'écoulèrent dans un silence pesant avant qu'un abbé accompagné d'un garde vienne nous informer que l'évêque était absent et que l'archidiacre recevait à sa place. Je réprimai aussitôt un mouvement de déception. Alors l'abbé s'approcha de moi. Courtaud et chauve, il portait des lunettes qui voilaient un peu ses yeux.

« D'abord les dames, fit-il avec un sourire. À qui avons-nous l'honneur, ma dame ? Pour quel motif vouliez-vous obtenir une entrevue ? »

Je me levai d'un bond et m'inclinai dans une profonde révérence.

« Dame Sorcha de Mallaig, mon père, répondis-je avec une assurance feinte. Du clan MacNèil… Je suis veuve et j'ai hérité d'objets qu'on m'a dit être intéressants pour la collection de Son Éminence. Je souhaite me départir de ces pièces et les lui vendre.

– Voilà une visite étonnante, ma dame. Nous n'avons pas l'habitude de… enfin… », murmura l'abbé d'un air impassible.

Il jeta un œil discret au garde pour voir si nous avions été entendus. À cette minute, j'eus l'impression que l'abbé simulait l'embarras. Après m'avoir détaillée en silence durant une bonne minute, un imperceptible sourire se forma sur ses lèvres pincées.

« Venez, dame Sorcha de Mallaig, le secrétaire est autorisé à régler certaines questions. Il pourra vous recevoir, mais avant, dites-moi, avez-vous les objets avec vous ?

– Je les ai sur moi, mon père, répondis-je avec une légère hésitation.

– Dans ce cas, je vous conduis d'abord à un expert en la matière. Suivez-moi, je vous prie. »

Tout en marchant à ses côtés, j'examinais le décor somptueux des lieux. Les murs étaient tous garnis de tapisseries, les plafonds, peints et moulurés. Sans prononcer une seule fois le mot « or », l'abbé me confirma que l'évêque possédait bien un assortiment d'antiquités et d'objets d'art religieux conservés dans une voûte. Je le suivis à travers un dédale de couloirs, jusqu'à un bureau où se tenait un petit homme qui nous faisait dos, juché sur un tabouret et penché au-dessus d'un cabinet recouvert de velours noir.

« Maître Wass, je vous présente dame Sorcha de Mallaig, dit l'abbé en me faisant entrer. Elle vient soumettre quelques pièces à votre examen. Je vous laisse avec elle un moment, si vous voulez bien… Je repasse tout à l'heure. »

Maître Wass leva à peine les yeux de son ouvrage en grognant ce qui pouvait être pris pour une salutation ou un congédiement, selon l'humeur du visiteur. L'abbé se retira et, aussitôt que la porte fut refermée, je m'avançai prudemment vers l'artisan. Sa surface de travail était couverte de la panoplie complète des outils d'un orfèvre : pinces, limes, ciseaux, loupe, brunissoirs, feutrines, pierres et maillons de chaîne.

L'ouvrage auquel il travaillait ressemblait à un long réceptacle de verre assemblé dans une structure de métal doré et ciselé. Mon attention fut attirée par la croix celte qui surmontait le couvercle que je reconnus immédiatement. Maître Wass restaurait la monstrance pêchée au large d'Iona par frère Gabriel. Mon sang ne fit qu'un tour.

« Bonjour, maître Wass, fis-je. Que voilà un ornement exceptionnel ! Ceux qui m'ont dit que l'évêque est un grand connaisseur ne m'ont pas abusée, à ce que je vois.

— Hum ! Cette pièce-là n'avait pas du tout cet aspect resplendissant quand elle nous est arrivée. Si vous l'aviez vue alors, vous ne vous seriez pas extasiée… Vous n'auriez jamais pensé qu'elle est en or massif… Elle a été repêchée dans la mer.

— Elle devait être très tachée, je suppose. Le métal ternit toujours…, avançai-je.

— Pas l'or, poursuivit-il comme pour lui-même. Mais dans l'eau de mer, des dépôts y adhèrent et s'incrustent.

— Voyez-vous, maître, je pense connaître celui qui vous l'a apportée. Je ne veux pas paraître indiscrète, mais ne serait-ce pas un moine répondant au nom de "frère Gabriel" qui se serait présenté l'hiver dernier ? »

En entendant cela, maître Wass daigna lever les yeux de son ouvrage et me regarder. Il hocha lentement la tête avant de me répondre :

« Il n'a jamais voulu se nommer. D'ailleurs, personne n'a compris grand-chose à ses explications. Il était bègue et parlait gaélique. Nous avons cru qu'il appartenait à un ordre mendiant. Mais ce qu'il a vendu à l'évêque est un véritable trésor… Jamais rien vu de semblable… »

Je pâlis et fis le tour du cabinet, les yeux rivés sur la monstrance. Maître Wass déposa l'outil qu'il tenait, plia et déplia les doigts, puis s'essuya les mains sur son surcot. Il prit la bougie et me fit signe de le suivre.

« Je vais examiner ce que vous apportez, dame Sorcha de Mallaig, fit-il. Venez à cette table, là. »

La surface qu'il m'indiquait était encombrée de feuilles de parchemin qui ressemblaient à des listes. Je ne pus voir ce qui était écrit, car maître Wass les rassembla en un paquet pour faire de la place. J'ouvris mon aumônière et je déposai devant lui tout ce qu'elle contenait : ma monnaie ancienne, trois bagues, cinq anneaux, une fibule, une dizaine de boutons et une douzaine d'agrafes. Ce faisant, je tentais de poursuivre la conversation au sujet de frère Gabriel. Mais mon interlocuteur, penché sur mon or, ne s'intéressait déjà plus à moi. Je n'appris rien sur ce qui était advenu de mon ami après sa visite au palais de l'évêque de Glasgow et j'en nourris une grande déception.

Cependant, je ne fus pas désappointée de l'estimation de mon trésor. Quand, en réponse à l'abbé qui vint nous retrouver plus tard, maître Wass en fixa la valeur à quarante sous, je me sentis revigorée. Ce montant me parut énorme, car je me rappelai que mon père payait un bon cheval le quart de cette somme. Passer ensuite devant le secrétaire ne fut plus qu'une formalité et je sortis du palais une heure à peine après y être entrée. Je rigolais en rejoignant Haki qui m'attendait et lui annonçai le résultat de ma démarche avec fierté.

« Félicitations, Sorcha ! Je savais que tu réussirais. Et sous quel nom as-tu joué ce tour de force ? Comment doit-on vous appeler désormais, gente dame ? »

Durant un instant, je contemplai ma main baguée, me demandant si ma condition de veuve m'avait réellement ouvert la porte du palais de l'évêque. Je me permis de ne pas en douter et de croire que cela me servirait encore jusqu'à Édimbourg. Quant à Mallaig comme lieu d'origine et MacNèil comme clan, ils émanaient d'un choix réfléchi. Je ne pouvais pas avouer que j'étais de Morar et encore moins d'Iona. Les MacNèil avaient le meilleur nom qui soit dans les Highlands et je m'étais octroyé le droit de me réclamer de leur domaine. Je songeai à Baltair MacNèil en cavale, tout comme moi, et souris.

« Je suis Sorcha de Mallaig », dis-je à Haki, qui attendait ma réponse avec curiosité.

CHAPITRE XII

DÉJOUER LES TRAQUES

Les joues en feu, la coiffe déplacée, Ceit entra en trombe dans la chambre de sa mère en créant un courant d'air qui fit bouger la tapisserie le long du mur.

« Notre navire est en vue, mère ! Père et les jumeaux reviennent du tournoi ! Venez avec moi et descendons au port... Je vous en prie... Il n'y a pas une minute à perdre !

— Calme-toi, ma fille, lui dit dame Gunelle. Laisse ton père arriver et décider de la marche à suivre. Si tu veux aller l'accueillir, fais-le. Il sera très touché par ton geste. Mais ne me demande pas de sortir sous cette pluie pour t'accompagner.

— Mère, comment pouvez-vous vous préoccuper de la température quand votre fils aîné et votre gendre réclament de l'aide à l'autre bout de l'Écosse ? Ne comprenez-vous pas qu'ils sont menacés par le clan Ranald en ce moment et, si père ne leur envoie pas de garnison au plus tôt, mon Colm risque d'être capturé ?

— Ceit, tu exagères. Il n'y a aucune alarme dans la lettre que Baltair nous a fait parvenir de Glasgow. Rien n'indique…

— Ha, laissez tomber ! interrompit la jeune femme. J'y vais seule. »

Ceit quitta la chambre comme elle y était entrée, en claquant la porte, ce qui provoqua une nouvelle ondulation dans la tapisserie murale. Dame Gunelle sourit avec indulgence : l'impétuosité de sa fille et l'attachement qu'elle démontrait pour son mari la touchaient. Elle éprouva même un sentiment proche de l'admiration pour ce gendre insolite qui avait réussi à susciter un amour passionné chez Ceit.

La châtelaine de Mallaig marcha jusqu'à son écritoire et examina les deux lettres qu'elle y avait déposées la veille. Celle de son fils, parti avec Colm sur les traces de Sorcha Lennox, demandait des instructions quant à la poursuite de cette mission. L'autre, non décachetée, était adressée à la jeune fille et avait été remise au révérend Henriot, le jour de Calluinn, par un moine de passage au château, avec recommandation de la faire parvenir à la pensionnaire après le décès de son père.

Cette lettre aurait normalement dû partir avec Baltair pour Iona, mais le révérend Henriot avait négligé de s'en occuper. Dans le brouhaha du 25 mars, jour de l'adoubement de Baltair et du mariage de Ceit, le brave homme avait rangé le pli parmi ses papiers et l'avait oublié. Ce n'est que le jour où Craig, Gawin et les jumeaux étaient revenus au château sans Baltair et Colm, que le révérend s'était rappelé la missive, l'avait retrouvée et remise à la châtelaine.

« Que de mystères vous entourent, jeune Sorcha ! soupira dame Gunelle. Ici, une lettre destinée à la pensionnaire abandonnée que vous étiez, dont la livraison a été confiée à notre maison par un moine ; et là, une lettre de mon fils me rapportant que vous êtes devenue, en quelques jours, une veuve qui s'adonne au commerce de l'or... »

À peine rentré à Mallaig, le chef MacNèil réunit son épouse, sa fille, ses deux jeunes fils, son cousin Tòmas, les chevaliers de sa maison et le révérend Henriot dans la grand-salle, pour prendre connaissance des nouvelles de Baltair. Il parcourut la missive avec un air contrarié qui inquiéta ses gens, plongés dans l'appréhension de ce qu'ils allaient apprendre.

Baltair le Jeune à dame Gunelle, châtelaine de Mallaig

Mère, c'est à vous que j'adresse cette lettre, car je présume que père sera à Skye au moment où vous la recevrez. Je rends compte de la mission que vous m'avez confiée et je demande s'il vaut la peine que je la poursuive.

Voici la situation. En arrivant à Iona, la mère de Colm, dame Etta, nous a appris que Sorcha Lennox s'était tout juste enfuie du couvent. J'ai suivi sa trace jusqu'à Glasgow, où je l'ai perdue. Elle est en possession d'or, ce qu'ignorait dame Etta. Je suppose qu'elle a obtenu cet or en se mariant, ce qu'elle aurait apparemment fait sitôt sortie du couvent. Les choses se sont précipitées pour elle en quelques jours, car, le mercredi 3 août, elle était déjà veuve. C'est du moins sous ce vocable qu'elle s'est présentée au secrétaire de l'évêque de Glasgow, à qui elle a vendu l'or qu'elle possédait. Depuis, je ne sais pas où elle est. Il y a des chances qu'elle poursuive sa route vers Édimbourg. Mais comme vous pouvez le constater, elle n'est pas dépourvue, se débrouille fort bien et n'a guère besoin de votre protection.

Pour notre part, Colm et moi sommes traqués par Ranald et ses hommes, que le hasard nous a fait croiser au château de Dumbarton. Nous avons assez bien réussi à les semer jusqu'à maintenant, et nous camouflons nos hauberts armoriés sous des capes pour ne pas être reconnaissables. Mais il devient de plus en plus difficile de talonner la fille du lieutenant Lennox tout en étant pourchassés nous-mêmes. Aussi je vous demande de reconsidérer la présente mission et de me transmettre votre décision le plus tôt possible. Faites-la porter par un de nos chevaliers à l'auberge du coche Murdoch de Glasgow. Là, on saura où nous trouver si nous sommes obligés de changer de pension à cause de nos poursuivants. Glasgow est une ville prodigieuse pour se cacher et tous ses estaminets offrent un excellent vin. Munissez notre chevalier d'une bourse pour moi, car mes ressources s'épuisent rapidement.

En terminant, j'ignorais que des membres de notre clan vivent ailleurs que dans notre comté, car Sorcha Lennox a épousé un MacNèil soit à Lochaline, soit à Oban. Ça ne peut être ailleurs.

Que Dieu vous protège !

Votre fils aimant,
Baltair

« Quel imbécile ! » s'exclama Iain MacNèil en terminant sa lecture.

Il fit rageusement voler dans les airs le feuillet qui atterrit à quelques pas de l'âtre, devant sa famille embarrassée. Déçus de ne pas obtenir les éloges que leurs performances au Tournoi des îles auraient normalement dû susciter, Malcom et Dudh regardaient leur père d'un œil morne. Les déboires de leur aîné les privaient, encore une fois, de l'attention familiale ; d'un commun accord, ils se levèrent et sortirent de la grand-salle.

Ceit, assise sur le bout de son fauteuil, attendait avec impatience que son père annonce la formation d'une garnison prête à voler au secours des deux absents.

« Comment peut-on croire de telles sornettes ? tonna Iain MacNèil en s'adressant surtout à son épouse. Sorcha Lennox, fraîchement sortie de Sainte-Marie, épouse un MacNèil parfaitement inconnu qui la couvre d'or et qui a la bonne fortune de mourir la journée même ou presque. Alors, notre novice devenue veuve se met tout bonnement au trafic de son or avec les plus haut placés du clergé écossais à Glasgow, qui, comme chacun le sait, sont de grands commerçants de métaux précieux... Ma dame, vous rendez-vous compte que c'est notre fils chevalier qui raconte cette fable invraisemblable ? Il se fait rouler dans la farine comme un vulgaire avoué et a l'audace de réclamer des subsides pour achever sa tournée des débits de boisson de Glasgow !

– Mon seigneur, plaida faiblement dame Gunelle, ne soyez pas si dur. Rendons-nous compte que, depuis le début, l'expédition de Baltair n'est qu'une course d'obstacles...

– Des obstacles ? Qui lui a dit que les missions sont des parties de plaisir ? D'abord, il perd le tiers de sa garnison le deuxième jour de l'expédition, renvoie l'autre tiers au château, deux jours plus tard, puis se jette dans les pattes de Ranald avec le reste…

– Comment, avec le reste ? Vous parlez de mon mari, père ! s'insurgea Ceit qui bondit de son siège. Si Ranald reprend Colm, je ne vous le pardonnerai pas : je deviendrais automatiquement une veuve en puissance. Sachez que je ne laisserai pas cela se produire sans réagir, dussé-je aller délivrer mon mari moi-même !

– Ho là, dame ma fille ! l'interrompit son père. Toutes les femmes mariées sont des veuves en puissance, alors assoyez-vous et cessez vos alarmes ! Vous m'empêchez de réfléchir. »

Dame Gunelle posa une main ferme et apaisante sur le bras de son intempestive fille et lui fit signe de se taire. Ceit obtempéra et reprit place dans son fauteuil en jetant un regard enragé à son père. Ce dernier arpentait maintenant l'aire devant l'âtre, les bras croisés derrière le dos, piétinant au passage la lettre de Baltair, avec application.

Le chef MacNèil venait d'entrer en mode attaque. Adoptant l'attitude de celui qui pense à voix haute, il n'adressa sa harangue à personne en particulier, mais s'assura que tout le monde n'en perdit aucun mot.

« Ranald ne s'emparera de personne… ni de mon fils ni de mon gendre, déclara-t-il. J'ai peut-être sous-estimé son opiniâtreté, mais il n'est pas dit que des MacNèil vont circuler en Écosse en se terrant comme de pauvres lièvres à qui on tend des collets. Je ne tolère pas que mes gens cachent leurs armoiries, où qu'ils aillent. Les MacNèil ont libre circulation partout et ce ne sont pas les Ranald qui empêcheront cela. Je crois que l'heure a sonné de régler définitivement nos comptes,

Ranald et moi... J'ai la ferme intention de l'obliger à abandonner ses projets d'asservissement ou de rançonnage. Que la confrontation n'ait lieu ni sur ses terres ni sur les miennes me plaît assez... »

Ayant retenu une place dans une carriole de voyage qui partait le lendemain pour Édimbourg, j'entamais ma dernière soirée en compagnie de mes amis. Cette semaine passée dans l'entourage rassurant de la troupe m'avait rapprochée de chacun de ses membres, particulièrement d'Haki que je tenais en grande estime. J'avais le vague à l'âme et lui aussi, je crois. Plus taciturne qu'à son habitude, le jeune garçon évitait de me regarder, mais cherchait ma main qu'il prenait quelques minutes dans la sienne.

À la même table que Janet et Archibald, nous nous assîmes l'un près de l'autre, au milieu de la salle de l'auberge où nous avions pension, et nous écoutâmes ensemble Robert jouer de son rebec pour les clients. Toujours fascinée par la musique de mes amis, j'arrivais maintenant à porter mon attention sur les spectateurs et à mesurer l'effet qu'elle produisait sur eux. Le public de l'auberge m'apparut le moins attentif de tous ceux que j'avais jusqu'alors rencontrés. Hommes et femmes continuaient à parler, à se bousculer, à héler l'aubergiste, à jouer aux dés ou aux cartes sans prêter le moindre intérêt à Robert qui circulait entre les tables.

J'en fus contrariée un moment, mais le musicien me fit un clin d'œil en apercevant ma mimique déçue et je retrouvai le sourire.

« Mes seigneurs, messires, mes dames, aubergiste Murdoch, j'ai composé un air pour une tendre amie voyageuse que je quitte demain. Je vous invite à l'écouter. Cela s'appelle *Ode à Sorcha* », annonça soudain Robert d'une voix aussitôt couverte par le tapage ambiant.

Je devins rouge de confusion en croisant son regard, mais déjà il entamait les premiers accords en se retournant vers le fond de la salle. Captivée, j'étais tout ouïe et je maugréais contre l'inattention des spectateurs :

« Mais écoutez donc à la fin ! gémis-je. Je n'entends rien... Haki, personne ne s'intéresse à la musique, ici...

– Faux ! Les deux dans le coin, là-bas... ils ont réagi instantanément à l'annonce. Regarde-les, ils cherchent en ce moment la Sorcha qui a inspiré l'ode de Robert... », me dit Haki tout bas en pressant ma main.

Je suivis son regard et j'aperçus immédiatement les deux hommes. Attablés près d'une fenêtre, ils avaient rabattu le capuchon de leur cape sur leur tête, malgré la chaleur qui régnait dans l'auberge. Mais Haki avait raison : leur attitude démontrait qu'ils scrutaient les gens en balayant lentement la salle des yeux. L'attention de l'un d'eux s'arrêta sur moi, nos regards se croisèrent et je sentis mes mains devenir moites. Je le vis se tourner vers son compagnon, lui dire quelque chose, puis me pointer du doigt. Ce faisant, il exposa à la lueur de la bougie l'ouverture de son col où brillait un collier épais. Je tressautai, croyant apercevoir le torque de Baltair MacNèil. Haki n'avait rien manqué du manège des deux hommes et il accentua la pression de sa main autour de la mienne.

« T'occupe pas d'eux, Sorcha. Vaut mieux les ignorer. De toute façon, il ne peut rien t'arriver tant que je suis là... »

Les deux hommes me dévisagèrent longuement, ce qui rendit Haki tendu. Moi aussi, je me raidis, comme si j'étais traquée et avais été repérée. Tentant d'éviter leurs regards, je me détournai en direction de mon ami. Il eut alors ce geste qui me prit de court : il glissa rapidement une main derrière mon cou, rapprocha ma tête de la sienne et je sentis ses lèvres prendre ma bouche lentement. Je ne songeai pas à me dégager et goûtai ce baiser inattendu, le premier du genre qu'un garçon me donnât.

« Ne te fâche pas, Sorcha, chuchota-t-il quand il eut fini de m'embrasser. C'est une tactique éprouvée quand il y a des prédateurs autour. Le mâle dominant marque sa place... J'aime beaucoup l'employer, mais je n'en ai pas souvent l'occasion... Puis, avec toi, c'est différent.

— Tu veux dire que tu m'as embrassée afin que ces individus se désintéressent de moi ?

— Si fait ! Vois par toi-même, répondit-il en tournant les yeux du côté des hommes. Ça fonctionne parfaitement ! Ils s'en vont... »

Mais je n'eus pas le temps de vérifier ce succès, car un groupe d'une dizaine d'hommes entrait bruyamment dans la salle, interrompant Robert. Ce dernier termina son ode et me fit la révérence, le rebec pointé dans ma direction. Janet et Archibald l'applaudirent, suivis de quelques clients. Je leur souris et tendis la main à Robert qui s'avança vers moi et la baisa.

« Oh, Robert ! Il faudra me chanter ton ode de nouveau, lui dis-je. J'ai été distraite par des gens et je ne l'ai pas bien entendue !

— Ce sera un plaisir pour moi, dame Sorcha de Mallaig, me répondit Robert en s'inclinant. À moins que messire Haki ne s'y oppose... »

Robert avait dû surprendre le geste d'Haki. Nous nous mîmes à rire, un peu gênés. Dans les minutes qui suivirent, j'oubliai complètement la présence des deux inconnus qui m'avaient épiée et, quand mes yeux se posèrent à la place où ils étaient assis, ils étaient partis. Je n'y repensai plus, déjà tourmentée par mon imminent départ et la séparation d'avec mes amis.

Ceux-ci n'étaient jamais allés à Édimbourg et n'y connaissaient personne, ce qui les désolait fort. Ils auraient voulu me mettre en contact avec des gens sûrs dans la grande ville, Haki surtout, qui, de toute la soirée, ne m'avait lâchée d'une semelle, me couvant d'un regard fiévreux et éloquent. Je crois que son baiser de façade l'avait confondu et qu'il était tombé dans le piège amoureux. Ce qu'il avait de fibre protectrice en lui se manifestait avec ardeur et il redoutait de me laisser partir seule, sans escorte.

Son empressement auprès de moi en vint à me peser, ce qui facilita beaucoup le moment de mes adieux avec la troupe, le lendemain matin. Ni moi ni mes quatre amis ne voulûmes prolonger les effusions et je les quittai sur de simples, mais chaleureuses embrassades. Depuis mon départ d'Iona, mes bagages avaient presque doublé, l'acquisition de ma robe en étant grandement responsable et je m'étais munie d'un sac plus important avec sangles et renforts de cuir. Haki le hissa dans la voiture et me retint par les épaules un instant avant que je ne monte à mon tour. Je vis dans ses yeux qu'il aurait aimé m'embrasser, mais il s'empêcha de le faire. Je ne détachai pas mon regard du sien durant le temps que l'équipage s'éloignait de lui et je me demandai si je ne regrettais pas qu'il m'ait privée d'un dernier baiser.

Une douceur languissante envahit mes membres et je m'abandonnai au bercement de mon corps sur la banquette étroite que je partageais avec deux passagers et une passagère. Comme ils étaient peu loquaces, je ne liai pas conversation avec eux et me renfermai dans mes pensées. Les images d'Iona refirent surface avec celles de ma mère, d'Etta et de frère Gabriel ; puis je remontai jusqu'à Morar, avec de plus anciennes figures, dont celles de mon père, de Finella, de mon oncle Innes et même de mon chat. Les souvenirs affluaient obligeamment dans mon cœur, comme des feuilles qui tombent une à une d'un arbre et se posent doucement sur le sol. Je crois que mes rêvasseries se mêlèrent au sommeil, car je dormis une bonne partie de cette étape du voyage.

L'équipage atteignit les abords de la cité à la nuit tombée. Me rappelant les conseils d'Etta, je demandai qu'on me déposât à l'hôtel-Dieu qui se trouvait près de l'abbaye. J'avais le sentiment que ma connaissance des médecines, si j'arrivais à la mettre en valeur, me ménagerait une place de résidente. Mais il fallait pour cela ne pas me présenter à titre de visiteuse itinérante à la porte des religieuses soignantes. J'eus donc recours une seconde fois à mon identité d'emprunt ; cependant, pour la religieuse qui m'ouvrit, j'ajoutai à mes noms celui de mon père chéri :

« Je suis dame Sorcha, née Lennox. Je suis veuve et j'appartiens au clan MacNèil de Mallaig, déclinai-je sur un ton assuré. Je compte faire un séjour d'une durée indéterminée à Édimbourg et souhaite mettre mes connaissances en médecine des plantes au profit de vos malades. Puis-je vous demander l'hospitalité ?

– Avec plaisir, ma dame, répondit-elle. Entrez, il est tard. Demain, nous vous conduirons à notre supérieure qui reçoit les visiteuses de votre qualité et qui discutera de votre séjour à l'Hôtel-Dieu. »

Je soulevai mon sac et j'entrai dans l'établissement où tout le monde était assoupi à cette heure tardive. Ce n'est que le lendemain que je découvris l'hospice dans toute son ampleur. Jamais je n'avais vu bâtisse plus complexe et plus peuplée ; elle s'étendait en de multiples ailes dont on ne comprenait pas bien l'agencement du premier coup d'œil. Partout, il y avait des malades de tous âges et de toutes conditions. Cependant, ils étaient tous sur des lits et je ne vis personne croupir dans un coin, à même le sol. Les gens semblaient être propres et nourris régulièrement, car plusieurs écuelles et cuillères se trouvaient à proximité d'eux. Les draps et les linges répondaient à ce même critère de propreté, caractéristique de la façon de tenir maison des religieuses.

D'ailleurs, mis à part l'édifice lui-même et sa population, je me retrouvai instantanément dans les murs de l'Hôtel-Dieu comme au couvent Sainte-Marie. Je repris vite le rythme des heures, de matines à vêpres, ponctuées par les offices récités dans la chapelle, auxquels j'assistais en attendant qu'on m'assignât un groupe de malades. Je partageais le dortoir des dames soignantes la nuit, et je me tenais au réfectoire le jour.

Contrairement à ce que m'avait annoncé la religieuse portière, le soir de mon arrivée, les présentations à la supérieure furent reportées de quelques jours. Aussi, j'eus tout le temps voulu pour explorer à fond l'hospice et je me risquai même à faire une sortie au-dehors, lorsque j'obtins des renseignements sur les lieux de sépulture des soldats de la garnison royale.

Les personnes qui me dirent comment m'y prendre pour retracer une pierre tombale militaire ne furent guère précises dans leurs explications, et je cherchai une meilleure façon de formuler ma demande durant la pénible ascension vers le château d'Édimbourg. La pente pour y accéder était fort abrupte et, quand je présentai ma requête aux gardes de la guérite au-dessus des douves, j'étais en nage et passablement essoufflée. On m'informa que le registre des militaires décédés était tenu par le prélat de la cathédrale Saint-Giles et que c'était là qu'il fallait s'adresser. Déçue d'être montée jusqu'à la forteresse en vain, je fus distraite en redescendant vers l'hospice et me trompai de chemin. Je m'égarai dans un dédale de rues et j'émergeai sur une place publique où une foule bruyante s'entassait. En levant les yeux pour m'orienter, je vis un gibet où deux corps à demi nus se balançaient, ce qui provoqua chez moi un haut-le-cœur. Je pris conscience que le lieu grouillait d'hommes qui s'invectivaient et se bousculaient, de femmes qui beuglaient des injures et qu'une myriade d'enfants criaillaient en se faufilant entre les adultes.

En écoutant les discussions autour de moi, je compris que l'exécution des condamnés venait d'avoir lieu. Il s'agissait de deux femmes, l'une pendue pour sorcellerie, et l'autre, pour adultère et escroquerie à l'endroit de son mari. Horrifiée, je fis demi-tour et cherchai sans tarder une issue dans l'affluence, en jouant des coudes. Mes mains étaient moites, mon front ruisselait de sueur et mes jambes chancelaient. Une étrange impression de danger me gagnait et je fis un effort pour ne pas céder à l'affolement.

J'étais presque sortie de la foule compacte quand je sentis dans mon cou l'haleine fétide d'un homme qui me bloqua le passage. Je voulus l'éviter et une poigne enserra ma taille et tirailla mon aumônière. Je m'accrochai instinctivement à ma ceinture et poussai un cri qui fut aussitôt étouffé. Deux solides mains me bâillonnèrent et deux autres m'empêchèrent de me débattre. J'entendis mes assaillants ironiser d'une voix grasse en m'entraînant. Ils semblaient être trois et me forçaient à pencher la tête pour que je n'y voie rien.

« Pourquoi se contenter de la bourse quand la fille est jolie et toute seule, hé ? dit l'un.

— Bah, oui ! On prend les deux, tiens donc ! railla un autre.

— Y en a assez à partager… Pas vrai ? » fit un troisième.

Le goût acide des doigts sales qui comprimaient mes lèvres m'horripila et, furieuse, j'ouvris la bouche et je mordis de toutes mes forces. J'entendis immédiatement un juron qui fut suivi d'un coup sur ma nuque. Puis plus rien, on m'avait assommée.

La pluie s'était abattue sur Glasgow au matin et n'avait cessé de toute la journée. Installé à la fenêtre de sa chambre, au deuxième étage d'une taverne, Baltair grimaça d'ennui. Il jeta un œil sur le lit où Colm ronflait toujours, et décida de descendre souper seul. Il ramassa son baudrier qu'il attacha autour de sa taille, jeta sa cape sur son épaule et quitta la pièce. Il n'avait pas fait deux pas sur le palier obscur qu'il se heurta à un homme qui débouchait de l'escalier.

« Père ! fit aussitôt Baltair en le reconnaissant. Je ne m'attendais pas à ce que ce soit vous qui veniez à Glasgow... Enfin, je croyais qu'on m'enverrait Craig ou Alpin...

– Ou Keir ou Forbes, Scott, Gregor ou Roderick, répondit le chef MacNèil, sur un ton ironique. Tu ne seras pas déçu, ils sont tous là, en bas. Le corps de chevaliers au complet vient te prêter main-forte. Où est Colm ?

– Dans la chambre », dit Baltair en retournant à la porte qu'il ouvrit pour laisser passer son père.

Iain MacNèil pénétra dans la pièce en faisant claquer ses bottes boueuses sur le plancher, ce qui réveilla aussitôt son gendre. Ce dernier se redressa sur son séant, les yeux hagards, la bouche ouverte.

« Mon seigneur ! Que faites-vous ici ? balbutia-t-il. On vous pensait au Tournoi des îles à Skye...

– Ceux avec lesquels je souhaitais croiser le fer ne s'y sont pas présentés cette année. Ils sont apparemment dans la région de Glasgow. Alors, me voici, répondit le chef en prenant place sur le seul tabouret de la chambre.

– Vous voulez dire que vous êtes venu avec votre garnison pour rencontrer le clan Ranald en duel ? glissa prudemment Baltair en refermant la porte derrière lui.

– En effet. Pour cette raison et pour une autre, fit le père d'une voix coupante. Devines-tu laquelle ?

– Des ordres concernant ma mission, sans doute. Vous avez pris connaissance de mon compte rendu, père. Vous conviendrez que...

— Ce que tu as écrit à ta mère tient davantage de la fabulation que du compte rendu, interrompit Iain MacNèil. J'ose croire que tu voulais blaguer, parce que, si tu as foi dans l'incroyable histoire que tu nous as rapportée à propos de Sorcha Lennox, tu es plus crétin que je ne le pensais. »

Baltair pâlit sous l'injure. Être ainsi insulté devant son beau-frère lui coupa le souffle. Il se sentit si humilié et hors de lui que, sans réfléchir, il dégaina son arme. Mais les yeux assassins de son père le retinrent de porter un coup. Iain MacNèil se leva lentement, les poings serrés et la respiration oppressée : les deux hommes se fustigèrent du regard un instant, puis le père fit sortir Colm de la pièce.

« Dehors, Colm. Tu empestes l'alcool ! siffla-t-il entre ses dents. Va rejoindre les autres… »

Il contourna ensuite le tabouret et marcha jusqu'à la fenêtre en attendant que son gendre soit sorti. Quand il fut seul avec son fils, il prit la parole d'une voix rauque et consternée :

« Quel chevalier ai-je donc adoubé, qui lève la main sur son père et chef de son clan ? Quel chevalier a l'arme si preste quand ses oreilles entendent une critique, justifiée ou non ? Quel chevalier dirige une expédition avec la même désinvolture que celle d'un chasseur de grouses ? Quel chevalier en mission commandée cache ses armoiries sous la capeline d'un ivrogne pour mystifier ses adversaires ? C'est un trop jeune chevalier, j'en ai peur… »

Baltair écoutait à peine son père. Son cœur cognait dans sa poitrine et la tête lui tournait. Il mesurait avec affliction toute la portée de son geste malheureux et se sentait lamentablement indigne du titre de chevalier dont il était pourtant si fier. Incapable de soutenir le regard accablé de son père, il ferma les yeux, inclina le front et laissa tomber son arme, dans un geste de soumission. Le bruit du métal contre le plancher résonna lugubrement dans la chambre. La dureté et la chaleur du torque sous son menton faillirent le faire éclater en sanglots.

« C'est mon erreur, mon fils, et je le reconnais, poursuivait Iain MacNèil. Tu n'étais pas prêt et c'est moi qui t'ai poussé, mais je ne peux défaire ce que j'ai fait. Tu es devenu chevalier par ma main et tu le demeureras toute ta vie. Je voudrais, Baltair, avoir confiance en toi, comme en chacun de mes chevaliers. Même plus qu'en aucun d'eux…

– Alors, donnez-moi une autre chance, père, plaida Baltair, d'une voix tremblante. Je suis impulsif, c'est vrai. Je ne suis pas toujours perspicace. Mais je suis droit et féal et je n'ai rien fait pour trahir votre confiance. Vous avez raison de me reprocher mon manque de jugement. J'ai pu mal interpréter les renseignements qu'on m'a donnés à propos de Sorcha Lennox. J'ai également manqué de courage devant Ranald. J'aurais dû profiter de l'occasion pour régler moi-même le différend entre nos clans et je vous aurais ainsi évité de venir le faire vous-même. Mais je ne me suis pas senti de taille et j'ai eu peur d'être repris avec Colm… Tout à l'heure, je n'ai pas su me maîtriser. Sachez que j'en suis infiniment désolé et je vous implore de pardonner mon détestable geste… »

Parfaitement immobile, Iain MacNèil examina longuement son fils ; il nota le même front haut que celui de son épouse, le même nez court, les mêmes yeux marron, avec le même regard vif et intense. Il reconnut, pour la première fois, que son aîné ressemblait davantage à la châtelaine de Mallaig qu'à lui-même ou qu'à son père. Mais sur le plan du tempérament, son fils était indéniablement un MacNèil : même fierté et même célérité à réagir aux insultes, même détachement dans le traitement des affaires et même appétit pour le vin. Sur ce plan, Iain MacNèil ne pourrait jamais renier son fils. Il marcha jusqu'à lui, le prit par le cou et, dans un geste de réconciliation, il rapprocha sa tête de son épaule.

« Ramasse ton arme, mon fils, lui souffla-t-il. J'ai besoin de toi. »

Baltair émit un soupir de soulagement libérateur et, le nez collé au pourpoint de son père, il goûta longuement son accolade avant de se baisser et de reprendre son arme.

« Voici ce que j'attends de toi, déclara le père. La guerre aux Ranald, c'est mon affaire et c'est pour cela que je suis ici avec mes hommes. Ramener Sorcha Lennox à ta mère, c'était ta mission et ça le demeure. Trouve-la et escorte-la jusqu'à Mallaig.

— Bien, père.

— Cette nuit, tu vas sortir de Glasgow avec Colm et un de mes gardes. Deux de mes hommes vous couvriront durant un mile sur la route d'Édimbourg, puis reviendront ici. Je sais que Ranald a déjà dû repérer ma garnison et, dès demain, il sera une menace. Je ne veux pas que l'affrontement ait lieu ici, aussi je vais entraîner Ranald au nord de la ville. Il va mettre un certain temps avant de noter ton absence et celle de Colm, et c'est ce que je souhaite. Pas question que je vous expose, car, à mes yeux, vous ne faites plus partie de l'enjeu… Baltair, je dois te dire que tu as pris la bonne décision en évitant Ranald et son escorte : toi et Colm n'êtes pas de taille. La bataille qui s'annonce sera très dure et, crois-moi, tous ne s'en sortiront pas vivants.

– Gardez tous vos hommes, père. Je peux fort bien poursuivre ma mission seul avec Colm. Je n'ai pas besoin de vos gardes. »

Iain MacNèil sourit à son fils, fouilla dans son escarcelle et sortit une petite bourse de cuir qu'il lui remit dans la main.

« Soit ! Mais je pense que tu auras besoin de ceci… »

Des sons lourds et feutrés comme des pierres jetées au fond d'un trou me sortirent de ma léthargie. J'ouvris les yeux et entrevis d'abord un visage flou, puis un deuxième tout à côté, ou peut-être était-ce le même qui se dédoublait. Je ressentis aussitôt une violente nausée et je me redressai pour vomir.

« Là, là, cela va aller mieux maintenant, entendis-je. Ils ne vous ont pas épargnée… Que s'est-il passé ? Qui était-ce ? »

On me soutenait par un bras et le ton de la voix était rassurant, mais, l'esprit embrouillé comme je l'avais, j'étais incapable de répondre. Je fixai mon attention sur mes mains écorchées, ma robe fendue, mes jambes découvertes et tachées, puis levai les yeux. Une femme était penchée au-dessus de moi et me retenait par les épaules. Derrière elle, une autre femme et un homme m'observaient. Un coup d'œil circulaire m'informa que nous étions dans une sorte d'appentis aux planches ajourées. La lumière du jour y pénétrait encore.

« Ce n'est pas la nuit ? murmurai-je.

– Qui êtes-vous, ma dame ? Où habitez-vous ? Nous allons vous raccompagner chez vous... », me dit la femme qui me soutenait.

Ils m'aidèrent à me lever et à remettre de l'ordre dans ma tenue. Je surpris les regards affligés qu'ils se glissaient les uns les autres, en silence. Tout ce que je pus prononcer dans mon désarroi, ce fut le nom de l'hospice. Ils m'y conduisirent à pied, me soutenant et m'enveloppant d'un bavardage banal et lénifiant que j'écoutai à peine. J'essayais mentalement de revoir l'agression que j'avais subie, mais ma perte de conscience gommait tout souvenir de mes assaillants. Chemin faisant, je constatai que je n'avais plus ni aumônière, ni ceinture, ni jonc au doigt. On m'avait dépouillée. Un obscur sentiment de honte commença à s'insinuer en moi et me retint de questionner mes secouristes.

J'entrai à l'Hôtel-Dieu dans cet état d'hébétude et je regagnai ma couche sans adresser la parole à quiconque. Je m'y blottis et, le visage baigné de larmes, je priai en appelant mon père à l'aide. Le lendemain, je me levai bien avant l'aube, me munis de mon sac et me rendis dans la salle des thermes. Durant une heure, je m'activai à laver mes vêtements : bas, chemise, jupes, robe, cape, tout y passa. Je nettoyai également mes cheveux poisseux et frottai la peau de mon corps avec le même acharnement. À l'intérieur de mes cuisses, je découvris, inquiète, des marques bleues et du sang séché.

Après avoir suspendu mon linge dans la cour sur les mêmes étendoirs que la literie, je retournai au dortoir. Les occupantes étaient toutes sorties pour l'office de matines ou pour le service aux malades. J'étais seule et je déployai sur mon lit le contenu de mon sac, à la recherche du nécessaire pour écrire. Je ressentais l'urgent besoin de signaler ma présence à quelqu'un et de l'informer de ma navrante situation de dépouillement. Je saisis ma corne d'encre, ma plume et un feuillet d'une des lettres de Baltair MacNèil, à l'endos duquel je me mis à rédiger, poussée par une inexprimable détermination.

Sorcha Lennox à la châtelaine de Mallaig

Ma dame, que Dieu vous garde ! La mort de mon père a précipité mon destin. J'ai quitté ma mère et le couvent Sainte-Marie et je suis partie, seule, inexpérimentée et démunie, dans une quête forcenée : celle de retrouver à Édimbourg la tombe du lieutenant Lennox et de lui rendre hommage. Je sais qu'il vous a loyalement servie jadis et je me réclame de l'amitié que vous lui avez probablement conservée, pour faire appel à votre bonté. J'ai été assaillie par des malfaiteurs et je crains désormais l'anonymat de la cité. Aussi, je vous demande d'accepter ma dépouille s'il m'arrivait d'y mourir. J'aimerais reposer à Morar. Avec votre permission, je vais porter l'identité de votre famille sur moi en tout temps.

Je vous remercie et prie Dieu de vous protéger à jamais.

Votre dévouée, Sorcha Lennox,
et avec votre autorisation,
Sorcha de Mallaig

Je remis le pli à la supérieure de l'hospice le même jour, en lui demandant de l'acheminer, ce qu'elle accepta sans poser de question. Elle voyait bien que je n'étais pas dans un état normal, mais je ne me sentais pas prête à partager ma déconvenue. Nous nous en tînmes à ma contribution de soignante et elle m'engagea à seconder la religieuse dévouée aux soins des enfants abandonnés qui occupaient une aile entière de l'hospice.

Durant les jours qui suivirent, je m'y investis corps et âme, oubliant mon propre malaise en soulageant celui des petits misérables. Il y en avait une trentaine, âgés de trois à onze ans, orphelins pour la plupart, malades pour la moitié d'entre eux, et tous absolument négligés. À leur contact, je recouvrai peu à peu ma force et ma détermination ; je me surpris bientôt à rire et à m'amuser avec les plus hardis, à chanter avec les plus calmes et à prier avec les plus faibles. La religieuse avec qui j'étais jumelée démontrait beaucoup de patience et de compassion pour nos protégés et elle m'accordait une grande latitude dans le choix des traitements à leur administrer.

Je découvris que la connaissance des plantes et des simples que les gens de l'hôtel-Dieu d'Édimbourg possédaient n'était pas supérieure à la mienne et, parfois même, qu'elle était un peu moins complète. J'éprouvai une immense joie à partager et à approfondir ma science et cela fut de nature à me redonner la confiance et l'équilibre qui m'avaient désertée.

Un matin, je me sentis capable de reprendre la poursuite de mon but. En révélant mes intentions à la supérieure de l'hospice, je m'informai de la possibilité de me faire accompagner pour me rendre chez le prélat de Saint-Giles. Elle me confia à un homme âgé qui était fournisseur d'huile pour l'hospice et qui escortait régulièrement les religieuses dans leur déplacement en ville. Il était présent en cette matinée pluvieuse et il me conduisit de bon gré à la cathédrale Saint-Giles, sur un grand mulet.

Encore craintive, j'avais pris soin, cette fois, de m'armer de mon couteau et d'enfiler ma vieille tunique qui camouflait mieux ma féminité que ne le faisait la robe d'Ingrid. Chemin faisant, mon vieux guide se révéla bien connaître le site de la cathédrale et sa nécropole. Il me confia que rien n'était plus facile à dénicher qu'une épitaphe militaire, car une section entière du cimetière était réservée aux guerriers du roi, qu'ils soient gardes, soldats, capitaines ou chevaliers.

« Si votre père est décédé récemment, ma dame, ce sera encore plus facile de retrouver l'emplacement de sa sépulture, car alors on l'aura enterré au fond, près du parapet », m'expliqua-t-il.

Quand nous atteignîmes le mur du cimetière, il me fit descendre du mulet et me demanda, avec un air décontracté, s'il pouvait m'attendre à l'extérieur :

« Pouvez-vous y aller seule, ma dame ? J'avoue que j'ai la frousse des macchabées. Je vais vous surveiller d'ici et je vous garderai à l'œil, au cas où vous feriez de déplaisantes rencontres. La section que vous cherchez est toute proche, sur votre gauche. »

Malgré une peur sourde qui me tenaillait, je n'osai pas lui demander de m'accompagner et je m'engageai courageusement dans le sentier qui pénétrait dans l'enceinte. Tête basse, je dépassai plusieurs groupes de mendiants et de flâneurs, racaille habituelle de tous les cimetières, et parvins devant un ensemble d'épitaphes toutes pareilles. Je me penchai sur les premières, j'en lus les noms et je passai ainsi en revue toute une rangée. Quand je fus arrivée à son extrémité, mon cœur tressaillit. Celle que je cherchais était là. L'inscription « *William John Lennox, artilleur de quatrième garnison, mort au service du roi à Édimbourg, le 13 juin de l'an de grâce 1443. Domine, exaudi orationem nostrem* » semblait fraîchement gravée. Tandis que je m'agenouillais sur le tertre mouillé, des larmes ruisselaient sur mon visage. Je tendis les doigts d'une main tremblante et je suivis respectueusement le contour de chaque lettre. Puis, la tête enfouie dans mon capuchon, je me recueillis longtemps.

« Messire, c'est elle ! chuchota Colm. C'est bien la tunique verte et les souliers de veau marin lacés sur la cheville qu'elle porte...

– Je sais, je sais. Tiens-toi tranquille... Laisse-la prier. Ça fait une semaine qu'on est postés sous cet arbre en espérant qu'elle viendra enfin, on peut bien attendre encore un peu avant de manifester notre présence », marmonna Baltair.

Les yeux hypnotisés par la silhouette de la jeune femme, comme s'il avait peur qu'elle ne disparaisse, le jeune chevalier se sentait étrangement ému d'être arrivé à la première des deux étapes de sa mission qui étaient de retrouver Sorcha Lennox, puis de la ramener à Mallaig. La poursuite lui avait paru, de loin, la plus difficile des deux étapes. Il s'était cent fois morfondu d'avoir perdu la trace de la jeune fille et s'était raccroché à l'ultime indice que constituait la tombe du lieutenant, tel un appât qui attire sa proie. À côté de cela, escorter la fille de Lennox jusqu'à Mallaig lui sembla un jeu d'enfant.

Il se leva pour se dégourdir les jambes et jeta un œil aux chevaux attachés au bas de la petite pente où ils avaient établi leur poste de surveillance.

« Messire, attention ! dit soudain Colm, sur un ton alarmant. Ce groupe-là qui s'approche d'elle. Regardez, ils vont l'accoster. Elle est trop absorbée pour s'en apercevoir... »

Baltair bondit. À une centaine de pas d'où il se tenait, il vit Sorcha approchée par trois badauds se relever, pivoter et reculer contre l'épitaphe. Les hommes se pressèrent autour d'elle et le sang de Baltair ne fit qu'un tour. Il sauta par-dessus le muret de l'enceinte et se précipita vers eux en criant « Arrière ! Laissez immédiatement cette femme ! »

Deux assaillants déguerpirent en voyant foncer le chevalier, arme au poing. Le troisième ne voulait pas lâcher la cape de la jeune fille qui tentait de se dégager en hurlant. Il essaya de lui faire perdre l'équilibre en la tirant au sol, mais elle résista. Quand Baltair fut sur eux, il répéta sa semonce que les cris de Sorcha couvrirent. Elle lui faisait dos et brandissait un couteau devant le visage de son ennemi. Baltair voulut s'emparer du bras de l'agresseur, mais celui-ci lâcha prise au même moment et détala. À peine le jeune chevalier eut-il le temps d'entrevoir le regard affolé de Sorcha, qui tournait la tête vers lui, qu'il sentit la lame pénétrer son épaule. Sous l'effet de la douleur, il échappa son arme et porta la main à son haubert. Il la retira tachée de sang. Il leva les yeux sur la jeune femme ahurie et leurs regards se croisèrent dans un silence soudain complet.

La lutte et les cris avaient attiré une foule de curieux autour d'eux. Colm avait dégainé et se tenait aux côtés de Baltair, prêt à intervenir. Le guide de la jeune femme s'amenait pesamment au bout de l'allée avec son mulet. Sorcha baissa les yeux sur son couteau ensanglanté et, le prenant par la lame, elle le tendit au jeune chevalier.

« Désarmez-moi, messire Baltair », fit-elle.

CHAPITRE XIII

CHEVAUCHER EN MONTAGNE

À peine avais-je porté le coup à l'assaillant derrière moi que je distinguai le torque dans son encolure et l'écu bleu des MacNèil sur son haubert. Je vis mon adversaire grimaçant de douleur laisser tomber son arme, porter la main à son épaule et la retirer couverte de sang. À ce moment précis, je réalisai que la première victime de mon couteau était Baltair MacNèil. Mes yeux croisèrent les siens et j'y lus surprise et confusion. Quant à moi, j'étais horrifiée.

Je sentis ma main qui avait frappé, comme étrangère à mon propre corps et l'examinai avec stupeur. Une pluie fine avait commencé à diluer la coulée de sang sur la lame. Éperdue, je l'empoignai et tendis le couteau à Baltair MacNèil.

« Désarmez-moi, messire Baltair », dis-je péniblement.

L'homme qui se tenait à ses côtés, et que je reconnus pour son compagnon de voyage, s'empara du couteau et le glissa dans sa ceinture. Quant à Baltair MacNèil, il se pencha et ramassa son arme qu'il rengaina aussitôt en crispant les lèvres ; il avait le souffle court et il se racla la gorge avant de se présenter en gaélique, sur un ton grave :

« Damoiselle Sorcha Lennox, je présume. Vous me connaissez déjà... Je suis le fils de dame Gunelle et du chef du clan MacNèil à Mallaig. Voici mon beau-frère Colm... Nous vous cherchons depuis le couvent Sainte-Marie... Heu... enfin, j'ai reçu mission de vous ramener... »

Les derniers mots s'étranglèrent dans sa gorge et il avala avec difficulté. Je perçus de l'embarras dans son attitude et le dévisageai avec affolement. Ce que j'avais pressenti depuis mon départ d'Iona était donc vrai : Baltair MacNèil me pourchassait. Mais ce que j'apprenais était bien pire : il agissait pour le compte de sœur Béga qui voulait me reprendre et probablement m'enfermer au couvent.

« Messire, lui dis-je, tremblante, je n'ai pas l'intention de vous accompagner. Personne en dehors de mon père n'a autorité sur moi, et il est mort. Je suis seule maîtresse de ma destinée et je n'irai pas où vous avez mission de me conduire. Est-ce clair ? Je vous demande incessamment de ne plus me poursuivre ! Adieu, messire ! »

Avisant mon escorte qui s'amenait avec son mulet, je tournai les talons, fendis le cercle de curieux et fonçai sur l'homme en l'implorant de partir :

« Vite, messire, lui dis-je. Reconduisez-moi à l'Hôtel-Dieu. Allons-nous-en de suite ! »

Je lui enlevai la bride des mains et me précipitai vers la sortie, sans un regard derrière moi. Mes oreilles bourdonnaient et j'avais hâte de quitter le cimetière. La seule idée de retourner entre les murs du couvent Sainte-Marie me révoltait et je ne désirais qu'une chose : laisser là Baltair MacNèil et ne plus le savoir dans mon sillage.

Arrivée à l'hospice, tendue et anxieuse, je me réfugiai dans le dortoir et j'attendis l'office de none pour en sortir. Alors calmée, je me rendis à la chapelle d'un pas serein. J'étais convaincue de m'être débarrassée de mon poursuivant, mais j'avais tort. Une des dames soignantes me héla en m'annonçant qu'un blessé réclamait mes soins et m'attendait, depuis un bon moment, dans la salle aménagée pour les voyageurs. Intriguée, je m'y rendis. Assis dans un coin avec son beau-frère, Baltair MacNèil patientait. Sitôt qu'il me vit entrer, il se leva et me rejoignit en deux enjambées. J'avais amorcé un geste de retraite, mais, le regard irrité, il me retint par le bras et m'apostropha en gaélique :

« Un instant, Sorcha Lennox ! Que vous ne vouliez pas venir à Mallaig avec moi, mais rester à Édimbourg, passe toujours. Que vous préfériez un mulet au destrier d'un chevalier pour vos déplacements, cela peut s'admettre. Que vous affectionniez la compagnie d'un ménestrel plutôt que celle d'un fils de seigneur, cela peut se concevoir. Mais que vous congédiiez effrontément un homme qui s'échine depuis deux semaines à vous retrouver sous votre fausse identité pour vous venir en aide, c'est parfaitement inacceptable ! Vous êtes guérisseuse ? Hé bien soit ! Vous m'avez blessé et j'exige que vous me soigniez ! Je ne partirai pas d'ici avant que vous ne m'ayez réparé l'épaule.

– Qu'est-ce à dire, messire ? Ai-je compris que votre intention est de m'emmener à Mallaig ? lui demandai-je, incrédule. Vous n'êtes donc pas au service de sœur Béga ?

– Bon sang ! rugit-il, exaspéré. Qui est cette sœur Béga, maintenant ? De quoi me parlez-vous ? Et où voulez-vous donc que je vous emmène si ce n'est à Mallaig ? »

J'ignore ce qui, de mon énervement, de la méprise ou de son air outragé, déclencha mon rire. Sans doute tout cela à la fois. Je ne pus me contenir davantage et je m'esclaffai, pliée en deux devant lui. J'entendis son compagnon lui offrir une explication d'une voix tempérée :

« Messire, ne vous fâchez pas. Je crois que damoiselle Lennox a pensé, tout à l'heure, que vous cherchiez à la ramener au couvent Sainte-Marie… »

Mon hilarité incontrôlable dut beaucoup indisposer Baltair MacNèil, car il ne m'adressa plus la parole durant la demi-heure qui suivit et évita consciencieusement mon regard. Quand je voulus l'examiner, il se défit de ses vêtements tachés avec mauvaise grâce et, durant mon inspection, il grogna plutôt qu'il ne prononça les réponses à mes questions portant sur la mobilité de son bras. Je constatai que la blessure, assez profonde, avait fait sourdre beaucoup de sang, car sa chemise et son haubert en étaient complètement imbibés. Je nettoyai de mon mieux la plaie et la bandai avec des pansements propres. J'avais beau toucher son épaule avec le plus de douceur possible, mes manipulations provoquaient des grimaces sur son visage qu'il tentait, au prix de grands efforts, de garder impassible.

À quelques reprises, je surpris le dénommé Colm qui me détaillait avec un sourire au coin des lèvres ; Baltair lui jetait alors un œil sévère auquel l'homme répondait en se composant une mine grave. Le manège finit par m'amuser et je me risquai à sourire à mon blessé. Depuis que j'avais compris qu'ils voulaient m'emmener à Mallaig, je me sentais soulagée d'un immense poids. N'était-ce pas là le rêve que j'avais longtemps caressé à Iona ?

« Qu'y a-t-il de si drôle, Sorcha Lennox ? grommela-t-il.

– Rien, messire Baltair, lui répondis-je. Je repensais simplement aux lettres que vous m'avez écrites avec cette main et ce bras que je vous mets en écharpe… D'ailleurs, si vous le permettez, je me suis toujours demandé ce qui vous a poussé à m'écrire à Iona et les raisons qui ont fait que vous avez cessé… »

À l'évidence, la question l'embarrassa. Il congédia son beau-frère d'un « Va m'attendre dehors ! » expéditif, puis il entreprit de me relater les événements, vieux de six ans, survenus à Morar après mon départ avec ma mère. Il enchaîna ensuite sur l'intérêt de dame Gunelle pour notre correspondance, afin d'expliquer son propre désistement. Il se livra avec tant de candeur que j'en oubliai aussitôt son comportement altier et arrogant.

Comme il fallait s'y attendre, Baltair MacNèil voulut mettre au clair mes agissements depuis ma fuite d'Iona et je lui narrai mon périple avec la même franchise que la sienne, n'omettant ni l'utilisation du « tribut de la Vierge », ni mes doutes sur frère Gabriel et la vente du « trésor du Fils », ni l'épisode de ma rencontre avec Haki et les ménestrels. Le seul événement que je lui dissimulai, car mon sentiment de honte subsistait, fut celui de mon agression sur la place publique d'Édimbourg. Toute la conversation avec lui fut captivante. Nous reprîmes une à une les étapes du voyage de chacun, découvrant que nous avions été présents en même temps à Dumbarton et à Glasgow. Enfin, j'appris avec étonnement que Colm était le fils de ma bien-aimée Etta, qu'il était le sauveur de Baltair en plus d'être l'époux de Ceit.

Soudain, mon blessé prit conscience que l'écharpe, que je lui avais confectionnée tout en bavardant, immobilisait complètement son bras droit. Le tutoiement qu'il utilisa spontanément me charma et je n'hésitai pas à l'employer, moi aussi :

« Mais, Sorcha, tu ne peux pas me ficeler comme ça ! Comment ferai-je pour me battre, si je n'ai plus l'usage de ma droite ?

– Contre qui veux-tu te battre ? Les Ranald ?

– N'importe qui ! Eux, d'autres. Des sbires, des vagabonds, des bandits de tout acabit. On ne sait jamais, en voyage... Je me demande d'ailleurs comment tu as fait pour t'en sortir sans égratignure jusqu'ici... »

J'éludai la question et je m'employai à le rassurer sur la durée de la guérison, en lui faisant miroiter qu'il n'aurait à garder l'écharpe que le temps que la plaie se referme. Puis nous abordâmes le sujet de sa mission et celui du but que je poursuivais à Édimbourg.

« J'aimerais pouvoir retourner au cimetière, lui confiai-je. Je n'ai pas eu le temps de faire mes adieux à mon père, comme je le souhaitais tant. Après, je suis disposée à rentrer avec toi à Mallaig et à devenir la suivante de ta mère, puisqu'elle me fait l'honneur de m'élever à ce titre. »

En entendant cela, il ferma les yeux et poussa un tel soupir de soulagement que j'en déduisis qu'il avait redouté que je ne veuille toujours pas le suivre.

« Merveilleux ! dit-il, sur un ton saccadé. Moi, je reste ici : je t'ai enfin trouvée et je ne te laisse plus. Colm ira récupérer nos bagages à l'auberge. On va passer la nuit à l'hospice et puis, demain, on t'accompagne au cimetière. Tu y restes le temps que tu désires. On n'est pas pressés, mais il vaut mieux ne pas traîner trop longtemps : mon père a mené une expédition contre le clan Ranald et il me tarde d'en connaître l'aboutissement. »

Il me fit une brève salutation en inclinant la tête et partit à la recherche de son beau-frère. Je surpris sur moi le regard indiscret des personnes présentes dans la salle, qui nous avaient épiés sans probablement comprendre notre échange qui s'était déroulé en gaélique. Je leur souris complaisamment, le cœur en fête : ne venais-je pas d'être retrouvée par un jeune et séduisant chevalier qui, à ses dires, ne voulait plus me quitter ?

Malgré sa troupe supérieure en nombre, Iain Mac-Nèil n'avait pas réussi à faire fléchir Ranald. Dix jours après la funeste rencontre à Glasgow, le chef était rentré à Mallaig, déçu et amer. Rien n'était encore réglé avec son adversaire d'Uist. Il déplorait la perte de trois hommes de son contingent, par rapport à une seule pour le clan Ranald. De plus, une large blessure au genou, reçue durant la bataille, lui enlevait pratiquement l'usage de sa jambe, ce qui avait compliqué son retour au château. Depuis, Iain MacNèil ne pouvait plus monter à cheval, se déplaçait avec difficulté, mais en même temps il ne tenait plus en place, bouillant d'impatience d'aller pourfendre son ennemi.

Quand son épouse reçut l'énigmatique lettre de Sorcha Lennox, de l'hôtel-Dieu à Édimbourg, il se demanda s'il ne devait pas tenter de joindre Baltair dans la cité. Depuis son retour, Iain MacNèil attendait l'arrivée de son fils avec une telle irritation que, parfois, il regrettait presque de lui avoir confié la mission de retrouver l'insaisissable jeune fille.

« Mon seigneur, lui dit dame Gunelle, retenez votre messager encore un peu. Je suis certaine qu'en ce moment Baltair a déjà trouvé Sorcha Lennox. Si Dieu et la mémoire du lieutenant veillent sur la pauvre enfant, il ne peut en être autrement. Je nourris beaucoup d'espoir, car cette lettre de Sorcha prouve qu'elle a bien poursuivi son objectif à Édimbourg et qu'elle est demeurée attachée à notre maison. Aussi, elle reviendra avec notre fils... »

Et elle conclut intérieurement : « Elle pourra peut-être miraculeusement guérir votre jambe. »

La châtelaine de Mallaig refrénait le sentiment de panique qui s'emparait d'elle chaque fois qu'elle examinait la blessure de son mari. Malgré les soins prodigués par leur médecin, la plaie ne guérissait pas ; l'infection avait gagné du terrain dans les chairs et la douleur se faisait de plus en plus vive. Dame Gunelle craignait que les choses ne s'enveniment au point qu'il faille envisager l'amputation. Elle savait pertinemment que son mari s'y refuserait, au risque de devoir affronter la mort. Elle se força à lui sourire et replia la lettre soigneusement.

« Ne feignez pas, ma dame, je vois bien que vous êtes inquiète. Mais ce n'est pas le retour de notre fils avec la fille du lieutenant qui vous tracasse, c'est ça ! dit-il en montrant sa jambe du menton. Si rien ne se passe, je ne serai bientôt plus en mesure de corriger Ranald… Souhaitons que les talents de votre protégée soient aussi fameux que vous le prétendez et que Baltair nous la ramène au château sans tarder… »

Mais Baltair, Colm et Sorcha étaient encore à une semaine de route de Mallaig. Le jeune chevalier avait choisi de regagner les Highlands en évitant Glasgow et il avait établi le trajet en conséquence, en remontant la rivière Teith. Comme son bras en écharpe gênait ses mouvements, il avait jugé prudent de prendre tous les bagages sur son cheval et d'installer Sorcha derrière Colm sur sa monture dessellée.

Le beau-frère appréciait beaucoup l'arrangement et lançait des œillades significatives à Baltair, chaque fois qu'il pouvait le faire à l'insu de la jeune fille. Colm s'ingéniait à la distraire de son manège en la bombardant de questions sur sa mère Etta et leur vie au couvent. De bonne grâce, Sorcha répondait en se penchant à l'oreille du cavalier afin qu'il entende bien ses répliques. Quand le groupe mit pied à terre dans la cour d'une auberge de Stirling, leur première étape, Colm prit Baltair à part et poussa l'espièglerie de manière à troubler le jeune homme.

« Messire, confia Colm à son beau-frère, d'avoir son joli corps appuyé contre moi tout le jour me raidit la verge. Je crois que je vais me prendre une fille ce soir, s'il y en a. Vous resterez ensemble. Vous n'y voyez pas d'objections, j'espère ? »

Bien qu'il trouvât déplacé et déloyal que son beau-frère déroge à son serment d'homme marié en sa présence, Baltair n'osa pas s'opposer. Cependant, il se promit, pour la suite du voyage, d'éviter les endroits où le mari de sa sœur pourrait répéter l'expérience. De plus, en sortant de l'auberge le lendemain, il annonça à Colm qu'il interchangeait leurs positions, lui demandant de ne pas seller son cheval afin de pouvoir asseoir Sorcha derrière lui. Cela ne sembla pas contrarier Colm qui abreuva le jeune homme de propos crus tout en attachant les bagages et le harnachement de Baltair sur sa propre monture :

« Vous ne pouvez imaginer à quel point cela fait du bien à un homme de se délasser de la sorte toute une nuit. C'est une bonne auberge, ici, messire. Il faudra en retenir le nom. J'aime me vider les bourses à fond régulièrement, sinon je n'ai plus d'attention pour rien d'autre. Vous allez voir, messire. Cela va vous chauffer les sangs d'avoir la mignonne dans votre dos…

— Tais-toi donc, espèce de dépravé ! Ne m'importune pas avec tes impressions, je ne veux pas les connaître… Et prends garde à tes mains tripoteuses quand tu vas l'aider à monter derrière moi, sinon je te les coupe ! dit Baltair avant de se taire à l'approche de Sorcha.

— Si cela devait arriver, grommela Colm, il faudrait lui redonner son couteau, car alors aucun de nous deux ne pourrait plus se défendre et elle devrait le faire à notre place… »

Sorcha n'émit aucun commentaire sur le changement que les hommes avaient opéré dans leur équipage. Elle s'installa avec aisance derrière Baltair, prenant soin de ne pas le serrer de trop près afin de ne pas incommoder son épaule blessée. Profitant de ce que Colm chevauchait à sa hauteur, elle lui fit la conversation. Au grand dam de ce dernier, Sorcha voulut tout savoir sur dame Ceit, son séjour à Crathes, leur rencontre, leur mariage. Cette fois, c'est Baltair qui souriait narquoisement en entendant son beau-frère s'empêtrer dans des réponses évasives.

Baltair dressa l'itinéraire des jours suivants de sorte que leur équipage empruntât les sentiers à flanc de colline, traversant les bourgs et hameaux où il se procurait des provisions de bouche, mais les évitant en fin de journée. Ils dormirent à la belle étoile durant presque tout le trajet de retour à Mallaig. À la demande de Sorcha, qui exigeait de l'eau de source pour soigner la plaie de Baltair, ce dernier choisissait des emplacements en hauteur pour établir leur campement et mandatait son beau-frère pour trouver le bois nécessaire au feu de cuisson.

Ainsi, chaque jour, le jeune homme passait de longs moments en tête-à-tête avec Sorcha dont la personnalité le fascinait de plus en plus. Il s'étonnait de l'étendue de ses connaissances sur les animaux, les poissons, le temps et les saisons de floraison des différentes plantes. Baltair admirait son assurance tranquille et la dextérité de ses gestes dans tout ce qu'elle faisait. Les premières fois qu'il enleva son pourpoint et sa chemise devant elle, il éprouva une certaine pudeur mêlée au trouble de sentir les mains chaudes de la jeune femme palper les muscles de son épaule. Il devait reconnaître qu'elle était efficace dans ses soins. Avant de quitter l'hospice, elle s'était munie d'un assortiment de bandelettes pour changer le pansement quotidiennement et d'un baume de cette sauge salvatrice qu'elle affectionnait. Le moment où sa protégée enduisait de pommade le pourtour de sa plaie était celui que Baltair préférait et attendait secrètement toute la journée. Il fermait alors les yeux et goûtait le toucher délicat de Sorcha sur sa peau. Parfois, un frisson lui parcourait l'échine et les poils de ses bras se hérissaient. Sorcha notait la réaction et disait toujours le même commentaire qui amenait chez le jeune homme la même réplique :

« Je n'en ai plus pour longtemps, tu vas pouvoir te couvrir. Il fait un peu frisquet…

– Sorcha, prends tout ton temps. Je n'ai absolument pas froid. Je trouve même qu'il fait encore chaud pour l'heure… »

Il ouvrait alors les yeux et contemplait le sourire espiègle qui se dessinait sur les lèvres de la jeune fille. Lui revenait toujours le souvenir de Sorcha se laissant embrasser par Haki à l'auberge du coche Murdoch, et l'envie d'en faire autant le tenaillait jusqu'à la fin de la séance de soins. Souvent, l'arrivée inopinée de Colm brisait le charme et Baltair finissait par se rhabiller sans rien tenter. Mais, en fait, le jeune homme avait la ferme intention de s'en tenir à un comportement exemplaire avec Sorcha Lennox, quoi qu'il lui en coûtât. Au contraire des mœurs dissolues de Colm ou de l'attitude libérée du ménestrel, les manières de Baltair étaient gouvernées par son statut de chevalier. Le respect du code de conduite lui commandait de faire preuve, en tout temps, d'une grande maîtrise de lui-même, de dignité, d'estime et de protection à l'égard des femmes, à plus forte raison avec celle qu'il avait mission d'escorter.

Souvent, Baltair tournait la tête vers le ciel qui rougeoyait et refrénait ses pulsions en prêtant une oreille distraite au bavardage qui s'installait entre Colm et Sorcha durant le souper. Jusqu'à la tombée complète de la nuit, moment où chacun s'enroulait alors dans sa cape pour dormir, Baltair écoutait la conversation entre son beau-frère et la fille du lieutenant Lennox. Il laissait le soin à Colm de répondre aux interrogations de Sorcha, de narrer les événements et de décrire les différentes personnes résidant au château de Mallaig. Si, parfois, Sorcha se tournait dans sa direction pour avoir la confirmation d'un fait ou d'une impression livrés par Colm, Baltair se contentait d'un hochement de tête. Maladroitement, il se disait que moins il lui parlerait, moins il la désirerait.

Mis à part le fait que Baltair devint de plus en plus taciturne au fur et à mesure que notre équipage s'enfonçait dans les montagnes des Highlands, je goûtai infiniment la compagnie de mon escorte. Les deux hommes étaient prévenants à mon endroit et multipliaient les attentions pour assurer mon confort. Le temps, particulièrement sec pour la saison, agrémentait notre quotidien de voyageurs et je me rendis compte que la vie au grand air me charmait. Comme je n'étais jamais montée à cheval, ce mode de transport fut une autre merveilleuse découverte pour moi.

Après une première journée de voyage sur la monture de Colm, Baltair me fit installer derrière lui. Son cheval, une magnifique bête, avait nettement ma préférence. Très haut de garrot, toison claire, crinière et queue d'un magnifique noir de jais, le destrier réagissait promptement au moindre mouvement ou mot de Baltair. Je devinais, entre l'animal et son maître, une parfaite entente qui me fascinait. À la fin de chaque journée, je participais avec empressement à son étrillage et brossage. Je n'aimais rien autant que de sentir le pelage chaud et humide du cheval sous ma main grande ouverte et d'entendre les paroles douces que son maître lui adressait. J'enviais presque la communication que Baltair entretenait avec sa monture et me pris à souhaiter posséder un cheval, un jour, pour pouvoir bâtir un lien semblable.

À certains égards, Colm me faisait penser à frère Gabriel. Il avait une façon singulière de parler de la famille MacNèil, discours rempli d'allusions et de sous-entendus, particulièrement quand il était question du chef. Je ne me lassais pas de le faire parler de Finella et il se prêtait au jeu en insistant sur les moindres faits et gestes de mon ancienne servante. Durant tout le voyage, Colm se révéla un compagnon très jovial et taquin dont la présence me divertit. C'est surtout Baltair qui faisait l'objet de ses espiègleries. Nombre de fois, Colm me sembla dépasser les bornes avec ses blagues, mais un étrange sentiment de solidarité ou de respect retenait Baltair d'y mettre fin.

En fait, cela m'intrigua d'évaluer le degré de subordination qu'il y avait entre les deux hommes. Par ses titres, Baltair MacNèil dominait son beau-frère. Mais, par l'âge et l'expérience, il était supplanté par Colm, son aîné d'une trentaine d'années. En outre, Baltair avait contracté une dette d'honneur envers son beau-frère qui l'avait aidé à s'évader d'Uist. Cela expliquait, mieux que tout autre chose, la magnanimité dont il faisait montre à l'endroit de son compagnon. Ainsi, Baltair prenait les décisions, menait l'expédition et en assumait la responsabilité ; Colm, quant à lui, le secondait et lui obéissait laconiquement.

Un jour où la pluie tombait depuis le matin, nous aboutîmes dans une vallée inhabitée, couverte de bruyères et baignée par un petit loch. Sur un léger talus se trouvait une tour picte abandonnée. Tout un pan de pierre s'était effondré et la végétation avait envahi le site.

« Nous sommes maintenant à deux jours de Mallaig, déclara Baltair. On s'arrête ici pour la nuit et on va s'abriter dans le broch*. »

Contrairement à mon habitude, je n'attendis pas l'aide de Colm pour descendre. Je m'agrippai à la taille de Baltair, passai une jambe par-dessus la croupe du cheval et me laissai glisser au sol. J'avais hâte de voir l'intérieur du broch et j'y courus en tenant mes jupes à deux mains, sous le regard ébahi de mes compagnons. Je ne fus pas sitôt entrée dans les ruines de la tour que, déjà, j'avais choisi l'emplacement pour le feu et celui pour les chevaux. D'avoir un semblant de toit pour la nuit après cette journée mouillée me donnait des ailes et j'avais un impérieux goût de voir moi-même à notre installation. Quand Colm et Baltair passèrent la tête dans l'ouverture pratiquée par l'éboulis, je leur fis part de mon verdict sur un ton triomphant, en déployant de larges gestes de présentation :

« C'est parfait, messires de Mallaig ! Voyez : là, un coin pour le foyer, on y a déjà fait un feu, d'ailleurs ; ici,

---

* Broch (mot gaélique) : tour de défense en pierre.

le sol est sec et, si on enlève ces pierres, on pourra s'étendre pour dormir ; et puis, là, vos montures seront protégées de la pluie. Il y a même du fourrage pour elles ! N'est-ce pas l'endroit idéal ?

— Bon, fit Baltair, mi-amusé, faisons comme tu dis. Colm, déplace les pierres qui nuisent à damoiselle Lennox, moi, je vais desseller les chevaux.

— Et moi, je vais chercher le bois et l'eau », annonçai-je.

Désireuse de faire ma part et, sans attendre l'autorisation du chef d'expédition, je m'emparai de la gourde et partis en direction du loch. La bruyère qui poussait à bonne hauteur faussait la distance que je devais parcourir pour atteindre le bord de l'eau et je mis plus de temps que j'avais figuré pour m'y rendre. Chemin faisant, je ramassai du petit bois sec que je rangeai dans l'ourlet formé par ma jupe, dont j'avais attaché un coin à ma ceinture.

Parvenue sur la rive du loch, j'aperçus, à une centaine de pas en amont, deux hommes occupés à pêcher. Ils levèrent la tête dans ma direction et s'immobilisèrent. Je réalisai que le fagot que je transportais dans ma jupe dénudait une de mes jambes jusqu'au genou et je m'accroupis aussitôt, tant pour me couvrir que pour remplir la gourde. J'évitai de regarder dans la direction des pêcheurs et je tins ostensiblement les yeux baissés sur la surface de l'eau, piquetée de gouttes de pluie. Quand ma gourde fut pleine, je me relevai et constatai que les deux hommes avaient quitté leur poste. Les sens en alerte, je fouillai d'un regard affolé le pourtour de la grève, mais en vain. J'entendis alors le bruit de leur progression au travers des branches. Ils devaient venir dans ma direction. Je me retournai et fonçai à toute allure dans le sens opposé, en me défaisant de ma charge de bois qui m'entravait. Malheureusement, ils eurent vite fait de me rattraper.

La course avait dû les exciter, car ils avaient les joues en feu et les yeux exorbités. L'un était grand et élancé ; l'autre, plus jeune, était trapu et avait une large tête moulée dans un calot de cuir. Ils me jetèrent au sol sans ménagement et m'immobilisèrent en une seconde. Le jeune me tenait par les épaules et l'autre s'était agenouillé sur mes jambes pour les bloquer. Il releva mes jupes et ouvrit le devant de son haut-de-chausse en grognant. Quand j'aperçus son membre tumescent, je me mis à hurler à pleins poumons. Une image floue de l'appentis, où je m'étais retrouvée après l'agression sur la place publique d'Édimbourg, me revint en mémoire avec toute la charge émotive qui lui était rattachée. Je compris à ce moment précis que, durant mon inconscience, j'avais été violée.

« Tais-toi, garce ! Ferme-la ! Je ne peux rien faire avec tes cris de goret qu'on égorge », disait celui qui s'apprêtait à abuser de moi.

Puis, aussi soudainement qu'ils m'avaient maîtrisée, ils me lâchèrent. Sans pouvoir m'arrêter de hurler, je me recroquevillai sur moi-même, en proie à une terreur profonde. Je perçus confusément des jurons proférés et des bruits de lutte à quelques pas de moi, et ensuite, plus rien. Je me tus et, durant une longue minute, je gardai les yeux fermés. Un tremblement s'empara de tout mon corps, comme si j'avais été secouée par des centaines de mains. Alors j'ouvris les yeux et je vis, au-dessus de moi, le visage défait de Baltair.

« Sorcha, oh, Sorcha… », l'entendis-je murmurer d'une voix éplorée.

Son bras droit n'était plus en bandoulière et pendait le long de son corps. Le col de son pourpoint était ouvert et, sous son torque, son cou luisait de sueur. Il s'accroupit et me releva en me prenant dans ses bras et en me serrant contre lui. J'étais incapable de prononcer une parole et d'arrêter de trembler. Nous restâmes ainsi un long moment. Colm nous rejoignit enfin.

« Ils ont détalé, messire, dit-il à Baltair. Ils sont seuls et je serais surpris qu'ils reviennent par ici. Ça ne vaut pas la peine de les poursuivre…

– Si, ça vaut la peine, Colm. Ils ne s'en tireront pas aussi facilement », répliqua durement Baltair.

Je me dégageai et le regardai, interloquée. Devais-je comprendre que Baltair avait l'intention de prendre en chasse mes agresseurs ? Je vis alors une coulée de sang qui descendait le long de la manche de son poignet droit. Colm avait dû suivre mon regard, car il se pencha et montra la manche tachée en s'adressant à Baltair :

« Votre blessure s'est rouverte, messire. Vous ne ferez rien avec votre main droite, ce soir. C'est moi qui vais m'occuper d'eux. Ils n'ont pas pu aller bien loin, car ils sont à pied. Ils ne sont pas armés non plus. Mais ils ont pêché trois loches qu'ils ont abandonnées là-bas. Si vous voulez, je vais les chercher et je vous les apporte au broch. Vous les faites cuire et je reviens les manger plus tard, quand j'en aurai fini avec eux… »

J'aurais voulu approuver le plan de Colm, mais rien ne sortait de ma bouche. Non qu'un repas de poisson ne m'intéressât pas, mais je redoutais de rester seule durant leur expédition punitive. J'étais encore sous le choc et je n'arrivais pas à contrôler les soubresauts de mes membres. Je voulus faire quelques pas et Baltair me soutint. Il entoura ma taille de son bras gauche et congédia Colm.

« Va pour le souper de loches, Colm ! Quant aux truands, tu devras faire vite... sinon il ne restera plus rien à manger ! »

Nous regagnâmes notre abri où Baltair m'installa, enroulée dans sa cape, puis il s'activa à allumer un feu avec sa pierre à fusil et de l'amadou. Il gardait le silence et je fis de même. La pluie cessa et Colm apporta les poissons qu'il déposa sur une pierre, non loin de moi. Ensuite, il s'essuya une main sur le revers de son pourpoint et me fit une caresse sur la joue en me souriant. Puis il marcha jusqu'à sa monture, sauta en selle et partit au galop en direction du loch.

Je fermai les yeux et sentis les larmes envahir mon visage. Alors, je me détournai, la tête contre le mur de pierre, et me mis à pleurer. De la même façon que je n'avais pas de contrôle sur mes tremblements, je n'en avais pas davantage sur mes larmes. Je mesurais avec détresse la profondeur de l'abîme dans lequel m'avait plongée la découverte de mon viol ; les conséquences de cette brutalité sur moi m'apparaissaient petit à petit et souillaient mon âme. Durant plus d'une heure, je fus tout à fait seule au monde.

La nuit était tombée quand Baltair s'approcha enfin de moi pour m'inviter à venir souper :

« C'est prêt, Sorcha, me dit-il d'une voix douce. Veux-tu manger quelque chose ?... Je t'en prie, il faut cesser de pleurer. Je ne sais plus quoi faire...

— Je suis si fatiguée de trembler, Baltair. Je voudrais tant que ça cesse, murmurai-je dans un souffle.

— Alors, viens tout près », dit-il en s'assoyant par terre à mes côtés et en m'attirant contre lui.

Je m'abandonnai à son enlacement et, peu à peu, je m'apaisai dans ses bras. J'entendais son cœur battre contre mon oreille et ce bruit sourd me berça jusqu'au sommeil qui finit par descendre en moi. Plus tard, je sentis que Baltair m'allongeait sur le sol et ramenait la cape autour de moi. Il s'étendit contre mon dos et m'entoura d'un bras ferme. J'eus vaguement une pensée pour son épaule blessée et je dus marmonner quelque chose à ce propos, car il souffla à mon oreille :

« Chut, ne t'occupe pas de ma blessure… C'est toi, ma blessure… »

Au milieu de la nuit, Colm revint bredouille au broch, mais il n'en laissa rien voir à Baltair. Quand ce dernier souleva la tête pour lui demander de rendre compte de son expédition, Colm mentit, sachant très bien que son jeune maître n'aurait de repos qu'une fois l'ennemi abattu.

« Tous les deux, messire, lui souffla-t-il en faisant le geste de transpercer un corps avec une lame. Rendormez-vous ! »

Il détacha son baudrier, qu'il laissa tomber dans un coin, et s'approcha du feu où il découvrit avec délectation les trois loches cuites et non entamées. Il sourit en regardant, par-dessus les flammes, les corps enveloppés et resserrés de son maître et de la jeune fille. « Hé, hé, pensa-t-il, Baltair le Jeune explore d'autres tactiques de protection. Tant que ça lui coupe l'appétit, c'est moi qui en profite… » Il jeta du petit bois dans le feu qui reprit aussitôt de la vigueur, puis il s'accroupit et dévora les trois poissons en silence. Une aubade de cigales s'éleva des buissons avoisinants et il pensa à ses retrouvailles prochaines avec son ardente épouse.

Le lendemain, il eut beaucoup de difficulté à dérider son maître et leur protégée : personne n'écoutait son bavardage. Anxieux et troublé par les sentiments confus qu'il éprouvait, Baltair tournait autour des chevaux sans mot dire. Sorcha ressentait détresse et honte, sentiments qu'elle tentait de dissimuler en fouillant dans son sac. Un malaise indéfinissable flottait autour des jeunes gens et cela agaçait prodigieusement Colm.

« Messire, vous devriez laver votre bras et le remettre en écharpe. Et vous, Sorcha, vous devriez aider mon maître. Il n'est pas raisonnable et il va perdre tout le bienfait que vos soins ont donné jusqu'à maintenant… »

Le brave homme avait misé juste en rappelant la jeune fille à ses devoirs de guérisseuse. Comme si elle se réveillait en sursaut, Sorcha se leva promptement et marcha d'un pas assuré jusqu'à Baltair.

« Ôte ton pourpoint, lui dit-elle sur un ton décidé. Je veux voir !

– Laisse, Sorcha. Ça va mieux. Ce n'est pas grave… », protesta faiblement Baltair.

Sorcha ouvrit le col du pourpoint d'une main sûre qu'elle glissa à tâtons sur le haut de la poitrine. À ce contact ferme, Baltair tressaillit et eut un sourire contrit quand il vit du sang frais tacher le bout des doigts que Sorcha retira de son vêtement. Il croisa le regard navré de la jeune fille et obtempéra à son ordre.

« C'est un peu humide, je pense, lui dit-il à voix basse. Voilà, j'enlève tout ça et tu me bandes de nouveau. Immédiatement après, on lève le camp… et on se dépêche d'oublier cet endroit maudit. D'accord ?

– N'en parle pas ! Je t'en prie, Baltair, n'en parle pas. Jamais. À personne… », implora-t-elle.

Colm s'activa au harnachement des chevaux en couvant du regard les jeunes gens. Il se félicita que son initiative pour les faire sortir de leur mutisme ait fonctionné. Quand leur équipage reprit sa route, il prit soin de rester à bonne distance d'eux afin de préserver leur rapprochement.

Mû par le goût de fuir, le jeune chevalier avait accéléré la cadence de son équipée et poussait sa monture au galop sur de longues distances. Rentrer à Mallaig était devenu urgent pour lui. Ce n'était pas tant l'affreux souvenir de l'assaut contre Sorcha qu'il tentait d'éloigner, mais celui de son propre manquement. La jeune fille avait été confiée à sa protection et il avait failli à ce devoir. En outre, ce n'était pas sa main qui avait réparé l'affront et châtié les agresseurs, mais celle de son beau-frère. Il ruminait ses reproches et sa déception en silence, ignorant que sa compagne avait besoin de lui parler.

Peu habituée au rythme du galop, Sorcha eut peur d'être désarçonnée et, dès les premières foulées, elle s'avança sur son assise en passant les bras sous ceux de Baltair qui les resserra contre lui. En soignant son blessé, elle avait remarqué ses réserves et son mutisme, ce qui l'avait peinée. Elle prit une décision : se ressaisir et demander l'aide de Dieu pour la soutenir. Elle appuya la tête sur le dos de son compagnon, ferma les yeux et se mit à prier avec ferveur.

À la fin de la journée, ils entrèrent sur les terres du clan MacNèil et firent halte chez un métayer de sa famille. La nouvelle de l'expédition infructueuse contre le clan Ranald alarma immédiatement Baltair. Il fut peu question de la santé du chef, mais la perte des trois hommes du clan dans la bataille prit tout l'avant-plan des discussions. Se sentant étrangère au débat, Sorcha se retira dans un coin de la chaumière avec l'épouse et la fille de la maisonnée et mit la main à la préparation du repas, malgré les protestations de l'hôtesse. Comme chaque fois qu'elle était troublée, la présence de femmes et le travail domestique lui furent salutaires. Elle perdit peu à peu son air tourmenté et son cœur retrouva une certaine sérénité. On convint rapidement que les voyageurs passeraient la nuit chez le métayer et entreraient à Mallaig le lendemain. Quand tous eurent terminé leur repas et que les femmes se retirèrent pour la nuit, Sorcha s'approcha de Baltair avec l'intention de changer son pansement et elle dut affronter de nouveau son opposition.

« Tant que tu saignes, la plaie n'est pas guérie et peut s'infecter. Si elle s'infecte, elle ne cicatrisera pas. Quand veux-tu recommencer à utiliser ton bras ? Ce mois-ci ou l'autre ou l'autre après ? J'ai cru comprendre que ton clan est encore en guerre contre celui des Ranald. Est-ce que ton père va devoir se passer de tes services encore bien longtemps ? Baltair, je ne sais pas pourquoi tu ne veux plus de mes soins… », lui dit-elle.

La pudeur retint Baltair de réagir à la dernière phrase de Sorcha. L'accent de tristesse qu'il y perçut le confondit et il ne sut comment y répondre. Sans un mot, il se leva, se dévêtit et abandonna son épaule à l'attention efficace de Sorcha. Heurtée par la réticence de son compagnon, la jeune femme fit en sorte de ne pas s'attarder plus que nécessaire et expédia un peu ses soins. Elle rejoignit ensuite les femmes qui lui avaient réservé une place dans le lit fermé par des toiles, au fond de la pièce. Le cœur lourd, elle s'étendit, en chemise, à côté des dormeuses.

Des mains visqueuses cherchaient à écarter mes jambes, mais, quand je faisais des efforts pour me dégager, je basculais. Puis, l'instant d'après, je voyais des gueules de poissons sanguinolentes sourdre d'une plaie béante que je tentais d'éponger, mais on me présentait mon couteau de chasse afin que je procède à l'amputation du membre. Je hurlai le nom de Baltair et mon cauchemar prit fin.

J'ouvris les yeux sur la noirceur totale du lit fermé. J'étais assise et la femme du métayer me tenait par les épaules pour me réconforter. Je me dégageai, égarée et trempée de sueur, et j'appelai faiblement Baltair.

« Je suis ici. Qu'y a-t-il, Sorcha ? » me répondit-il, sur un ton inquiet.

Il vint s'asseoir sur le bord du matelas, torse nu ; seul son bandage formait une tache claire dans l'obscurité. Mes yeux s'y fixèrent aussitôt et je passai les bras autour de son cou en tentant de m'excuser :

« J'ai rêvé, Baltair… Oh, c'est affreux, hoquetai-je. J'ai vu ta blessure et je devais te couper le bras avec mon couteau…

– C'est fini, Sorcha. Là, là. C'était un cauchemar…, fit-il d'une voix douce en me serrant contre lui. Tu es toute frémissante, il ne faut plus avoir peur. Je suis avec toi et mon épaule va très bien. Rendors-toi… »

Il tenta de me faire me rallonger, mais j'étais incapable de lâcher prise, le contrôle de mes bras échappant à ma volonté. Je me rendis compte que je m'accrochais désespérément à son cou et que je l'étouffais. Il dut sentir mon état de panique, car il n'essaya pas de se dégager. Au contraire, il m'enlaça plus fermement. Mes bras s'ouvrirent alors d'eux-mêmes et le libérèrent. Baltair s'étendit avec moi sur les draps en me parlant doucement. Je reconnus le timbre de voix qu'il employait avec son cheval, très sensible et empreint d'une sorte de tendresse. Je m'abandonnai enfin complètement.

« N'aie crainte, je ne pars pas… Je suis ici, je ne te laisse pas, Sorcha. Nous sommes en sécurité dans cette maison. Nous sommes sur les terres de notre domaine. Il ne peut plus rien t'arriver, maintenant… »

Peu après, je perçus le mouvement de la femme du métayer qui changea de place sur le lit, afin de nous laisser plus d'espace. Baltair s'était tu, mais au son de sa respiration, je savais qu'il ne dormait pas. Je me demandai s'il avait déjà partagé la couche d'une jeune fille, pensée qui me mit mal à l'aise. Je songeai aussi à la cour empressée que les chevaliers étaient censés mener auprès des dames, et je tentai d'imaginer quelles paroles suaves Baltair avait dû prononcer en ces occasions.

« Baltair, lui soufflai-je. Je suis désolée de t'imposer cela… Je voudrais être plus brave, mais c'est plus fort que moi. Il semble que tu sois le seul qui puisse me délivrer de mes peurs.

– Tu n'as pas à être désolée, Sorcha, car tu ne m'imposes rien qui m'afflige. Tout est arrivé par ma faute et je ne m'estime pas digne de te réconforter. Mais, si tu es bien dans mes bras, tu les auras autant de fois qu'il te plaira », répondit-il d'une voix rauque.

Ainsi, Baltair se tenait responsable de ma mésaventure. Je me doutais que son interprétation du drame avait à voir avec son code d'honneur de chevalier. Il ne pouvait pas savoir si j'avais bel et bien été forcée par les pêcheurs, mais sa déclaration me laissait entendre qu'il le croyait et qu'il accordait une très grande importance à l'événement. Devais-je lui expliquer que, à mes yeux, l'assaut des pêcheurs n'était pas aussi grave que celui que j'avais subi à Édimbourg et que, en conséquence, il n'avait pas grand-chose à se reprocher ? Indistinctement, cette réflexion m'amena à penser aux pêcheurs que Colm avait poursuivis et vraisemblablement tués. L'agression dont j'avais été victime méritait-elle la mort ? Je fus soudain envahie de remords.

« Baltair, il faut que tu saches que rien de ce qui m'est arrivé n'est attribuable à une faute que tu aurais commise. Je ne peux pas t'expliquer cela maintenant, mais je te prie de me croire. Je te suis infiniment reconnaissante de ton offre. J'aime me sentir dans tes bras et je tâcherai de ne pas en abuser… »

Il passa une main légère sur mon dos et poussa un long soupir que je ne sus comment interpréter. Je ne me sentais pas d'humeur à dormir et je décidai de prolonger notre moment d'intimité en le questionnant sur lui et sur ses expériences. Je me rappelai l'histoire de ses amours avec une des filles de Glenfinnan, qui m'avait été rapportée par une visiteuse à l'hostellerie de Sainte-Marie, et je choisis cette piste pour poursuivre la conversation à voix basse. Le nom de Sine le fit aussitôt réagir.

« Comment connais-tu ma cousine ? me souffla-t-il, sur la défensive. Qu'est-ce qui te fait croire que je l'aie courtisée ? Ma mère ?

— Dame Gunelle ne m'a jamais rien rapporté sur toi, rassure-toi. Ce ne sont que racontars que j'ai entendus à Iona. Tu sais, j'ai vu pas mal de personnes en six ans. Les pèlerins viennent de partout et il s'en est trouvé qui connaissaient ta famille. Si tu ne veux pas parler de tes conquêtes, car tu dois bien en avoir fait quelques-unes, tu n'es pas obligé de me répondre. Je ne voulais pas être indiscrète. Tout ce qui m'importe, Baltair, c'est de mieux te connaître... »

Un très long moment de silence suivit ma mise au point. Baltair se déplaça discrètement, de façon à s'écarter un peu de mon corps. Je crus qu'il ne répondrait pas et s'enfermerait dans le silence pour le reste de la nuit. Mais, à l'instant où je n'attendais plus rien, il murmura, si bas que j'eus peine à saisir sa confidence :

« Nous serons à Mallaig demain. Tu auras vite fait d'apprendre que l'on m'attribue plusieurs cœurs brisés, dont celui de ma cousine. Mais depuis que j'ai été adoubé, je ne joue plus à cela... Heu... sache aussi que je ne suis jamais allé jusqu'au bout avec aucune jeune fille. »

Était-ce du soulagement ou de l'appréhension que cette révélation fit naître dans mon cœur ? Je découvrais que Baltair MacNèil était vierge, alors que je ne l'étais sans doute plus. Délicatement, je me détachai de ses bras et lui affirmai que je pouvais dormir seule. Il n'émit aucun commentaire, sortit du lit et retourna avec les hommes, près du foyer. La faible lueur du feu éclaira, un court instant, son torse nu et son torque, puis il disparut sous sa cape. Je fermai les yeux et m'endormis peu de temps après.

CHAPITRE XIV

ÊTRE ACCUEILLIE AU CHÂTEAU

Rien n'avait changé dans le décor de la péninsule. Le cœur battant, je retrouvais le sentier familier qui serpentait le long du détroit de Sleat et qui contournait la pointe du loch Morar. Les petits îlots sur notre gauche s'enfonçaient dans la brume de la marée basse. L'air frais sentait fort le pin et le vent faisait doucement bruisser les feuilles fragiles de fin de saison. Prise d'une soudaine émotion à l'approche du lieu adoré de mon enfance, je me blottis contre le dos de Baltair.

« Oh, Baltair, je reviens chez moi… », fis-je.

Il pressa mon bras qui enserrait sa poitrine et fit ralentir sa monture, afin que je puisse mieux savourer chaque instant de mon retour. Notre équipage fut vite repéré par une patrouille de Mallaig qui galopa à notre rencontre pour nous escorter jusqu'au château.

« Messire Baltair, Dieu vous protège ! fit le capitaine en s'adressant à mon compagnon. Votre père a failli envoyer un messager à Édimbourg hier et vous l'auriez croisé. Votre retour à Mallaig est plus qu'attendu ! »

377

Puis, en me gratifiant d'un petit salut de la tête, il poursuivit :

« Bien le bonjour, damoiselle Sorcha ! Votre arrivée est également très espérée, tant par la châtelaine que par le seigneur MacNèil. Il a bien besoin de vous en ce moment... »

Je lui rendis sa salutation avec le sourire, me demandant ce que le père de Baltair attendait de moi. Derrière nous, Colm ronchonnait parce qu'il n'avait pas été accueilli :

« Et moi, personne n'espère mon retour, à ce que je vois... Pas même mon adorable épouse... »

Le bourg apparut au détour du chemin et je notai aussitôt la présence de nouvelles constructions, ainsi que la réfection de l'église paroissiale. Nous le traversâmes sans nous arrêter, malgré la présence de gens qui se massaient sur notre parcours pour voir Baltair. Il leur rendait leurs salutations en hochant simplement la tête. Je ne reconnus personne parmi les hommes et les femmes qui me dévisageaient. Par contre, certains d'entre eux devaient m'identifier, car j'entendis mon nom prononcé à quelques reprises.

L'équipage traversa le bourg et grimpa jusqu'au château. Il emprunta le pont-levis, passa sous la herse et entra dans la cour ; je levai les yeux sur les tours massives du donjon et me sentis oppressée. Je pénétrais dans l'enceinte pour la première fois et je n'avais pas imaginé à quel point les bâtiments du château de Mallaig étaient imposants. Ici, rien n'était comparable au manoir de Morar. Une aile de deux étages, probablement le corps de garde, reliait deux larges tours carrées de quatre étages, coiffées d'une courtine crénelée. Les ouvertures, de bonnes dimensions, étaient disposées en quinconce sur les murs de pierre légèrement rosée, et un escalier menait au premier étage de la tour ouest. L'autre tour était munie d'un haut portail qui donnait un accès direct à son rez-de-chaussée. Un puits à trois faces était adossé à un passage voûté entre les deux tours. De chaque côté d'elles, sortait une épaisse muraille haute d'une trentaine de pieds, munie d'un chemin de ronde qui reliait trois tourelles, enserrant et fermant la cour. À mi-hauteur, des écuries, des ateliers et un four s'appuyaient contre elle.

Baltair immobilisa son cheval. Les habitants du château sortirent de partout en courant et s'agglutinèrent autour de notre équipage dans une confusion de cris et de salutations. Je ne fus pas sitôt descendue qu'une femme m'empoigna et m'attira contre elle, heurtant mon menton de sa coiffe.

« Ma chérie, ma petite... Dieu de miséricorde, comme tu as grandi ! s'écria-t-elle, haletante.

– Finella ! » balbutiai-je en la reconnaissant.

Je fus ensuite propulsée dans un tourbillon de présentations qui me sépara illico de mes deux compagnons de voyage, eux-mêmes happés par leurs gens. Tour à tour, je fis la rencontre du révérend Henriot, le chapelain de Mallaig ; de messire Tòmas et de son épouse Jenny, lui, oncle de Baltair et homme de confiance du chef MacNèil, et elle, intendante du château ; de messires Dudh et Malcom, les jumeaux MacNèil, dont la taille d'adulte me surprit ; du clerc et du trésorier de la famille ; de plusieurs membres du personnel gradé et d'un nombre égal de servantes, dont j'eus peine à retenir les noms.

C'est Colm qui mena à moi dame Ceit, son épouse, afin que je lui présente mes hommages. Plus petite que moi, elle possédait un visage énergique, mais d'une blancheur transparente, encadré d'un hennin haut et assez sophistiqué. Ses yeux bleu acier n'étaient pas à la même hauteur, faisant en sorte que les sourcils roux, dressés en permanence, semblaient exprimer dédain ou interrogation. J'optai pour le dédain, car Ceit me déplut immédiatement. Me détaillant avec un air hautain, elle me gratifia d'un sourire crispé et plissa le nez en guise de salutation, puis elle tourna les talons sans prononcer une parole. Colm me fit un discret clin d'œil et lui emboîta le pas.

L'attitude condescendante et impolie de la fille du seigneur de Mallaig à mon endroit jeta un froid sur ceux qui avaient assisté aux présentations. Dame Jenny m'approcha avec empressement et m'invita à entrer au château d'une voix chaleureuse qui contrastait avec son air pénitent :

« Venez, ma dame. Nous allons vous aider à vous changer et à vous rafraîchir. Les chevauchées sont pénibles et vous devez être fatiguée après tant de jours sur les routes. Notre châtelaine vous recevra un peu plus tard, quand vous serez prête… »

Elle s'empara aussitôt de mon bras gauche, tandis que Finella prenait le droit, et les deux femmes m'entraînèrent d'un pas ferme vers la tour ouest du donjon. Avant de m'engager dans son escalier, j'eus le temps d'apercevoir Baltair et messire Tòmas qui pénétraient dans la tour est, entourés d'une flopée de gardes et de chevaliers.

Au premier coup d'œil, l'intérieur de la tour me parut très vaste. L'aire centrale, qui tenait lieu de chambre des dames, ouvrait en entresols sur deux étages reliés par un ensemble d'escaliers droits. Une grande pièce consacrée à l'entretien et à la confection des vêtements de la famille occupait le premier étage avec deux chambres de séjour, dont l'une abritait les instruments de musique et les livres que la famille possédait et l'autre servait de salle d'études. Puis nous montâmes au troisième étage qui logeait les chambres de la domesticité féminine, celle des visiteuses, celle de dame Jenny et de ses enfants et celle destinée aux suivantes de la châtelaine, en l'occurrence, à moi seule, car j'étais l'unique dame que la châtelaine dotait de ce titre.

Avec une indéfinissable émotion, je pénétrai dans la pièce, suivie immédiatement de dame Jenny, de Finella et de deux servantes. Cette chambre était étroite, mais particulièrement bien éclairée par une longue fenêtre encastrée dans une alcôve. Sur le mur opposé, un petit foyer était flanqué de deux niches abritant des lampes. Un grand lit aux courtines d'un bleu profond trônait au centre avec, à son pied, un coffre de même largeur pour y ranger mes vêtements. Une jolie table sculptée aux armoiries des MacNèil et un tabouret complétaient le confortable aménagement, que dame Jenny qualifia pourtant de sommaire :

« Dame Gunelle a commandé un miroir, ma dame. Nous l'attendons cette semaine. Bien sûr, la chambre est vraiment modeste, mais comme votre présence sera requise presque tout le temps dans la chambre des dames ou chez notre châtelaine, à l'étage juste au-dessus, vous ne passerez pas beaucoup d'heures ici, chaque jour…

Bien ! Je vais faire transporter la cuve et de l'eau chaude pour votre bain… Nous avons mis plusieurs chemises et deux robes dans ce coffre. J'espère qu'elles vous iront en attendant que l'on vous en confectionne à votre taille… Finella va s'occuper de vous et, si vous avez besoin de quoi que ce soit, n'hésitez pas à le lui demander. »

Je trouvai dame Jenny très jolie femme, sa tenue et ses manières étonnamment simples. Elle possédait une petite voix aiguë et un débit saccadé. En fait, je crois que je l'intimidais et la rendais nerveuse. Je la jugeai néanmoins aimable et la remerciai de son accueil ouvert. Elle me sourit avec franchise et affabilité.

« Soyez la bienvenue, dame Sorcha, me dit-elle en se retirant. Je suis heureuse de vous savoir enfin parmi nous. »

Comme elle refermait la porte derrière elle et les deux servantes, nous entendîmes, Finella et moi, des coups provenant du plafond de bois, au-dessus de nos têtes. J'interrogeai ma vieille servante du regard. Elle haussa les épaules et s'avança vers moi en me donnant une explication sur un ton désinvolte :

« Bah, ce doit être dame Ceit ! Elle pioche sans cesse du talon. Tout le quatrième étage est réservé à ses appartements et à ceux de dame Gunelle. Alors, là, avec le retour de messire Colm, on n'a pas fini de l'entendre piaffer… Ah, ma toute belle ! Viens que je te regarde de plus près… »

Abandonnant vite le sujet de dame Ceit, Finella m'accapara entièrement, m'abreuvant de commentaires et de questions sur la vie que j'avais menée à Iona avec ma mère. Elle voulait tout connaître à la fois, et je devais escamoter la plupart de mes réponses pour parvenir à suivre le rythme de son interrogatoire. Quelles merveilleuses retrouvailles que furent les nôtres ! À plus d'un moment, j'eus les larmes aux yeux. Finella n'avait pas beaucoup changé, si ce n'est qu'elle m'apparut incroyablement plus petite que dans mon souvenir. Ses joues avaient acquis le velouté de la peau de pêche et ses mains, tout comme celles d'Etta, étaient parcourues de veines et de taches brunes et tremblaient légèrement. C'est avec délices que je m'abandonnai à ses soins empressés durant toute l'heure qui suivit mon arrivée au château.

Elle m'aida à me dévêtir, me baigna et lava mes cheveux qu'elle tressa ensuite en y introduisant un ruban de velours perlé. Chacun de ses gestes me replongeait dans mon enfance, à l'époque où j'étais toute jeune et qu'elle s'occupait de moi. Un flot de souvenirs se bouscula à la porte de mon cœur et mille questions me vinrent aux lèvres, mais l'heure des confidences sur notre passé à Morar n'était pas encore venue. Pour l'instant, je devais me concentrer sur ma rencontre avec ma future maîtresse, la châtelaine de Mallaig. Dès que j'eus enfilé une chemise immaculée sur ma peau propre, j'éprouvai la sensation d'être purifiée de toute souillure et je poussai un soupir de bien-être. Finella m'aida à passer la robe qui nous sembla la plus longue et me la laça dans le dos tout en me parlant de dame Gunelle et de sa grande préoccupation : l'état de santé de son mari, le seigneur Iain MacNèil. Je compris aussitôt que l'on voyait en moi la guérisseuse qui apporterait une solution immédiate aux problèmes de l'heure.

Un peu plus tard, j'eus confirmation de cette supposition quand l'on m'envoya quérir pour être présentée au chef qui patientait dans la grand-salle avec dame Gunelle et la famille. Je descendis avec Finella au rez-de-chaussée menant à l'aile est du donjon par un large corridor au plafond en demi-cercle. Je longeai les celliers, les cuisines, une salle de classe et les voûtes à provisions. Puis je débouchai sur un hall au centre duquel je reconnus la porte principale qui donnait sur le portail dans la cour. En face, se trouvait celui, tout aussi imposant, qui ouvrait sur la grand-salle. Je n'eus pas tôt fait de franchir ce seuil que le bruit ambiant de la pièce s'estompa jusqu'au silence. Je m'entendis hélée par une voix tonnante et grasse qui provenait du fond de l'immense pièce. Il s'agissait de celle du seigneur MacNèil lui-même.

« Vous voilà enfin, Sorcha Lennox ! Avancez ici que je vous voie ! »

Ceux qui l'entouraient devant l'âtre s'écartèrent et je le vis, calé au fond d'un énorme fauteuil, les jambes dénudées, posées sur un tabouret bas. Il ne portait rien sur la tête qui était hérissée d'une chevelure fournie et argentée. Une magnifique tunique damassée le vêtait jusqu'au-dessus des cuisses où elle formait un bourrelet chiffonné. Je m'immobilisai un instant, un instant de trop.

« Approchez donc ! cria-t-il. Qu'attendez-vous ? Que mon fils vous amène par la main ? »

Son ton me fit tressaillir et j'avançai dans sa direction d'un pas rigide. Je vis alors Baltair qui me fixait, la mâchoire serrée et les poings fermés. Je remarquai qu'il s'était changé lui aussi, mais qu'il n'avait pas remis son écharpe. Je traversai rapidement la salle où étaient rassemblés tous ceux que j'avais rencontrés dans la cour. Ils se tenaient cois, leur curiosité en éveil. Debout, à côté du seigneur MacNèil, je découvris celle que j'identifiai immédiatement comme étant dame Gunelle, la châtelaine de Mallaig. Je m'étonnai de sa taille menue, de la pâleur de son teint, de la modestie de sa robe et de son maintien. Dans mon imagination, elle était très grande, richement vêtue et d'une auguste prestance. Pour franchir les derniers pas qui me séparaient de son mari, je me concentrai sur le regard intense de cette femme qui m'implorait. J'y lus un infini désespoir. Je reportai les yeux sur le seigneur qui m'apostrophait de nouveau, d'une voix où je perçus les accents pâteux de l'ivresse :

« Je suis Iain MacNèil, comme vous devez le savoir, et je vous présente ce qui nous intéresse le plus ici, en ce moment : mon genou ou ce qu'il en reste. Dites-moi ce que la guérisseuse, que vous êtes apparemment, en pense ou en fera… »

Au moment même où je baissais les yeux sur lui, une odeur nauséabonde me monta aux narines. Ce que je vis faillit m'arracher un cri : la plaie qui se trouvait à l'endroit du genou me rappela celle de mon cauchemar et je ne pus m'empêcher de m'adresser directement à Baltair, d'une voix paniquée :

« Baltair, lui dis-je, le souffle court. C'est à ça que j'ai rêvé hier ! Dieu tout-puissant ! Ce n'est pas toi qu'on doit amputer, mais ton père ! »

Dame Gunelle s'effondra en gémissant et toute l'attention de l'assemblée se porta sur elle. Iain MacNèil tenta de s'extraire de son fauteuil en vociférant :

« Par tous les saints ! Y a-t-il quelqu'un ici pour réagir ? Allez, Sorcha "l'amputatrice", occupez-vous donc de votre maîtresse ! »

Sorcha et Baltair avaient bondi en même temps et se penchaient déjà sur la châtelaine de Mallaig. La jeune fille releva ses genoux, délaça les premiers œillets de son corsage et retira sa coiffe. Puis, jetant un œil sévère en direction du chef qui fulminait toujours, debout au-dessus d'elle, dans un équilibre précaire, elle l'enjoignit de se taire :

« Mon seigneur, c'est inutile de crier. Taisez-vous et laissez-moi faire ! »

Stupéfaite, l'assemblée fut lente à réagir. Jamais personne n'avait osé parler au chef de la sorte, et chacun mesurait pour soi-même le cran dont venait de faire preuve la fille du lieutenant Lennox. Puis Sorcha se concentra sur dame Gunelle qui reprenait ses esprits et elle lui parla d'une voix sûre et rassurante. Quant à Baltair, il empoigna fermement son père et fit signe à son oncle Tòmas de l'aider. Aussi subitement qu'Iain MacNèil s'était emporté l'instant d'avant, il se tut et s'abandonna aux mains qui le soulevaient et le ramenaient dans sa chambre par l'escalier du hall.

L'air offusqué, dame Ceit piqua dans la direction que son père venait d'emprunter, abandonnant sa mère aux mains de celle qu'elle considérait déjà comme l'intruse au château. La fille du seigneur de Mallaig avait peu prisé de voir son mari et son frère mobilisés durant des semaines par la poursuite à travers l'Écosse de cette fuyarde effrontée et elle s'était promis de le lui faire payer. Avec ce qui venait de se passer, Ceit espérait que son père se rangerait de son côté dans son entreprise de vengeance. C'est donc avec une ardeur non feinte qu'elle s'empressa de jouer, auprès du malade, le rôle de soutien auquel sa mère s'était jusqu'alors employée seule.

À la demande de Sorcha, dame Gunelle fut emportée dans sa chambre. Durant son transport dans l'aile ouest du donjon, la châtelaine ferma les yeux et revit l'arrivée de son fils dans la cour, une heure plus tôt. Postée à la fenêtre de la chambre de son mari, elle avait observé la scène, le cœur serré. La stature de la jeune fille, en croupe derrière son fils, était ce qu'elle avait remarqué en premier. Ensuite, elle avait noté le bras immobilisé de Baltair. Puis, se tournant vers le lit où gisait son mari qui s'était assoupi, elle décida de descendre à la rencontre de son fils. Quand elle l'avait vu pénétrer dans le hall, elle avait sursauté et s'était jetée contre lui, éperdue. Baltair lui avait alors semblé plus grand.

Maintenant, elle réalisait que ce qui était frappant chez son fils, c'était cette nouvelle assurance qui émanait de lui. Il se dégageait de son attitude une sorte d'aplomb et de sang-froid propres à réconforter le grand désarroi dans lequel la maladie de son mari l'avait plongée. Étendue dans une cape comme sur un brancard, dame Gunelle sentit sa main emprisonnée dans une autre et ouvrit les yeux. Sorcha Lennox marchait aux côtés de ses porteurs, tenait sa main et lui souriait calmement.

« Bienvenue à Mallaig, Sorcha, murmura dame Gunelle.

— Merci, ma dame », répondit simplement la jeune fille.

Dans la chambre de la châtelaine, Sorcha fit aliter sa maîtresse et commanda du vin chaud. Quand elle fut seule avec elle, la conversation reprit tranquillement, avec une surprenante aisance :

« Je suis désolée, ma dame, d'avoir été si directe tout à l'heure…

— Moi, Sorcha, je suis navrée que notre rencontre se soit déroulée de cette manière, avoua dame Gunelle. Comme vous le constatez, l'état de mon mari sollicite toutes mes attentions et je ne suis plus maîtresse de mon temps. Il me réclame constamment auprès de lui, ce qui m'a empêchée de vous accueillir moi-même.

— Ne vous faites pas de reproches à ce sujet, ma dame. La délégation de dame Jenny et de Finella a admirablement bien comblé votre absence, la rassura la jeune fille. Je m'inquiète pour vous, car votre malaise prouve que vous êtes exténuée et il faudra vous ménager. Je vois que c'est vous, plus que votre mari, que j'ai perturbée dans la grand-salle.

— Pas du tout, Sorcha, vous ne nous avez rien appris que notre chirurgien ne nous ait déjà dit. Je sais parfaitement qu'il est trop tard pour une médecine par les plantes et que, si la plaie continue à suppurer, il n'y aura plus que l'amputation pour sauver mon mari. Mais, voyez-vous, jamais il n'acceptera cette solution, même s'il en connaît les conséquences.

— Il sait donc que cela peut le tuer…

— Certes, laissa-t-elle tomber. Depuis quelques jours, rien ne peut plus soulager ses souffrances et c'est pour cela qu'il a recours à l'eau-de-vie pour endormir son mal. Mon mari envisage désormais sa propre mort et il s'en est déjà ouvert à Baltair. Mon fils croit réussir là où j'ai échoué et essaie encore d'amener son père à la raison... »

Dame Gunelle se releva lentement et marcha jusqu'à la fenêtre en réfléchissant. Elle se rappela l'exclamation de Sorcha à la vue du genou de son mari et se demanda dans quelle intimité elle et son fils se trouvaient pour qu'ils aient partagé un rêve ensemble. Elle tourna la tête vers la jeune fille et la dévisagea un long moment en silence. Ce qu'elle vit la toucha : Sorcha Lennox possédait la détermination et la force de caractère de son père. Dignité, intelligence et assurance l'animaient. Telle que la jeune fille apparut à la châtelaine de Mallaig, il était fort possible qu'elle ait conquis le cœur de son fils.

« Je crois que Baltair a une grande confiance en vous et qu'il se rangera à votre jugement, lui dit-elle. Même si cela nous est douloureux, il faut envisager que quelqu'un prenne la suite de mon mari à la tête du clan. Vous devinez que Baltair est son unique choix. Mais mon fils se refuse à prendre cette charge tant qu'il nourrit des espoirs que son père guérisse.

— Ma dame, pensez-vous que votre mari soit encore capable de prendre des décisions ? lui demanda Sorcha.

— Je l'ignore... Vraiment, Sorcha, je l'ignore, murmura la châtelaine, les yeux baignés de larmes. J'aimerais que vous m'excusiez, maintenant. Je veux demeurer seule.

— Bien sûr, ma dame. Reposez-vous. Je vais essayer de parler à Baltair si cela peut soulager votre fardeau... »

La châtelaine de Mallaig ferma les yeux avec un signe d'assentiment et Sorcha s'apprêta à sortir de la chambre.

Comme elle fermait doucement la porte, elle s'entendit appelée par sa maîtresse et elle suspendit son geste. La châtelaine marcha jusqu'à un coffret de correspondance, l'ouvrit et en retira une lettre qu'elle lui tendit.

« Cette lettre est à vous, souffla dame Gunelle. Elle devait vous être transmise au décès de votre père. Si nous ne l'avions pas égarée en mars dernier, je vous l'aurais fait parvenir en juin ou je l'aurais confiée à Baltair pour vous la donner. Mais on ne me l'a remise qu'après son départ pour Iona... »

Intriguée, je m'avançai, saisis la lettre, saluai d'un mouvement de la tête et quittai silencieusement la chambre de dame Gunelle. Je descendis directement à la mienne et m'y enfermai. Avant de décacheter le pli, j'examinai le sceau qui ne me rappela rien. Fébrile, je dépliai la feuille et faiblis en voyant les premiers mots : « Petite *ancilla Dei* »... Frère Gabriel m'avait écrit ! Mon énervement décupla la difficulté à déchiffrer la lettre, moitié en latin, moitié en gaélique, rédigée avec une mauvaise plume, et sans doute à la hâte. Les caractères se chevauchaient et plusieurs pâtés d'encre en augmentaient l'illisibilité.

À Pusilla ancilla Dei Sorcha de Gabriel le Bègue
À la Saint-Malachy*, j'ai repêché le dernier objet du
butin des Vikings... un bouclier celte. Alors Dieu m'a dit

---

* Fête religieuse écossaise célébrée le 3 novembre.

de me préserver de mes confrères d'Iona et de me retirer. Il réclame de moi une vie d'ermite... je ne sais encore en quel lieu... Feror ego veluti sine nauta navis ut per vias aeris*. Mais avant de partir, Il t'a recommandée à moi. Tu ne dois pas faire un mauvais mariage comme ma jeune sœur... tu n'es pas faite pour devenir une sponsa Christi*... Va à l'autel de saint Colomba, dans une porte du retable marquée à ton nom, il y a le tribut de la Vierge. Prends-le, c'est à toi, pour quitter la sainte île.* Quia eduxi te de terra Iona***. Quant au trésor du Fils, je l'ai monnayé pour te constituer une dot qui t'assurera du mari de ton choix... Sorcha, tu ne le sais pas, mais les maris s'achètent... L'argent est caché à Mallaig, au même endroit que l'était le tribut de la Vierge à Iona la première fois. Ne me cherche pas, mais prie pour moi, comme je prie tous les jours pour toi.*

Ave pusilla ancilla Dei, mundi rosa*** !

Gabriel l'Ermite,
ce premier jour de l'an de grâce 1443

Je demeurai quelques instants stupéfaite. Par cette singulière lettre, l'écheveau compliqué de la disparition de frère Gabriel en novembre dernier se déroulait devant mes yeux ébahis. Mon ami pêcheur vivait quelque part en ermite et il avait bel et bien prémédité son départ d'Iona. Il m'avait préservé le « tribut de la Vierge »

---

* En latin : Je suis emporté comme vaisseau sans pilote, comme oiseau dérivant dans les airs.
** En latin : Je t'ai fait sortir de la terre d'Iona.
*** En latin : Salut, petite servante de Dieu, rose du monde !

dans la chapelle de saint Colomba, puis avait vendu le « trésor du Fils » sur le continent, une partie chez l'armurier d'Oban, une autre chez l'évêque de Glasgow, et une dernière à Mallaig avec le torque de Baltair, afin de me procurer l'argent nécessaire pour « m'acheter » un mari... J'étais abasourdie et je relus plusieurs fois l'ahurissante lettre pour ensuite la ranger en me promettant d'y revenir plus tard.

Je sortis de ma chambre à la recherche de Baltair et parcourus en sens inverse le rez-de-chaussée en direction de la tour est du donjon. Au passage, je croisai des enfants et leur nourrice, leur précepteur et quelques servantes que je saluai courtoisement. On m'indiqua où trouver la chambre du chef MacNèil, que j'atteignis en quelques minutes, le temps de grimper deux étages par l'escalier à vis montant du hall. Sur le seuil, je fus refoulée par dame Ceit qui avait dirigé le retour de son père à sa chambre et y montait pratiquement la garde.

« Je me doute que c'est ma mère qui vous envoie, me dit-elle sèchement, mais mon père n'est pas disposé à vous recevoir en ce moment.

— Je ne viens pas voir le seigneur MacNèil, mais son fils Baltair, lui répondis-je aussitôt.

— Lui non plus n'est pas disponible, damoiselle. Il s'entretient avec notre père et il faudra vous résigner à ce qu'il n'ait plus beaucoup de temps à vous consacrer désormais. »

Sur ces paroles peu affables, ponctuées d'un faux sourire, elle me ferma la porte au nez. J'en fus quitte pour retourner dans l'aile des dames, d'où je ne bougeai presque plus pendant une semaine. En effet, durant les jours qui suivirent mon arrivée à Mallaig, le seigneur MacNèil s'isola dans sa chambre en la seule présence de son fils Baltair et de son cousin, messire Tòmas. Il exprima même le désir que son épouse ne lui rendît pas visite, compte tenu de son état de fatigue extrême. Après une vive discussion avec son aîné, le chef MacNèil signifia clairement qu'il refusait l'amputation et exigea de tous de ne plus y penser. Sa famille sembla prête à se résigner à cette fatale décision.

Pour ma part, elle me soulagea grandement, car je redoutais qu'on me demandât de procéder moi-même à l'opération, ce qu'il m'aurait été bien évidemment impossible de faire. Je rencontrai d'ailleurs le chirurgien de la famille avec dame Gunelle et il confirma que la progression du mal était trop avancée pour qu'on envisageât l'amputation avec quelque succès. Malgré le fait que cette prévision ne la surprît guère, ma maîtresse en conçut une peine profonde qui affecta son état de santé. Je mesurai à quel point le sentiment qu'elle vouait à son mari était grand. Avec l'aide de Finella, je la soutins et l'entourai de mon mieux afin qu'elle supporte cette dure épreuve. Je compris plus tard qu'elle faisait à ce moment-là le deuil de son mari. Ensuite, il fut convenu que je ne serais pas appelée à intervenir dans les soins du chef MacNèil confiés au chirurgien, sous la double surveillance de Baltair et de messire Tòmas. Ainsi, je me dévouais jour et nuit à dame Gunelle et je n'avais pas l'occasion de revoir mes compagnons de voyage. Par contre, ma réclusion dans la chambre de ma maîtresse m'évita de me retrouver en la désagréable compagnie de dame Ceit. L'appartement de cette dernière jouxtait celui de sa mère, et ses éclats de voix colériques parvenaient souvent jusqu'à nos oreilles.

Je notais alors l'air exaspéré de Finella et j'essayais d'imaginer Colm obligé de se dépêtrer avec les sautes d'humeur de son insupportable femme.

Jusqu'à la fin d'août, dame Gunelle ne reçut aucune visite et n'en fit aucune. Elle respecta la volonté de son mari et n'alla pas le voir. Ensemble, nous passâmes toutes nos journées dans sa chambre où Finella nous servait nos repas, auxquels se joignaient parfois dame Jenny et ses deux fillettes. Nous ne sortîmes qu'à quelques reprises pour une ou deux promenades au jardin ou pour entendre la messe dans la chapelle du château. Ainsi, je pus profiter de très longs moments d'isolement avec la châtelaine, ce qui me permit de mieux la connaître.

Dès les premiers jours, je fus grandement impressionnée par sa personnalité et ses idées. Dame Gunelle de Mallaig était une femme unique. Érudite, pleine de jugement et d'intelligence, d'une grande dignité, elle régnait sur les habitants du château d'une main ferme et douce. Tous requéraient ses avis, personne ne la contestait et chacun s'employait à lui plaire, du simple écuyer jusqu'au trésorier. Insensible aux modes et usages de la noblesse écossaise de son époque, la mère de Baltair imposait à ses gens un train de vie plutôt austère et sans artifices, tout en suscitant un profond respect de toute la société de Mallaig et des clans avoisinants. Comme je m'en doutais, aucune cour empressée et ambiguë de troubadours ou de chevaliers n'était menée auprès de la châtelaine de Mallaig ou de sa fille. Les nombreux musiciens et le personnel gradé tenaient leur rang respectif et assumaient un rôle strict, soit distraire, soit défendre les gens de la maisonnée. La perception qu'avait ma maîtresse de l'activité courtoise me plut immédiatement. Je m'aventurai à relater le souvenir de ma visite au château de Dumbarton, escortée de mes amis ménestrels, et les impressions qu'elle m'avait laissées. Elle sourit à cette évocation, mais s'abstint de tout commentaire. Dame Gunelle n'avait pas le jugement rapide, ce qui la démarquait de toute personne d'autorité, statut que lui conférait son rang de châtelaine.

En ces jours d'intimité, je fus frappée par la bonté avec laquelle elle me questionna sur moi et ma mère. Son intérêt pour le couvent Sainte-Marie et les connaissances que j'y avais acquises n'était pas feint. Bien au contraire, elle voulut même laisser croire que ma vie de pensionnaire lui rappelait la sienne, quand, jadis, elle avait passé quelques années de sa jeunesse dans un couvent monastique en France. Ma maîtresse souscrivit spontanément à mon projet de rédaction de lettre à sœur Béga afin de clarifier ma situation auprès de la prieure et de m'enquérir des nouvelles concernant ma mère. Puis elle en vint tout naturellement à parler du lieutenant Lennox et, pour mon plus grand plaisir et celui de Finella, elle se rappela les souvenirs de mon père, alors qu'il était à l'emploi de sa famille, à Crathes.

À l'issue de ma première semaine au château, j'étais irrémédiablement conquise par dame Gunelle et je la chérissais comme si elle avait été ma propre mère ou ma sœur. En allait-il de même pour les sentiments qu'elle nourrissait à mon endroit ? C'était trop tôt pour le savoir, mais son attitude d'ouverture et d'accueil me donna toutes les espérances de le croire.

Un matin de septembre, le seigneur fit demander son épouse à son chevet. Légèrement tremblante, dame Gunelle m'invita à l'accompagner et c'est dans une certaine expectative que je la suivis dans l'aile est du donjon. Je savais Baltair constamment avec son père et une indicible hâte de le revoir me tourmentait. Il me tardait de le rencontrer, de lui parler et, le souvenir des contacts physiques nécessités par les soins à sa blessure me hantant, de le toucher. Je ne fus pas déçue, car le seigneur MacNèil avait réclamé son épouse pour s'entretenir précisément de l'état de santé de leur fils et de son aptitude à reprendre les armes. Dans la chambre, fort spacieuse et entièrement tapissée, un feu ronflait en projetant une agréable chaleur sèche. Près de la fenêtre, largement ouverte sur le jardin, se tenaient messire Tòmas, le chirurgien et Baltair. Ce dernier leva la tête à notre arrivée et nos yeux se croisèrent aussitôt ; j'y lus une grande inquiétude. Je portai mon regard vers le large lit dont les courtines avaient été tirées : le seigneur MacNèil y était assis, le torse nu ruisselant de sueur, les jambes allongées sous une couverture de peau. Ses cheveux et sa barbe avaient complètement blanchi et son visage rouge et mouillé exprimait une extrême souffrance.

Quand elle vit son mari, dame Gunelle se retint à mon bras un moment, puis, le choc passé, elle me lâcha et courut jusqu'au lit. Elle saisit les mains de son mari et les porta à ses lèvres en silence. Il ferma les yeux et lui murmura quelque chose que je n'entendis pas, et la fit ensuite asseoir sur le matelas en lui entourant la taille de son bras dans un geste que je trouvai très tendre. Il reporta finalement son attention sur moi et m'observa d'un œil scrutateur.

« Damoiselle Sorcha, dit-il d'une voix hachurée, je suis content que vous soyez venue avec ma dame ; cela m'évite de vous faire mander. Mon fils ne peut plus utiliser sa droite efficacement et notre chirurgien, que voici, est perplexe… Je souhaite que vous terminiez le travail de guérisseuse que vous avez entrepris sur Baltair. »

Il se tut, prit une profonde inspiration et tendit la main vers un gobelet posé à sa portée sur une table. Dame Gunelle l'aida aussitôt à boire. J'interrogeai Baltair du regard : il pinça les lèvres, hocha la tête et ferma les yeux en signe de résignation.

« Veuillez l'examiner, ici, maintenant, poursuivit le chef en me fixant durement.

— Volontiers, mon seigneur », murmurai-je en inclinant la tête.

Je m'avançai vers Baltair qui avait pâli. Le chirurgien et messire Tòmas se retirèrent et nous laissèrent seuls dans l'alcôve de la fenêtre.

« Qu'y a-t-il, Baltair ? Ta plaie ne guérit pas ? chuchotai-je en m'approchant plus près de lui. Je peux voir ?

— Sorcha, mon père vient de le dire : c'est mon bras qui ne se rétablit pas, me répondit Baltair, tout bas. La plaie est refermée et presque entièrement cicatrisée, mais je ne peux pas lever le bras plus haut que le coude. Je suis à l'entraînement dans cette chambre depuis deux jours devant lui. Je ne peux manier ni claymore ni épée correctement… Je crois que tu as sectionné un nerf ou un tendon avec ton coup de couteau. »

En entendant cela, je suspendis le geste que j'avais amorcé vers son col pour l'ouvrir. Nous nous dévisageâmes, interdits, puis je me retournai et fis face au seigneur MacNèil qui attendait les résultats de mon examen.

« Mon seigneur, si votre chirurgien est impuissant avec la blessure de votre fils, comment voulez-vous que j'y remédie avec mes onguents, mes cataplasmes ou mes baumes faits à partir de plantes ? Si Baltair ne recouvre pas l'entière mobilité de son bras droit, il pourrait utiliser davantage le gauche.

— Utiliser davantage le gauche ! cria le chef MacNèil en faisant sursauter son épouse à ses côtés. Entendez-vous cette sombre idiote ? Mon fils ne fait pas que boire, manger, jouer aux dés et caresser les filles avec son bras droit. Il se bat aussi. Figurez-vous, damoiselle Sorcha, que Baltair est un chevalier ! Par Dieu, on ne guerroie pas de la gauche ! Faut-il sortir d'un couvent pour avancer pareille bêtise ? Je commence à en avoir assez… »

Je perdis le reste de son invective, car Baltair se saisit de mon bras et m'entraîna hors de la chambre d'un pas diligent. Je pris conscience de l'insolence de ma remarque au moment où Baltair s'arrêta enfin, au bout du corridor, me dévisageant d'un air consterné. Je détournai les yeux et je vis sortir de la chambre messire Tòmas et le chirurgien qui bifurquèrent dans la direction opposée à la nôtre.

« Sorcha, je crois que tu ne saisis pas bien ce que nous vivons en ce moment au château », me dit Baltair d'une voix grave en lâchant mon bras.

Il fit quelques pas autour de moi, en silence, à la recherche de ses mots. Ses traits étaient tirés et ses yeux, cernés par la fatigue des nuits blanches. Un pli creusait ses joues et il fronçait les sourcils d'un air concentré. Il avait rassemblé ses cheveux longs sur sa nuque avec une lanière de cuir et une mèche s'était enroulée autour de son torque. L'envie me prit soudain de saisir cette mèche brune entre mes doigts, mais je me retins. Sans me jeter un regard, Baltair s'éloigna de quelques pas et commença à m'expliquer la situation d'une voix tendue :

« Mon père est arrivé à l'heure où un homme règle ses affaires et prépare sa suite. Il sait qu'il ne vivra plus encore longtemps… qu'il ne se rendra pas à ma majorité, le 17 décembre prochain. Jusqu'à celle-ci, c'est oncle Tòmas qui va assurer la direction du clan. Si la succession de mon père est contestée par les lairds, il me faudra prouver, par les armes, la supériorité de notre maison sur les leurs. Je devrai aller à Uist laver l'affront fait à notre clan… Comme tu le sais, dans la bataille de Glasgow, nous avons perdu Keir, Scott et Gregor, trois chevaliers, sous les coups des Ranald. À leurs yeux, la perte de Colm se trouve vengée par la mort de Keir ; celle de Scott paye ma rançon ; la mort de Gregor remplace l'unique chevalier que nous avons tué dans leur camp. Au décès de mon père, cela fera une mort de plus chez les MacNèil : le compte n'y sera plus. Alors, ce sera chef pour chef. Si je ne tue pas Ranald, je ne serai pas le prochain chef MacNèil.

— Mais, Baltair, m'exclamai-je, alarmée, si ce n'est pas toi qui l'occis, c'est lui qui t'aura ! C'est impitoyable !

— Ranald ne me tuera pas si je demande "vie sauve". Alors il me libérera contre rançon et les lairds de mon père choisiront le prochain chef parmi eux trois. Cette possibilité n'est envisageable ni pour mon père, ni pour moi… Tu vois, Sorcha, il vaudrait mieux qu'il n'y ait pas de contestation à ma succession à la tête du clan quand Iain MacNèil va mourir, car je ne pourrai rien régler avec ce bras et je ne sauverai même pas ma vie… »

Je ne sus que dire. Ce calcul absurde qui permettait de compenser la perte d'un geôlier ou d'un otage par la vie d'un homme me révoltait, et la lutte implacable pour la tête du clan, faite au prix d'une autre vie, me dépassait complètement. Je sentis soudain un étrange vide en moi, fait d'incompréhension et d'impuissance. Je ne pouvais détacher mes yeux du bras droit de Baltair, cause de son tourment et de son malheur. Un grand frisson de détresse me parcourut et je repensai à l'offre qu'il m'avait faite de me réfugier dans ses bras chaque fois que j'en sentirais le besoin. Au moment où j'esquissais un geste vers lui, la porte de la chambre s'ouvrit à l'autre bout du corridor et dame Gunelle en sortit. Le visage défait, elle se dirigea vers nous d'un pas accablé et je me portai à son secours. Sans ajouter quoi que ce soit, Baltair nous laissa ensemble et rentra, brisé, dans la chambre de son père.

Les arbres de la péninsule de Mallaig se colorèrent durant les dernières nuits de septembre. Les jaune ocre, les bruns chatoyants et les rouge feu embrasèrent soudainement la forêt qui ceinturait le château et laissèrent aux pins quelques espaces de vert sombre. Dame Gunelle, à la fenêtre depuis un moment, poussa un soupir en contemplant ce décor, puis reporta son regard sur l'intérieur étouffant de la chambre. De jour en jour, le chef MacNèil s'amenuisait à l'abri des courtines de son lit qu'il ne quittait plus. Son épouse et sa fille se relayaient à son chevet avec quelques servantes. Il n'y avait plus d'hommes dans la chambre. À la demande du mourant lui-même, ils avaient déserté la pièce et différé leur peine. Après avoir tenté un drainage de la plaie infectée, le chirurgien avait été renvoyé. Messire Tòmas se réfugiait dans le bureau avec le clerc et le trésorier, et il s'investissait dans les affaires courantes du château en même temps que dans celles du clan.

Baltair le Jeune, qui persistait à entraîner son bras invalide, passait de longues heures au corps de garde, avec ses frères et les hommes d'armes de la maison, s'abrutissant d'exercices fastidieux jusqu'à l'épuisement. Quand ses muscles ne répondaient plus, il faisait seller son cheval et parcourait le domaine avec Colm, tant pour tuer l'attente insupportable de la mort de son père que pour assurer une présence continue sur les terres de la famille.

Compte tenu de l'animosité de Ceit envers Sorcha, dame Gunelle avait demandé à sa suivante de ne pas l'accompagner dans la chambre du malade. Totalement désœuvrée, la jeune fille erra quelques jours dans l'aile ouest du donjon, à la recherche d'une occupation susceptible de la distraire d'une anxiété grandissante que la vieille Finella n'arrivait pas à apaiser. C'est ainsi que Sorcha découvrit la collection de livres conservés au château et combla ses temps libres par de nombreuses lectures. Elle trouva également à s'employer auprès de dame Jenny, laquelle fut bien aise d'utiliser comme assistante une jeune personne aussi douée et intéressée à partager les charges d'intendance. Auprès du révérend Henriot, avec lequel Sorcha put avoir de longues conversations après l'heure des offices, elle recueillit de nombreuses informations relatives aux membres de la famille et aux événements récents survenus au château. Quand la température le permettait, Sorcha sortait. À la faveur de quelques promenades au jardin et dans la cour, elle poussa la visite jusqu'aux écuries où elle put faire plus ample connaissance avec les écuyers qui encadrèrent volontiers son initiation aux chevaux.

À l'heure du souper, les membres de la famille se réunissaient autour de la table de la grand-salle, à l'exception du seigneur et de la châtelaine. C'était le moment privilégié que Sorcha attendait tout le jour : Baltair et elle prenaient invariablement place l'un à côté de l'autre et semblaient ne pas pouvoir épuiser les sujets de conversation qui les intéressaient tous les deux. Leurs dialogues privés provoquaient la curiosité et les taquineries des jumeaux et l'exaspération de Ceit. Cette dernière ne tolérait pas encore la présence de la fille du lieutenant Lennox au château, en particulier auprès de son frère Baltair. Jalouse de la complicité qui s'installait entre eux, Ceit multipliait les interventions afin de les séparer, tantôt en réclamant son frère à ses côtés, tantôt en assignant une tâche à Sorcha pour l'éloigner. De plus, Ceit voyait son antipathie régulièrement entretenue par son coquin de mari qui l'aiguillonnait en adressant ouvertement des compliments à la jeune suivante.

Pour Tòmas et son épouse, le révérend Henriot, le clerc, le trésorier, les chevaliers et capitaines, le moment des repas dans la grand-salle s'avérait souvent le pire de la journée. Au climat tendu que faisait régner dame Ceit, s'ajoutait l'appréhension de la mort imminente d'Iain MacNèil qui, elle, gouvernait chaque cœur. Dans la chambre du chef mourant, dame Gunelle s'était fermée à tout ce qui n'était pas lui. Elle ne vivait plus que pour son mari, attentive à ses souffrances et à ses désirs, une heure à la suite de l'autre. La prière avait permis à la châtelaine de Mallaig de sortir de son état d'effroi et de détresse et, depuis, un grand calme et une énergie nouvelle la soutenaient fermement dans son service.

Une nuit, alors que dame Gunelle était allongée à côté de son mari, elle se réveilla au son de sa voix délirante :

« Gunelle, ma bien-aimée, vous seule pourrez les convaincre… Ils vous admirent et vous écouteront…

– De qui me parlez-vous, mon amour ? chuchota-t-elle en approchant le visage.

– De nos lairds, mon adorée. Si vous leur parlez, ils accepteront Baltair comme chef… Il ne peut pas se battre contre Ranald. Pas seul… Il pourrait le faire avec Dudh et Malcom, en tournoi… l'été prochain, et relever l'affront devant tous les chefs highlanders, mais pas en ce moment. Baltair n'y arrivera pas. Je ne peux plus rien empêcher désormais. C'est à vous de sauver notre fils…

– Ne vous tourmentez pas avec cela, Iain. Je vous en prie… Ne laissez pas votre âme se faire envahir de sentiments de vengeance à l'heure où Dieu…

– Gunelle, vous ne m'écoutez pas ! l'interrompit Iain MacNèil d'une voix inquiète. Je veux que cette maison demeure celle du chef de notre clan, dans ma lignée et dans celle de mon père, et de mon grand-père et de son père et grand-père avant lui… Je veux que Baltair prenne cette suite, dirige le clan MacNèil à son tour et donne à sa famille un héritier qui prendra sa suite, le jour venu… Il doit en être ainsi jusqu'à la fin des temps… »

Épuisé, Iain MacNèil se tut. Il lui semblait urgent d'amener son épouse à comprendre ses volontés. Il chercha sa main sur les draps et en serra faiblement les doigts menus. Il respira plus calmement et sentit un regain de force s'emparer de lui en même temps qu'un courant d'amour passer.

« Je parlerai en votre nom, pour notre fils, et vos lairds le reconnaîtront comme chef. Je m'y engage, Iain, mon amour… laissez-moi cela, dit la châtelaine tout bas.

— Ne perdez pas trop de temps avec les lairds Aulay et Struan, poursuivit Iain MacNèil d'une voix plus rassurée. Je crois qu'ils vous conserveront leur appui si vous le leur demandez… Seul mon cousin Raonall, descendant MacNèil par sa mère, peut revendiquer la fonction et je sais qu'il le fera…

— Alors, je m'emploierai à le gagner à votre cause et à celle de Baltair, affirma dame Gunelle.

— Souvenez-vous, ma dame : Raonall a mal accepté de voir notre fils délaisser sa fille Sine. Comme il n'a pas de fils, mon cousin doit compter sur les mariages pour consolider la position de sa famille… je pense qu'il serait finalement judicieux de revoir les avantages d'une union entre Baltair et Sine… »

Iain MacNèil, que les efforts de la conversation avaient vidé de toutes ses forces, retomba, au beau milieu d'une phrase, dans un sommeil de plomb. L'émo-

tion embua les yeux de son épouse suspendue à ses lèvres. Elle ne put réprimer un sourire plein de tendresse
pour cet homme tant aimé, qui, jusque sur son lit d'agonie, trouvait encore l'énergie d'échafauder des plans et
d'en supputer les chances de succès.

« Dormez, mon amour, murmura-t-elle. Si la vie de
notre fils tient à un mariage, eh bien, il se mariera ! Ne
nous sommes-nous pas épousés pour moins que cela ? »

Chapitre XV

Acheter un mari

Le plat de viande me passa sous le nez une seconde fois sans que je puisse me prendre le moindre morceau. Ceit, comme chaque soir, présidait la table et dirigeait le service avec brusquerie, criant de-ci, de-là des ordres aux servantes. Elle m'avait désigné une place au bout de la table et s'assurait que les assiettes n'y séjournaient pas trop longtemps et qu'ainsi je n'aie pas le temps de me servir. Depuis les deux derniers jours, elle faisait asseoir Baltair à côté d'elle, au centre, et m'isolait à une extrémité, avec le clerc et le trésorier de la famille, comme si j'étais une rivale. Ceux-ci avaient trop à se dire pour me porter une quelconque attention, encore moins pour s'inquiéter de ce que je mangeais.

Contrairement à mon habitude, ce soir-là, j'épiai leur conversation. Ils s'entretenaient à demi-mot de la succession à la tête du clan, et je fus choquée de les entendre parler de leur maître comme s'il avait déjà trépassé. Mais ce qui piqua ma curiosité et me mit en alerte fut la mention d'un projet de mariage pour Baltair. Je ne pus capter beaucoup de détails, mais je compris qu'il s'agissait, pour la famille MacNèil, de contracter une alliance qui garantirait à Baltair la succession à la tête du clan, rendant ainsi superflu le duel à Uist contre le chef Ranald. Cette information provoqua un effet équivoque sur moi. D'une part, j'étais soulagée que s'éloigne le spectre de ce combat de vengeance qui ne pouvait se solder que par la mort de Baltair ; d'autre part, j'éprouvais un étrange sentiment de déception à la pensée que Baltair devait se marier pour conclure une alliance.

Avais-je peur de perdre l'ami précieux qu'il était devenu et qui ne pourrait le demeurer quand il serait un homme marié ? Si l'hypothétique épouse s'avérait aussi jalouse de Baltair que l'était Ceit, j'étais assurée de devoir renoncer à mon amitié avec lui. Aussitôt que je me fus posé l'insidieuse question, ma mesquinerie m'apparut clairement : si un mariage, quel qu'il soit, avec qui que ce soit, pouvait sauver la vie de Baltair, je ne pouvais que m'en réjouir et l'approuver. Aussi, je m'admonestai copieusement et m'appliquai à ne considérer le projet que sous cet angle.

À la fin du repas, ma vieille Finella vint me chercher. Dame Gunelle sollicitait ma présence et je quittai la table précipitamment, sous le regard soupçonneux de Ceit. Là-haut, je n'eus pas sitôt franchi le seuil de la chambre du seigneur MacNèil que ma maîtresse se rua sur moi, éplorée.

« Sorcha, il faut atténuer ses souffrances… c'est la gangrène qui progresse… Je crois qu'il n'en a plus pour bien longtemps ! »

Je pris ses mains dans les miennes et la rassurai de mon mieux. Puis j'allai voir le malade. Il était lucide et me regarda droit dans les yeux, les mâchoires serrées. Je le saluai d'un signe de la tête et découvris ses jambes : sitôt les draps repoussés, une odeur nauséabonde sauta à mes narines ; la jambe était enflée à un point tel que je ne distinguais plus le pli de flexion. Autour de la plaie, de la cuisse au mollet, la peau était crépitante et aussi brunâtre que le liquide qui suintait du genou. Je n'avais jamais rien vu de pareil et, sur le coup, je demeurai subjuguée.

« Je n'admettrai pas d'être découpé en morceaux, damoiselle Sorcha. On va m'enterrer avec tous mes membres… est-ce clair ? me dit-il.

— Mon seigneur, ce n'est nullement mon intention de vous amputer, lui répondis-je doucement.

— Alors, dans quel but regardez-vous cette immondice puante… »

Sa phrase se perdit dans une nausée. Il se pencha sur le côté et j'eus à peine le temps d'approcher le bassin qui se trouvait là, qu'il fut soulevé par un vomissement pénible. Dame Gunelle fut immédiatement à ses côtés, et, avec l'assistance d'une servante, elle l'épongea et le recoucha.

« Ma dame, lui murmurai-je, il faudrait lui faire avaler de la racine de mandragore dans du vin chaud. En avez-vous au château ? Je pourrais la préparer… »

Je passai la nuit et la journée suivante auprès du malade, seule avec ma maîtresse. Ceit, qui se plaignait de fatigue et que la vue de la plaie de son père indisposait, n'était plus revenue dans la chambre. J'avais obtenu ce qu'il fallait pour préparer une décoction chaude de mandragore que je m'employai à faire avaler au seigneur MacNèil entre deux vomissements. Quand il put en garder une bonne quantité, elle lui apporta le répit tant attendu et il réussit à s'endormir. Dame Gunelle en ressentit un grand soulagement et accepta de quitter la chambre pour prendre un peu de repos. Ainsi, je demeurai seule auprès du mourant, habitée d'un étrange sentiment d'impassibilité.

Tandis que les messagers de Mallaig parcouraient la péninsule pour prévenir les lairds Struan et Aulay de la mort prochaine du chef, Baltair, en compagnie de Tòmas, faisait de même pour son oncle Raonall. Ils avaient quitté le château de bonne heure, en direction de Glenfinnan, sous des rafales de pluie. Dame Gunelle avait muni son fils d'une lettre adressée au laird au nom de son mari, faisant part d'une proposition de mariage entre l'héritier MacNèil et la jeune Sine.

Dès que Baltair avait eu connaissance des projets de son père pour assurer sa position dans le clan, sans coup férir, il avait multiplié les exercices d'entraînement de son bras, lequel avait déjà regagné de la mobilité. Il se serait senti profondément mortifié de devoir sa vie et son statut à un mariage plutôt qu'à son talent de guerrier. La démarche à Glenfinnan lui était d'autant plus fastidieuse qu'il devait maintenant solliciter la main de la jeune fille qu'il avait auparavant rejetée.

Quand les deux cavaliers pénétrèrent dans la cour de Glenfinnan au début de l'après-midi, ils s'étonnèrent d'abord de l'absence d'un dispositif de garde. Puis ils découvrirent au château de Raonall une domesticité réduite, un manque flagrant d'entretien de l'intérieur et une châtelaine hagarde. Avant que Baltair et Tòmas n'aient pu expliquer le but de leur visite au laird, qui les reçut dans un état d'ébriété avancé, ils prirent conscience de la situation précaire dans laquelle ce dernier se trouvait. Raonall avait accumulé une dette de jeu telle qu'il avait perdu une bonne partie de ses biens en une seule année. Il avait jusqu'alors mené ses désastreuses affaires à l'insu du chef du clan, mais la présence des MacNèil de Mallaig dans son château le poussa à dévoiler son infortune.

Tòmas et Baltair s'aperçurent vite que le problème de Raonall transformait le pouvoir qu'il détenait sur les autres lairds et, du coup, que l'un des deux buts de leur voyage à Glenfinnan se trouvait modifié. Tacitement, ils convinrent de ne pas mettre sur table la proposition de mariage et de s'employer à explorer les possibilités que la nouvelle situation du laird leur ouvrait. Ils apprirent ainsi que les dettes de jeu du maître de Glenfinnan se concentraient sur un seul créancier, le baron d'Ardgour, et que celui-ci exigeait en paiement la moitié de la somme due, soit cent cinquante-huit livres, et la main de Sine. Raonall leur révéla également qu'il avait déjà emprunté de l'argent à Struan et à Aulay et qu'ainsi presque tout le clan était débiteur du baron.

À l'heure du souper, Baltair examina discrètement le comportement de Sine à son endroit. Elle évitait son regard, mais n'affichait plus son air humilié habituel ; au contraire, quelques remarques élogieuses qu'elle passa sur le train de vie au château d'Ardgour lui laissèrent entendre que la perspective d'un mariage de ce côté la flattait. Quand leur hôte se retira pour la nuit, après avoir décidé de se rendre au chevet du mourant avec eux le lendemain, Tòmas et Baltair tinrent conciliabule. En quelques heures, l'argent était devenu un nouvel enjeu en jetant un éclairage inattendu sur la situation financière du domaine de Glenfinnan. L'alliance recherchée entre les deux familles pour garantir la tête du clan MacNèil à Mallaig devenait caduque. Plus tard, au moment où le sommeil gagnait Baltair, l'image du baron d'Ardgour convoitant son ancienne flamme le fit sourire. Il se sentait fier d'avoir courtisé avec succès une jeune fille dont la beauté retenait l'attention d'un homme aussi influent que le baron d'Ardgour.

Le retour à Mallaig se fit sous le même ciel pluvieux que l'aller à Glenfinnan la veille, et les hommes entrèrent trempés à l'heure du souper. Ils rejoignirent aussitôt les membres de la famille dans la chambre bondée du chef à l'agonie. Une bonne douzaine d'hommes étaient là, dont les lairds Struan et Aulay ; les jumeaux Dudh et Malcom, le révérend Henriot et l'archidiacre du diocèse ; Colm, plusieurs chevaliers de la maison, le capitaine de la garnison, le clerc et le trésorier. Les seules femmes présentes au chevet du mourant étaient son épouse et sa fille. Elles se tenaient de part et d'autre de son lit et veillaient à son bien-être durant ses dernières heures.

Iain MacNèil respirait avec difficulté et reposait dans un coma entrecoupé de brèves hallucinations. Son visage était livide et légèrement bleuté. Depuis déjà plusieurs heures, il avait perdu conscience de ceux

qui l'entouraient et nul ne savait s'il pouvait encore reconnaître les siens. À l'entrée de Baltair dans la pièce
surchauffée, les hommes s'effacèrent pour lui livrer passage jusqu'au lit. Il s'avança, ému, et se tint immobile
un moment, tout près de son père. Puis il reporta son
regard sur sa mère dont il perçut la détresse, et il lui saisit la main, la pressant légèrement pour la rassurer.
Tòmas s'avança à son tour vers la châtelaine et la salua
de la tête en lui glissant des paroles d'encouragement.
Laissant Baltair au chevet de son père, il prit dame Gunelle à part pour lui rendre compte de la mission à
Glenfinnan :

« Ma dame, laissez-moi les choses en main, lui dit-
il. Une nouvelle situation se présente à Glenfinnan qui
favorise bien la cause de votre fils. Je vous prie de ne
plus vous inquiéter à son sujet désormais. Mon cousin,
votre mari, peut partir sans regrets : il y a tout lieu de
croire que Baltair n'aura aucune opposition à sa succession à la tête du clan.

— Vous voulez dire que Raonall lui donne sa fille en
mariage ? s'enquit-elle d'une voix faible.

— Non, ma dame, répondit-il à voix basse. Baltair
n'aura pas besoin de la marier, mais nous devrons aider
Sine à en marier un autre. Je vais rapidement vous expliquer de quelle façon les choses se présentent… »

Ceit n'entendit que le reste de la phrase de son oncle Tòmas, mais elle se détendit en apprenant que Baltair ne se marierait pas. Une belle-sœur aurait invariablement miné son pouvoir d'hôtesse à Mallaig, que sa
mère lui cédait de plus en plus, et qui allait devenir
presque absolu au décès de son père. De plus, elle tenait

beaucoup à donner à la famille son premier héritier, ce qui risquait d'être compromis si son frère prenait femme. Elle examina attentivement Baltair, puis tourna les yeux en direction de Colm et sourit intérieurement à sa propre félicité.

Iain MacNèil mourut dans la nuit du 6 octobre 1443 sans avoir repris conscience. Dame Gunelle demanda à se recueillir seule sur la dépouille de son mari jusqu'à l'aube et la chambre fut évacuée au profit de la grand-salle, où tout le personnel du château et les gens du bourg s'étaient massés dans l'attente de la mort du chef. Malgré la peine qui oppressait son cœur, Baltair présida néanmoins avec beaucoup de dignité ce premier rassemblement sous son autorité. Ceit adopta l'attitude éplorée de circonstance et prit la tête du groupe des femmes en pleurs. Les jumeaux Dudh et Malcom démontrèrent une bonne dose de sérieux et de commisération, et ils tinrent leur rang de fils de seigneur avec aplomb. Durant ce temps, l'oncle Tòmas menait les pourparlers en vue d'arriver à une entente entre les lairds sur la succession.

Comme les funérailles étaient surtout question de dépenses, ce fut le trésorier de la famille qui en assuma l'organisation avec le révérend Henriot. Il importait que l'âme du chef restât éternellement présente dans les prières de ses gens et la châtelaine n'aurait pas toléré qu'on fît preuve d'économie à ce chapitre. Il fallait prévoir une veillée du corps, avec l'apport de prêtres pour réciter les prières funèbres, et les aumônes afférentes, le corbillard, une douzaine d'aunes de toile blanche pour les robes et surplus des enfants et membres du cortège, les cierges pour la messe, les services d'un sonneur, d'officiants, de clercs, de porteurs de torches et des hommes qui aménageraient la fosse ; prévoir aussi les barriques de bière pour la réception suivant l'enterrement, les poissons et mets servis aux endeuillés, le pain et les fûts de vin. Il s'agissait en somme d'une vaste opération dont les frais pourraient s'élever à une quarantaine de livres.

Quand le trésorier, pressenti par Tòmas, établit l'inventaire des avoirs de la famille dont on pouvait disposer pour régler le problème de la succession à la tête du clan, on réalisa vite que les liquidités dans les coffres de Mallaig ne pourraient pas entièrement faire face à la double dépense des obsèques et des dettes de Raonall envers le baron et les deux autres lairds du clan.

La mort du seigneur MacNèil me laissa perplexe. Les attitudes, commentaires et tractations de toutes sortes qu'elle suscita à Mallaig m'intriguèrent. Je comprenais que le départ d'un chef n'était en rien comparable à celui d'un simple soldat, comme le fut mon père qui, lui, était mort dans l'indifférence la plus totale. Mais que le décès d'un homme puisse ainsi exacerber la cupidité de certains proches et exposer le côté obscur de leur âme me parut infâme. J'eus cette perception aiguë des choses en observant surtout ma maîtresse et sa fille. L'une, plongée dans sa douleur, semblait infiniment diminuée et vulnérable ; l'autre, gonflée de son importance, vivait son deuil avec empressement. Je crois que j'en voulus réellement à Ceit de ne pas mieux soutenir sa mère dans son épreuve et de ne pas démontrer la moitié de la peine que j'avais éprouvée au décès de mon propre père. Une semaine s'était à peine écoulée depuis l'enterrement, que je ne pus me retenir de lui faire une remarque qui souleva une polémique.

Comme dame Gunelle passait de nombreuses heures en dévotion dans la chapelle du château, j'avais pris l'habitude de l'attendre dans l'aile ouest du donjon. Nous étions, Ceit, Finella et moi, dans la chambre des dames et vaquions à des tâches de broderie quand le conflit éclata. Ceit avait décidé que son mari devait occuper la chambre du défunt et avait négligé de consulter sa mère sur le sujet. Elle me demanda de voir à ce qu'on fasse porter les effets du seigneur MacNèil dans la chambre de ma maîtresse et que ce soit moi qui supervise leur installation.

« Je ne crois pas, dame Ceit, lui dis-je avec circonspection, que votre mère soit prête à accueillir chez elle ce qui a fait partie de l'intimité de votre père. Et qui plus est, je doute qu'elle soit en accord avec votre idée de disposer de cette chambre si tôt...

— Écoute, Sorcha, me coupa-t-elle en posant son ouvrage sur ses genoux, je n'ai pas à discuter de mes décisions avec toi. Si tu ne l'as pas encore compris, c'est moi qui assume désormais les devoirs de châtelaine à Mallaig. Ce ne sont pas les pièces d'un château qui prennent le deuil, mais ses occupants. Alors, pour quelle raison devrais-je attendre d'aménager la chambre de mon père pour mon mari ?

— Par respect pour sa mémoire, et pour le deuil de votre mère, il me semble...

— Il te semble... Et toi, quel édifiant respect as-tu démontré à la mort de ton père ? Tu as laissé ta mère se morfondre au fond d'un couvent misérable pour te précipiter comme une idiote à Édimbourg, sur la tombe d'un homme dont tu n'es pas plus digne qu'elle de porter le nom. »

D'abord interloquée par cette injure imprévue, je me tournai vers Finella et décelai honte et tristesse sur son visage, ce qui augmenta mon malaise. Je sentis soudain qu'une vérité, que j'aurais dû connaître depuis longtemps, m'échappait, mais qu'elle appartenait à d'autres, libres de s'en servir pour me confondre. Devant mon silence, Ceit poursuivit l'effarante révélation qu'elle me distilla, comme une vipère, son venin :

« Je vois que tu ignores tout de tes véritables origines, Sorcha MacDonnel, de Loch Duich... Ne t'es-tu pas demandé pourquoi on ne t'avait jamais emmenée voir ton grand-père dans le comté de Ross ? pourquoi ta mère n'avait jamais porté son deuil quand il est mort ? pourquoi elle ne s'était même pas mariée à Loch Duich et avait accouché de toi six mois après son arrivée à Morar ? Non, bien sûr ! Mais si tout le monde s'est appliqué à te cacher la réalité depuis ces nombreuses années, je vais m'empresser d'y remédier. Sache que ton grand-père MacDonnel et ton père ne font qu'un ; tes oncles Innes et Eachan, l'assassin du roi, sont tes demi-frères ; et quelle horreur, ta mère est ta demi-sœur !... En fait, pas une seule goutte du sang du lieutenant Lennox ne coule dans tes veines et rien n'est plus faux que d'en parler comme s'il avait été ton père. »

Je n'aurais pu être plus assommée à l'évocation de mes origines par l'abjecte Ceit que si j'avais reçu sur la tête la pierre projetée par un trébuchet. Ma vieille Finella s'était enfoui le visage dans ses mains et pleurait bruyamment, confirmant par son attitude la véracité des propos qui venaient de m'être assénés. Livide, je me levai, déposai mon ouvrage et montai en courant pour m'enfermer dans ma chambre.

Dans les heures qui suivirent, j'eus l'impression de dériver, morte au milieu de la mer. Sitôt que je tentais de rappeler à ma mémoire un visage aimé, celui de mon père, d'abord, puis celui de ma mère, d'Etta, de mon oncle Innes ou de frère Gabriel, je ne voyais qu'un vide à la place de leur tête ou une ombre floue qui se dissipait comme de la fumée. Et en même temps, me revenaient des paroles prononcées par différentes personnes au fil des années, qui prenaient une signification nouvelle : par exemple, la présentation que sœur Béga avait faite de nous, ma mère et moi, aux moniales, en mentionnant le comté de Ross au lieu du comté de Morar ; ou encore, ce que sœur Katherine avait échappé en se rappelant ma mère : « Pauvre Angusina… elle a fini par se faire épouser malgré sa condition… L'ignoble homme qu'elle a eu comme père ! » et ces mots si durs que ma mère avait eus à l'endroit de son propre père : « Personne, pas même Dieu, ne peut prendre pitié d'un tel homme. » Enfin, l'histoire de la rencontre de mes parents revint me hanter, enrobée des imprécisions de ma mère : « … ton père a décidé de me reconduire dans ma famille à Loch Duich, mais, chemin faisant, il a changé d'avis et m'a ramenée à Morar avec lui. Il m'a épousée aussitôt ».

Un épouvantable tourment s'empara de moi et me cloua sur mon lit. La honte des hontes m'enserrait le cœur comme la terre autour d'un cercueil, comme l'écorce autour d'un tronc. Soudain, je n'étais plus personne pour personne. Les yeux secs, les mains froides et la respiration sifflante, j'écoutais le vide effroyable qui m'enveloppait inexorablement, sans même entendre les appels sourds de Finella à ma porte. L'heure du souper passa et ce fut la voix suppliante de Baltair qui me parvint, dans l'obscurité complète de ma chambre :

« Sorcha, ouvre-moi. Finella m'a raconté. Il n'y a personne d'autre que moi, laisse-moi entrer... Je t'en prie, Sorcha... »

Incapable de prononcer une seule parole, je me levai lentement en fixant la porte d'un air égaré. Je vis la pointe d'un couteau glisser sous la clenche et la soulever dans un bruit métallique ; la porte s'ouvrit sur Baltair tenant une lampe à la main. Il me jeta un coup d'œil, entra, referma la porte et déposa la lampe sur ma table. Puis, avec des gestes mesurés, il rangea son couteau dans sa botte.

« Tu le savais, n'est-ce pas ? balbutiai-je. Depuis longtemps... je suppose ; comme tout le monde ici... »

Il garda le silence en m'observant d'un air embarrassé. Soudain, un sentiment de révolte s'empara de moi. J'interprétais son attitude comme déloyauté et trahison envers moi et je me précipitai sur lui pour le frapper.

« Tu ne m'as rien dit ! Tu m'as laissé faire au cimetière de la cathédrale de Saint-Giles ! lui criai-je en martelant sa poitrine de coups. Tu as eu pitié de moi et de mon amour pour mon père... Vous avez tous honte et c'est par charité que vous m'avez fait venir... Traîtres ! »

Baltair me saisit les poignets et les rabaissa le long de mon corps qu'il rapprocha du sien.

« Tais-toi, Sorcha, me dit-il d'une voix rauque. Tu te fais mal inutilement. C'est la peine qui dicte tes paroles… Hormis ma sœur, personne à Mallaig considère que le lieutenant Lennox n'est pas ton père. Ceit n'en reparlera plus jamais, je te le jure. J'ai maintenant le pouvoir de la punir et je vais le faire si elle ne m'obéit pas. »

Toutes mes défenses tombèrent d'un coup et, le sentant, Baltair libéra mes poignets et me serra dans ses bras. Il me parla longtemps, la bouche contre mon oreille, avec ce ton doux qu'il employait pour réconforter. Il me relata l'incident au cours duquel il avait appris la vérité sur ma mère et le lieutenant, me fit part des opinions favorables à mon égard de dame Gunelle et de son père défunt. Il me confia également ce qu'il pensait de ma situation, avançant que l'homme qui aimait et élevait un enfant comme un père le devenait aux yeux de cet enfant et qu'il devait être considéré comme tel par tous.

Apaisée et consolée, la tête sur son épaule, les yeux gonflés de larmes libératrices, je l'écoutais en me pressant contre lui, les bras passés sous les siens. Un grand soulagement me gagna enfin et je redressai la tête pour le voir. Il se tut et nos regards se croisèrent. Il approcha doucement son visage du mien et ses lèvres glissèrent sur mes joues et mes paupières mouillées. Je frémis à ce contact doux et murmurai son nom.

Baltair prit alors ma tête entre ses mains tremblantes et il embrassa mes lèvres délicatement d'abord, et plus ardemment quand il sentit que ma bouche répondait à la sienne. Je n'avais jamais éprouvé une telle sensation de vertige et je m'accrochai aux revers de son pourpoint. Je m'abandonnai à la ferveur de nos baisers durant un long moment, puis, à bout de souffle, je réussis à me dégager.

« Baltair, fis-je, oppressée, il ne faut pas continuer… Tu es promis. Tu vas te marier dans deux mois… Aie pitié de moi.

— Qui t'a dit cela ? demanda-t-il, le souffle court, en reculant de quelques pas.

— J'ai surpris une conversation entre le clerc et le trésorier avant le décès de ton père. Je sais aussi que tu es allé à Glenfinnan avec ton oncle Tòmas pour présenter ta demande au père de Sine… »

Je le vis fermer les yeux un instant. Ses épaules se soulevaient lentement au rythme de profondes respirations et le torque en bougeant dans son cou reflétait la lueur de la lampe. Dans un état d'extrême tension, je me mordis les lèvres en espérant qu'il démentirait ce que je venais de lui rapporter.

« Je n'aurai pas à l'épouser, laissa-t-il tomber après une interminable minute de silence. Mais je dois trouver l'argent nécessaire pour qu'elle épouse quelqu'un d'autre…

— Je ne comprends pas… Tu peux échapper au duel contre Ranald sans avoir à te marier ? »

Ma question fit naître chez Baltair un sourire désarmant et je faillis replonger dans ses bras. Il me prit la main et m'entraîna à l'extérieur de la chambre.

« Viens, Sorcha, je vais t'expliquer tout ça pendant que tu mangeras quelque chose aux cuisines. Je ne peux pas m'attarder dans cette aile du donjon, surtout pas dans ta chambre… »

Je le suivis, le cœur tremblant. Nous descendîmes l'escalier et parcourûmes main dans la main le corridor qui menait dans l'aile est, sans rencontrer qui que ce soit. Nous traversâmes la grand-salle où une partie de la famille était encore rassemblée. Sur notre passage, on se tut en nous jetant des regards de biais. Nous pénétrâmes dans les cuisines attenantes, il me fit asseoir et demanda à une servante de me servir à souper. Puis il s'empara d'un pichet de bière, prit place en face de moi et m'expliqua d'une voix basse les négociations qui avaient précédé la mort de son père et celles qui l'avaient suivie.

Je l'écoutais, les oreilles bourdonnantes de bonheur, tout en dévorant le morceau de chou bouilli et la viande qui avaient été déposés devant moi sur un tranchoir. Je ne pouvais détacher mes yeux de ceux de Baltair. À cet instant, deux seules choses m'importaient : sa vie n'était plus suspendue à un combat et il ne se mariait plus. Il me semblait retrouver un bien précieux qu'on m'avait dérobé sournoisement. Trois mots voletaient dans mon esprit comme des petites plumes duveteuses : « Je chéris Baltair. »

D'abord horrifiée par le comportement de sa fille, dame Gunelle ne trouva pas la force d'avoir une discussion avec elle. Assise dans le bureau où elle s'enfermait chaque soir après le départ de Tòmas, du clerc et du trésorier, elle déplaçait un à un les objets de son mari et se le remémorait au milieu de cette pièce où il travaillait et recevait ses visiteurs. En fermant les yeux, elle retrouvait presque son odeur musquée qui, longtemps, avait été synonyme de plaisir des sens pour elle. Elle se sentit tout à coup lasse de ressasser son absence et s'en voulut de négliger les vivants au profit du défunt adoré. « Lui qui a toujours admiré mon sens du devoir, il concevrait tristesse et déception de me voir ainsi à la dérive de mon rôle au château », songea-t-elle.

Aussi, quand son fils se présenta, la châtelaine de Mallaig se tourna résolument vers lui pour l'écouter. Baltair rapporta à sa mère l'incident dont il avait pris connaissance à table en s'informant de l'absence de Sorcha.

« Baltair, je ne veux pas que cela se reproduise, lui dit-elle. Je ne tolère pas que Sorcha fasse l'objet des méchancetés de ta sœur, ni de quiconque à Mallaig. Ton père ne l'aurait pas admis non plus. C'est désormais à toi de sévir. Agis comme bon te semblera… Quant à la chambre de ton père, je veux que ce soit la tienne. Tu t'y installeras le jour de tes dix-huit ans, quand tu seras le chef du clan. Ses effets personnels sont à toi : son arme, son baudrier, ses habits, ses parures, sa correspondance. Prends tout. Si tu le veux bien, choisis quelques objets à donner à Dudh, à Malcom et à Ceit en mémoire de votre père. Et puis, fais-moi porter son livre d'heures et la broche de son plaid. Ce seront mes souvenirs de lui… À présent, va voir Sorcha et essaie de réparer l'affront de ta sœur. Pour le moment, je me sens incapable de consoler qui que ce soit… Mais dès demain, je la prendrai avec moi.

— Mère, lui répondit son fils, ce sera fait comme vous le souhaitez. Appuyez-vous en toute quiétude sur moi, maintenant. Si je suis devenu le châtelain, vous demeurez la châtelaine et vos volontés priment toujours à Mallaig. »

Le jeune homme revint dans la grand-salle et fustigea sa sœur du regard. Il s'adressa d'abord à dame Jenny sur un ton neutre et lui demanda qu'on ne touchât à rien dans la chambre du seigneur MacNèil. Ensuite, il se tourna en direction de Colm et lui rappela qu'en tant qu'époux il devait exercer sur Ceit ses devoirs d'autorité et de punition, le cas échéant. Enfin, il toisa sa sœur et, quand il parla, la colère sourde qu'il ressentait conféra des accents graves à sa voix :

« S'il fallait que j'apprenne un jour une autre attaque de ta langue perfide contre Sorcha, c'est moi qui te punirai. Considère aujourd'hui comme une chance que ce soit ton mari qui te corrige. »

Élevant le ton afin que tous ceux qui se trouvaient dans la pièce entendent, il ajouta une remarque générale qui concernait tant le personnel que les membres de la famille :

« Dois-je vous rappeler que dame Gunelle reste notre châtelaine tant et aussi longtemps que je ne prendrai pas épouse à Mallaig ? Vous devez toujours vous en remettre à elle en ce qui regarde notre vie au château et, dans les situations où elle serait indisposée, c'est à Sorcha, sa suivante, qu'il faudra vous adresser. »

Quand le jeune homme se tut, un silence pesant s'abattit sur la pièce. Peu à peu, quelques raclements de gorge, bruits de banc qu'on repousse, couteaux ou assiettes qu'on entrechoque commencèrent à se faire entendre. Pour briser la tension, messire Tòmas se leva et clama : « Trois vivats pour notre châtelaine, dame Gunelle ! » L'assemblée reprit en chœur sans se faire prier : « Vivat ! Vivat ! Vivat ! » Malcom enchaîna en criant : « Et trois vivats pour Sorcha ! » ce qui souleva le même

enthousiasme. Alors, Colm se leva à son tour et hurla :
« Trois vivats à notre châtelain Baltair ! Que Dieu le
protège ! Vivat ! Vivat ! Vivat ! » Pendant que les cris
répondaient à son invitation et faisaient vibrer la grand-
salle, il se tourna vers son épouse furieuse et lui fit un
sourire guilleret en lui tendant le bras.

« Bon, venez, ma chère. Montons chez vous. Nous
avons une petite corvée qui nous attend tous les deux…

— Ne me touche pas ! Si tu t'imagines que…, commença Ceit.

— Tut, tut, tut, fit-il. J'ai dit "une petite corvée",
ordre de mon maître. Venez gentiment. Il serait vraiment disgracieux de vous transporter sur mon épaule
comme un sac de blé… quoique, moi, ça ne me déran-
gerait pas trop. Je trouve même l'idée assez plaisante ! »

Ceit sentit son bras serré, comme dans un étau, entre les doigts de son mari, et constata qu'il valait mieux
ne pas offrir d'opposition. Elle se leva et sortit avec lui.
Au passage, la jeune femme surprit le clin d'œil que
Colm adressa à Finella, laquelle tentait de conserver une
mine sérieuse, au prix de louables efforts.

« Tu vas me le payer, siffla Ceit entre ses dents, à
l'intention de son compagnon.

— Oui, oui, ma toute douce. Dans quelques minutes. Soyez patiente, votre tour s'en vient. Vivat ! Vivat !
Vivat ! » lui susurra-t-il à l'oreille.

À la suite de cette mise au point de Baltair, les habitants du château s'appliquèrent à leur rôle et se permi-
rent de vivre le deuil de leur chef privément, selon leur
cœur. L'ambiance des repas du soir, que la châtelaine
avait recommencé à présider, s'en trouva beaucoup amé-

liorée. On aurait dit que Mallaig s'était enveloppé d'un cocon de laine pour panser la plaie qu'était la perte de son seigneur.

Ceit vivait ses heures de disgrâce, seule avec son époux, dans son appartement, et elle ne quittait guère l'aile ouest du donjon. Les domestiques, soulagés de retrouver leur châtelaine, multipliaient les attentions pour adoucir sa peine. Désireux de solliciter le moins possible leur maîtresse, ils prirent de plus en plus l'habitude d'adresser leurs petites demandes à la jeune Sorcha. La vivacité et l'assurance de cette dernière lui valurent la confiance et l'attachement de tous, particulièrement de dame Jenny. Cette dernière avait commencé à se passionner pour les connaissances en matière de simples de la jeune fille et, sous sa directive, elle entreprit de préparer les semis nécessaires à leur culture.

Les chevaliers et hommes d'armes adoptèrent une attitude de respect et de subordination envers Baltair et messire Tòmas qui se partageaient la gouverne du château et du clan. Les plus vieux chevaliers entreprirent l'entraînement de Dudh et de Malcom qui entraient dans leur quatorzième année et aspiraient au titre de chevalier. L'activité intense que le maniement des armes provoquait dans la cour stimulait l'intérêt et l'ardeur de l'ensemble de la garnison de Mallaig, du simple guetteur en haut des tours au capitaine des troupes. Le dispositif de défense en fut raffermi, ce qui renforça l'image dominante que la famille MacNèil avait sur ses rivales, habitant la grande péninsule au nord du loch Ness.

Comme la dette commune du clan, contractée par Raonall envers le baron d'Ardgour, n'était pas encore réglée, le clerc et le trésorier s'employèrent à explorer toutes les possibilités de rassembler la somme nécessaire, y compris la vente de certaines possessions de la famille, troupeaux de bœufs ou terres. L'échéance approchait et les lairds Struan et Aulay avaient manifesté le désir d'être remboursés les premiers, avant de donner leur appui à Baltair pour la succession à la tête du clan à la mi-décembre.

Baltair avait demandé que cette question ne soit pas débattue en présence de la châtelaine. Il ordonna également qu'elle soit tenue à l'écart de toutes les affaires du clan, qu'il s'agisse du règlement de rixes sur les terres ou des problèmes ordinaires de justice entre les manants. Il voulait, de cette manière, préserver les jours de deuil et la paix intérieure de sa mère. Pour honorer la mémoire de son cousin Iain et accomplir au mieux ses dernières volontés, Tòmas se consacra entièrement à l'héritier Baltair, le secondant dans ses prises de décision et le conseillant en toutes choses. Il s'était juré de préparer son neveu aux fonctions et responsabilités qui l'attendaient à sa majorité, comme l'aurait fait son père.

C'est ainsi qu'on vit, durant les mois d'octobre et de novembre, l'oncle constamment en compagnie de son neveu. Baltair découvrit la très grande loyauté de Tòmas envers le chef défunt et il en admira d'autant plus la valeur. Il se confia et s'appuya sur lui de telle sorte que la vive perte de son père s'atténua peu à peu. Comme il l'aurait fait avec son père, Baltair aborda avec son oncle toutes les questions qui le préoccupaient. Il s'ouvrit sur les sentiments qui prenaient racine dans son cœur envers la jeune Sorcha ; sur l'inquiétude qu'il entretenait concernant l'usage de son bras droit et ses qualités de combattant ; sur la situation financière précaire qui serait celle de la famille s'il fallait se départir d'une partie des biens ; sur la position affaiblie du clan qui en résulterait au sein des autres clans highlanders. Tòmas n'avait pas réponse à tout, néanmoins, il s'appliqua le mieux possible à comprendre les préoccupations de son neveu et à le raisonner. Il en résulta une confiance mutuelle et une grande solidarité entre les deux hommes.

À la fin de novembre, dame Gunelle reçut des nouvelles du couvent Sainte-Marie. Sœur Béga ne faisait aucune mention du départ de Sorcha. Sa missive concernait uniquement l'état de santé de dame Angusina qui, pour être admise comme novice, avait entrepris un jeûne sévère de recluse. La prieure recommandait l'épouse de feu le lieutenant Lennox aux prières de la châtelaine de Mallaig, car elle doutait qu'elle vive au-delà de l'hiver. Cette lettre fut l'occasion d'un grand rapprochement entre la châtelaine et sa suivante. À l'annonce de la fin prochaine de sa mère, Sorcha éprouva des sentiments confus et elle n'hésita pas à partager son désarroi avec sa maîtresse. Le grand accueil dont fit preuve cette dernière l'encouragea à exprimer la honte que les actes incestueux que sa mère avait subis engendraient chez elle. Puis, de fil en aiguille, elle parvint à évoquer les gestes de brutalité et de grossièreté dont elle avait elle-même été victime après avoir quitté le couvent. Ces confidences prudentes et naïves émurent dame Gunelle qui conçut dès lors une amitié profonde pour Sorcha.

La châtelaine de Mallaig voyait qu'un lien durable s'était créé entre la jeune fille et son fils durant leur voyage de retour d'Édimbourg et que leur affection mutuelle continuait de grandir. Même si l'heure des repas était la seule où ils étaient en présence l'un de l'autre, une observation attentive de leur comportement permettait de déceler leur attirance réciproque. Dame Gunelle ignorait tout du cœur de son fils et avait peu de chance d'obtenir ses confidences. Cependant, elle avait accès à celui de Sorcha, et c'est de ce côté que lui vint la confirmation de ses intuitions.

Un matin de la fin de novembre, la châtelaine et sa suivante, seules dans la chambre des dames, s'étaient installées à leur rouet et filaient en parlant des mariages survenus dans le comté. Bien que Sorcha ne connût pas la plupart des membres qui composaient les familles dont il était question, elle démontrait une vive curiosité. Dame Gunelle observa la jeune fille plus attentivement. Sorcha avait natté ses cheveux en une lourde tresse qu'elle repoussait dans son dos d'un mouvement brusque de la tête. Son long buste cintré dans un corsage de velours se penchait régulièrement sur la roue, dans un geste énergique qui trahissait sa nervosité.

« Ma dame, dit-elle, pensez-vous que votre fils Baltair s'accommoderait bien d'un mariage d'intérêt ?... Je veux dire par cela, serait-il heureux dans une union dont le but serait pécuniaire ou politique ? Je ne pense pas à un projet dont dépendrait sa sécurité ou sa vie, comme le projet de mariage avec la fille de votre laird Raonall l'a été en octobre. Mais je parle d'une alliance essentiellement contractée pour acquérir des biens ou des titres...

— Je crois que mon fils ressemble à son père sur cet aspect, répondit prudemment dame Gunelle. Baltair souhaite probablement choisir sa compagne selon son

428

cœur, mais si la froide raison lui commandait une autre voie, il ferait ce que la situation ou l'impératif familial exigerait de lui. Et dans ce dernier cas, je suis certaine qu'il trouverait, comme son père l'a fait avec moi, le moyen de tomber amoureux de celle qu'on lui destinerait contre son gré...

– Bien sûr, ma dame, ajouta promptement Sorcha. Je doute que votre fils se marie à l'encontre de sa famille. Ce n'est pas ce que je voulais insinuer... Baltair est un homme d'honneur et de devoir ! Et vous avez sans doute raison de supputer qu'il s'accommoderait d'un mariage arrangé... Votre fils aîné a beaucoup de charme et il saura s'en servir pour se ménager une vie acceptable, quel que soit son destin. »

Ma maîtresse s'était tue. Je lui jetai un regard de biais. Même si je craignais de paraître impertinente ou déplacée avec la question qui se pressait sur mes lèvres depuis qu'elle avait abordé le sujet des mariages arrangés, je décidai tout de même de la lui poser. « Pourquoi pas ? » pensai-je. Un tel climat de confiance s'était établi entre nous que je me sentais autorisée à interroger dame Gunelle sur son fils et les aspirations matrimoniales de ce dernier. Comme je m'y attendais, elle ne me jugea point, mais, au contraire, elle m'exposa très ouvertement ce qu'elle percevait chez son fils. J'avoue que sa réponse me déçut, mais ne me surprit guère.

Après le drame soulevé par Ceit concernant mes origines et la rencontre avec Baltair qu'il avait provoquée, je n'avais plus eu l'occasion de revoir ce dernier seule à seul. Je gardais cependant un souvenir impérissable des baisers que nous avions échangés alors et je rêvais de me retrouver dans ses bras de nouveau. Mais, je convenais que ce n'était pas ma place, et, d'ailleurs, j'avais eu quelques difficultés à interpréter son ardeur à mon endroit, ne sachant où se trouvait son dessein. Était-il vraiment épris et nourrissait-il de nobles sentiments à mon égard ou avait-il succombé à une tentation passagère, suscitée par les circonstances ? En mettant ensemble la réponse de dame Gunelle, la réputation de séducteur que Baltair s'était lui-même octroyée et la bonne grâce qu'il avait démontrée dans le projet de mariage avec Sine, j'avais tout lieu de croire au portrait que sa mère dressait de lui : « ... je suis certaine qu'il trouverait, comme son père l'a fait avec moi, le moyen de tomber amoureux de celle qu'on lui destinerait contre son gré ».

Au souper, ce soir-là, je m'appliquai à observer Baltair MacNèil plus soigneusement, cherchant à qualifier son attitude envers la gent féminine. Manifestait-il quelque intérêt pour une servante, par exemple ? Était-il sensible à la proximité de femmes autour de lui, comme dame Jenny, sa sœur ou sa mère ? Prêtait-il une oreille attentive quand la conversation portait sur des femmes de sa connaissance ? J'eus beau épier Baltair de mon mieux, je ne décelai rien d'autre qu'un intérêt soutenu et des regards appuyés dans ma direction. J'étais franchement décontenancée quand nous sortîmes de table à la fin du repas, dame Gunelle et moi, pour regagner l'aile ouest du donjon où nous passions toujours le reste de la veillée. Je me résignai donc à suspendre mon examen destiné à découvrir les sentiments de Baltair pour moi ; je n'y parviendrais pas de cette façon. Cependant, mon observation durant ce souper eut pour conséquence de raviver ma propre flamme pour lui, ce qui n'était pas de nature à m'apaiser.

Je crois que ma maîtresse découvrit mes préoccupations, car elle choisit d'orienter notre conversation sur l'inclination des hommes pour les femmes lorsque nous eûmes pris place devant l'âtre dans sa chambre. Nous étions baignées d'une chaleur douce et de cette belle lumière ambre si propice, selon moi, aux confidences. Je me laissai piéger.

« D'après vous, Sorcha, me demanda-t-elle à brûle-pourpoint, quelles sont les qualités que devrait posséder toute femme mariée ? Que croyez-vous que recherchent les hommes chez une épouse ?

– Oh, ma dame, avançai-je, cela ne dépend-il pas des hommes eux-mêmes ? Je veux dire qu'un homme âgé, par exemple, n'appréciera pas le même aspect du caractère d'une femme qu'un homme jeune... Et un homme taciturne ne goûtera pas le même genre de compagnie qu'un homme jovial... Si vous aviez posé cette question à votre mari et à son cousin, messire Tòmas, auraient-ils donné la même réponse ?

– Certes pas ! s'exclama-t-elle. Vous êtes bien perspicace, Sorcha. Félicitations !

– Je crois que lorsque l'on connaît bien un homme, on peut deviner ce qui lui plaît chez une femme. Vous-même, ma dame, ne pourriez-vous pas énoncer les qualités que devrait posséder la femme qui serait une épouse idéale pour votre fils ? »

Devant la candeur de ma tactique, ma maîtresse ne put s'empêcher de rire franchement. Combien je fus, l'espace d'un instant, ravie de cette joie spontanée et combien je m'en délectai !

« Je veux bien tenter de dresser l'image de l'épouse rêvée pour Baltair, concéda-t-elle avec le sourire. Voilà. Pour ménager son orgueil de MacNèil, cette personne ne devra pas être beaucoup plus âgée que lui, ni de condition très au-dessus de la sienne. Elle devra faire preuve de sagesse et d'imagination à la fois, car la réflexion lui fait parfois défaut et il est facilement distrait. De plus, Baltair étant souvent submergé par le sérieux d'une situation, sa tendance à se morfondre devra être compensée par la joie de vivre de sa compagne. Enfin, j'imagine mal mon fils s'éprendre d'une niaise. Étant lui-même un homme fin et même rusé, une femme devra briller par son intelligence pour le conquérir. J'ajouterais que, si j'en juge par les préférences qu'il a déjà affichées dans le choix de ses conquêtes, la femme rêvée de Baltair ne sera pas plus grande que lui. Mon fils fuit la compagnie de femmes qui le dépassent par leur taille. »

Elle se tut et me regarda d'un air espiègle, me signalant ainsi qu'elle voyait clair dans mon jeu et s'en amusait. Je bougeai dans mon fauteuil, un peu mal à l'aise, mais l'envie d'aller jusqu'au bout me fit reprendre la parole :

« Dans cette énumération, ma dame, aucune mention n'est faite des origines de la prétendante. Est-ce à dire que votre fils n'accorde pas d'importance à cet aspect ?

– Sorcha, Baltair sera, je pense, un digne représentant de la famille MacNèil sur ce point. Ni son père, ni son grand-père, ni son arrière-grand-père n'ont pris épouse parmi la noblesse. La famille MacNèil n'est pas sensible aux titres, qui, avouons-le, n'ont pas le même poids dans les Highlands que dans les Lowlands. Cependant, les MacNèil ont pu faire des mariages d'intérêt dans leur histoire. Le mien avec le seigneur Iain en fut un, celui de Baltair pourrait bien en être un de plus. »

En entendant ces paroles, une phrase de la lettre de frère Gabriel me revint subitement en mémoire et occupa mon esprit jusqu'à l'heure du coucher : « Tu ne le sais pas, mais les maris s'achètent... » Quand j'entrai dans ma chambre, une heure plus tard, j'allai directement à mon écritoire et je relus la lettre de mon ami moine. En me glissant sous les draps, je résolus qu'il était temps de mettre la main sur la dot que Gabriel le Bègue m'avait si vaillamment constituée avec la vente du « trésor du Fils ».

« Tu ne le sais pas encore, Baltair MacNèil, mais je vais t'acheter comme mari... », me dis-je en sombrant dans le sommeil.

CHAPITRE XVI

SAUVER L'HÉRITIER

Notre conversation sur les préférences de Baltair dans le choix d'une compagne avait eu un effet bénéfique sur l'humeur de ma maîtresse : je constatai que, aussi étonnant que cela pût paraître, ce fut un point tournant dans son deuil. De ce jour, je ne perçus plus aucune trace de morosité chez elle. Tout en ayant conservé une grande ferveur dans ses dévotions, elle y consacrait moins de temps. Elle devint plus attentive à chacun au château, plus curieuse des affaires de la famille, que messire Tòmas et Baltair s'étaient jusqu'alors réservées, et recherchait davantage la compagnie de ses fils durant les soupers et les veillées, ce qui me permit d'échanger quelques phrases avec Baltair.

Du côté de sa fille, je décelai que les relations demeuraient très prudentes. Ceit avait adopté une attitude distante et polie envers ma maîtresse et s'était rabattue sur Colm pour meubler ses conversations à table. Car ce n'était plus guère que là que nous la rencontrions, ce dont je ne me plaignis pas. Je soupçonnais bien que j'étais pour quelque chose dans son isolement du reste de la famille, mais je n'en conçus aucun remords : mon rôle de suivante de la châtelaine de Mallaig me rivait à l'entourage immédiat de cette dernière, que ma présence ait ou non, pour conséquence, d'éloigner Ceit.

Le premier décembre, dame Gunelle décida de sortir du château et d'entreprendre une tournée des familles du bourg. Elle avait coutume de visiter, avant Nollaig*, ceux qui dépendaient des MacNèil en dehors des murs, et de dresser une liste de présents à faire à chacun, selon son mérite.

Avant de quitter ma chambre, où j'étais remontée pour prendre mes gants et mon manteau, je relus le passage de la lettre de frère Gabriel, qui décrivait l'endroit où se trouvait ma dot : « *L'argent est caché à Mallaig, au même endroit que l'était le tribut de la Vierge à Iona, la première fois.* » J'espérais que ma sortie inespérée me donnerait enfin l'occasion de mettre la main dessus. Une étrange pudeur m'avait empêchée de m'ouvrir à dame Gunelle sur le contenu de la lettre de mon ami moine et la perspective d'un don en argent qu'elle laissait entendre. J'imagine aussi que ma crainte d'être déçue contribuait à me faire garder le secret.

Il fut décidé que notre escorte se rendrait au bourg à cheval ; du fait que je ne savais pas monter, on me confia une bête très paisible. Passé les premiers moments de frayeur à me sentir seule en selle, j'adoptai très vite la bonne posture pour me maintenir en équilibre sur le dos de l'animal et je goûtai cette première expérience de

---

* Nollaig (mot gaélique) : Noël, le 25 décembre.

cavalière, sous l'œil encourageant de ma maîtresse. Elle me confia que l'apprentissage de l'équitation avait été éprouvant pour elle jadis et que sa peur des chevaux ne s'était jamais complètement estompée.

Quand notre équipage passa le pont-levis et grimpa sur les plateaux, je pris conscience que j'étais hors de l'enceinte pour la première fois depuis que j'étais entrée au château de Mallaig, trois mois auparavant. Je pris une profonde inspiration et humai l'air froid et salin avec bonheur. L'intéressante randonnée qui s'amorçait avec dame Gunelle chassa presque mon objectif d'aller inspecter la plage.

Nous reçûmes un accueil extraordinaire lors de notre entrée dans le bourg : les hommes, dehors, appelaient les femmes restées à l'intérieur de leur chaumière et une foule joyeuse entoura rapidement notre équipage. Nous mîmes pied à terre et parcourûmes le village, de maisonnée en maisonnée. Je découvris sur les visages des habitants et dans leurs manières un profond attachement à ma maîtresse. On compatissait à son deuil, on s'informait de sa santé, on l'assurait de prières et on la couvrait de compliments et de recommandations diverses. Dame Gunelle souriait, s'informait de chacun, retournait les attentions et s'enquérait des besoins. Je me tenais un peu à l'écart, impressionnée et admirative, notant les renseignements que ma maîtresse récoltait et qui pouvaient alimenter sa liste de présents et de cadeaux.

Je surpris sur moi quelques regards discrets et interrogateurs, tous parfaitement dénués de malveillance. « Ici, constatai-je, la mémoire du lieutenant Lennox n'a pas entaché le nom de sa fille qui s'est élevée au titre de suivante de la châtelaine de Mallaig. » À l'échoppe du forgeron, où tous les chevaux du château étaient ferrés depuis des générations, nous nous attardâmes un peu plus longtemps. Son épouse vénérait dame Gunelle depuis de nombreuses années et elle insista pour qu'on acceptât une collation devant son feu. Nous prîmes place autour du foyer et le forgeron s'installa à mes côtés.

« Alors, damoiselle, me glissa-t-il pendant que ma maîtresse s'entretenait avec son épouse, maintenant que le seigneur est mort, messire Baltair va pouvoir demander votre main, je suppose ? Il faut bien que toutes ces lettres aboutissent à quelque chose...

– Plaît-il, messire ? Je ne comprends pas vos suppositions, lui répondis-je, indignée.

– Il ne vous l'a pas dit ? C'est moi qui ai établi le réseau de messagers pour votre correspondance secrète à Iona. J'avoue qu'il était temps que vous vous présentiez à Mallaig en personne, car ces dernières années messire Baltair ne s'est pas privé de compagnie féminine... Un si beau parti, vous pouvez facilement imaginer ce que cela suscite parmi les jouvencelles », poursuivit-il sur son même ton de confidence.

Cette conversation me déplut et j'y mis fin en me levant. Devant mon attitude fermée, le forgeron n'insista pas, mais ses révélations me donnèrent à réfléchir. Au bout de deux heures de visite, exténuantes pour ma maîtresse, elle demanda à prendre le chemin du retour et nous remontâmes en selle. Avant de gravir les plateaux, j'émis l'idée d'aller examiner la plage »

« Ma dame, si vous le permettez, j'irais volontiers sur le bord de la mer. J'y trouverais peut-être une algue qui entre dans une recette de potion fortifiante que j'aimerais fabriquer. Je n'en ai pas pour très longtemps et vous n'êtes pas obligée de m'accompagner. Laissez-moi l'escorte d'un homme et je vais vous rejoindre au château sans tarder.

— Bien sûr, Sorcha, faites ! Prenez votre temps. Dame Jenny cherche, chaque hiver, quelque chose qui puisse fortifier les enfants au château. Nous essaierons votre potion si vous la réussissez… », me répondit-elle.

Pour m'emmener sur le littoral, elle désigna le garde dont la monture se trouvait à côté de la mienne et nous nous séparâmes. Ce dernier dut forcer ma bête à se détacher du groupe et à prendre la bonne direction, car je n'arrivais pas à la guider correctement. Nous atteignîmes la plage tout près du port où mouillaient les navires qui appartenaient à la famille MacNèil, ainsi que nombre de petites embarcations de pêche qui me rappelèrent celle de mon ami moine.

« De quel côté voulez-vous aller, damoiselle Sorcha ? s'enquit mon garde. Au nord vers les récifs ou, au sud, du bord des pêcheurs ?

— Je n'en sais trop rien, messire. La mer semble agitée aujourd'hui… je crois que je trouverai plus facilement sur la plage des pêcheurs », lui répondis-je en retenant mon capuchon sur ma tête.

Il fit aussitôt bifurquer ma monture et nous gagnâmes l'étendue de sable mouillé sur laquelle des gréements de pêche s'entassaient par îlots. Je décidai de descendre de cheval et de commencer ma recherche à pied.

« Voulez-vous garder mon cheval ici et m'attendre, capitaine ? Je n'en ai pas pour très longtemps… »

Mon garde sauta de sa monture et vint immobiliser la mienne en la prenant par la bride. Je mis pied à terre et m'éloignai aussitôt, à la recherche du site qui me rappellerait l'endroit où frère Gabriel avait enfoui le pot du « tribut de la Vierge », sur la plage d'Iona. Fouettée par les vents, j'explorai le littoral durant un long moment, d'un pas mesuré, la main serrée autour de mon capuchon et les yeux grands ouverts. Des pierres limoneuses entrecoupées d'espaces de sable blanc durci couvraient le sol.

Je repérai bientôt une petite crique enchâssée entre deux empilements de rochers noirs, qui ressemblait beaucoup à l'emplacement où frère Gabriel avait abrité sa malle à gréement à Iona. Je m'y rendis, montai sur une roche plate et là, dos à la mer, je fermai les yeux et j'écoutai le glissement de l'eau sur les pierres au passage des vagues. Soudain, j'entendis en moi les paroles du psaume que mon ami avait récité lors de ma découverte du « tribut de la Vierge » : « *De petra melle saturavit eos**. » Alors j'ouvris les yeux, je scrutai les pierres avoisinantes et vis un agencement sec de roches stratifiées. Nerveuse, je m'en approchai, j'en fouillai les différentes cavités et je découvris finalement une cassette de fer-blanc, couverte de lichens et coincée entre deux pierres. Mon cœur bondit dans ma poitrine.

« Ma dot », murmurai-je.

D'une main tremblante, je dégageai le lourd boîtier et l'ouvris. Son contenu se composait d'une grande quantité de pièces dont je ne pus évaluer la valeur du premier coup d'œil. Je levai les yeux en direction de mon escorte qui me surveillait distraitement, à plus de mille

---

* En latin : Il l'a rassasié du miel sorti de la pierre.

pieds d'où je me tenais. Une bouffée de chaleur me gagna et mouilla mes tempes. Alors, sans hésiter, je refermai la cassette, l'enfouis dans les replis de mon manteau, ramassai une poignée d'algues à ma portée et me relevai.

Menant les deux chevaux par la bride, le garde vint à ma rencontre et m'aida à monter en selle sans poser de questions. Quelques minutes plus tard, nous entrâmes dans l'enceinte du château en devisant sur un ton anodin. La cour était vide. Je pris congé de mon escorte et, la cassette serrée sous le bras, je grimpai l'escalier de l'aile ouest du donjon en tentant de donner à ma démarche aisance et désinvolture. Pourquoi avais-je soudain si peur de me faire voler ? Était-ce le souvenir de mon attaque à Édimbourg qui refaisait insidieusement surface ? Je sentis un goût désagréable dans ma bouche et déglutis avec peine.

Dans l'aile des dames, je souris néanmoins à dame Jenny et à Finella qui se trouvaient là, et je montai directement à ma chambre où je sortis le boîtier et le déposai sur le lit. Après avoir retiré gants et manteau, je l'ouvris et fis l'inventaire de son contenu : il y avait là cent quarante-trois livres, une véritable fortune ! Je tombai à la renverse sur le matelas, les yeux fixés sur le pan de ciel bleu découvert par ma fenêtre. « Dieu du ciel ! Je suis dotée ! Frère Gabriel... comment avez-vous fait ? » pensai-je, subjuguée.

Tòmas et Baltair étaient assis à la table de travail dans le bureau du seigneur de Mallaig. Devant eux, le clerc avec son air impassible et le trésorier, accroché au livre de comptes, gardaient le silence en attendant qu'on leur demande avis. Pour la troisième journée consécutive, les quatre hommes avaient passé tout l'après-midi à évaluer les avoirs de la famille et à établir des plans en vue du règlement de la succession à la tête du clan. Il ne restait plus que quinze jours avant l'anniversaire de dix-huit ans de l'héritier MacNèil, date limite où la famille se devait de mener une action auprès du laird Raonall.

« Donc, messires, dit Baltair d'une voix lasse, nous n'avons pas ce qu'il faut en ce moment, à moins de vendre les terres de Moidart au baron de Sunart qui est le seul acquéreur qui se montre intéressé…

— Voilà, mon seigneur, c'est exact, confirma le trésorier. Si seulement vous pouviez repousser de huit mois l'échéance, vos revenus de la prochaine année couvriraient la totalité de la dette de votre laird de Glenfinnan. Mais comme vous devez payer maintenant, il vous faudra malheureusement vendre ou emprunter pour une somme de cent vingt livres.

— Qui, à votre avis, peut me prêter une telle somme, mon oncle ? demanda Baltair à Tòmas.

— Dans votre entourage et en un aussi court laps de temps, mis à part le richissime baron d'Ardgour à qui nous ne pouvons pas nous adresser, je crains qu'il n'y ait que le baron de Sunart lui-même, lui répondit Tòmas. Ce qui est très délicat, compte tenu de son option sur le domaine de Moidart. Cependant, la baronne ne cache pas son immense admiration pour vous et elle a une très jeune fille à marier. Il y a fort à parier que la dot est substantielle… Je ne serais pas étonné qu'elle se chiffre à près de cent dix livres. Nous ne serions pas bien loin du compte si vous entriez en possession de cette somme.

— Je vous en prie, mon oncle, ne me parlez pas encore d'un mariage pour régler le problème... Vous connaissez ce que j'endure en ce moment, répliqua Baltair. Et puis, la fille du baron n'a pas treize ans...

— C'est vrai, intervint le clerc. Messire Dudh ou messire Malcom l'accommoderait mieux ! Malheureusement pour les Sunart, ni l'un ni l'autre n'est héritier... ou n'est un héros évadé de la forteresse d'Uist... Vous êtes prisonnier de votre immense popularité auprès des marieuses telles que la baronne de Sunart, mon seigneur... On vous désire comme gendre et ce sera difficile d'y échapper. »

Soudain rembruni, Baltair se leva et marcha jusqu'à la fenêtre. Il avait enfilé un pourpoint de serge gris foncé et des chausses noires qui, avec ses longs cheveux bruns, lui donnaient une allure sombre et austère, le faisant paraître plus vieux aux occupants du bureau. Baltair secoua la tête dans un mouvement d'humeur. « Je ne veux ni devenir le gendre Sunart, ni vendre Moidart », songea-t-il, mortifié. Au repas du soir, le jeune châtelain se présenta dans la grand-salle avec un air harassé et désabusé. Au passage des pichets de vin devant lui, il fut tenté plus d'une fois de se resservir jusqu'à s'enivrer. Ses yeux se reportaient inlassablement à l'autre bout de la table où sa mère et Sorcha mangeaient côte à côte, détendues et insouciantes. Soudain, il ne put réprimer un soupir que Colm, assis à sa droite, interpréta avec sa perspicacité habituelle :

« Ah, ah, messire ! Je vois que le temps où notre pensionnaire d'Iona montait en croupe derrière vous et profitait de votre cape pour se réchauffer la nuit vous manque... Dommage que son statut de suivante vous la rende intouchable. Elle vous aurait fait une belle petite maîtresse ! susurra Colm à l'oreille du jeune homme.

– Tais-toi ! Tu ne sais pas de quoi tu parles…, lui ordonna Baltair.

– Voyons, messire, croyez-vous réellement que je ne sache pas de quoi je parle ? Dites plutôt que Colm ne voit pas vos yeux langoureux et qu'il n'entend pas vos soupirs éplorés.

– Silence ! » cria presque le jeune homme, exaspéré.

Toute la tablée se tut en même temps et les têtes se tournèrent dans la direction des deux hommes. Confus, Baltair se leva prestement en renversant son banc derrière lui et sortit de la grand-salle d'un pas raide. Dame Gunelle interrogea messire Tòmas du regard et celui-ci lui signifia, par un léger signe de tête, qu'il pouvait lui fournir une explication. À la fin du repas, il vint trouver la châtelaine dans le cercle des fauteuils devant l'âtre, où elle avait pris place avec sa suivante, et il se glissa à ses côtés pour mener une conversation en aparté. En quelques mots, Tòmas brossa à la mère un portrait de la situation dans laquelle son fils se débattait, aux prises avec une décision qu'il n'arrivait pas à prendre et qui devenait de jour en jour plus urgente. Dame Gunelle demanda des précisions sur la somme, puis s'emmura dans un silence méditatif. Alors, la jeune Sorcha, se levant discrètement, demanda à sa maîtresse de l'excuser et sortit à son tour de la grand-salle à pas feutrés.

Je ne fus pas aussitôt dans le hall désert que je pris conscience de ma sottise. En fait, je ne savais absolument pas où chercher Baltair. Je me doutais qu'il s'était isolé. Ce pouvait être dans sa chambre, dont j'ignorais l'emplacement, ou n'importe où dans l'aile est du donjon. Il me fallait donc partir en exploration pour le trouver, ce que je fis en optant pour le grand escalier à vis devant moi. Sur le premier palier, je pris spontanément la direction de la chambre du seigneur défunt, la seule pièce que j'avais visitée à cet étage. Je fus bien inspirée. Par la porte entrebâillée d'où filtrait un faible rayon de lumière, je vis Baltair, assis dans un large fauteuil, devant le foyer éteint. Une bougie éclairait sa tête ébouriffée qu'il tenait entre ses mains, les coudes appuyés sur les genoux.

Au bruit que je fis en poussant la porte, il se redressa. Le cœur battant, j'entrai doucement et vins m'asseoir devant lui.

« Qu'est-ce que tu fais ici ? fit-il distraitement, comme s'il sortait d'une profonde rêverie.

– Je viens te proposer une solution au problème qui te tracasse, lui répondis-je en souriant. Je connais une personne qui possède une dot de cent quarante-trois livres et qui est prête à t'épouser sur-le-champ… »

Baltair bondit de son fauteuil et se mit à arpenter énergiquement la pièce.

« Par Dieu ! qu'avez-vous tous à vouloir me marier ? D'abord mon père sur son lit de mort, puis ma mère, la semaine dernière, ensuite mon oncle, tout à l'heure, et maintenant toi ! Je ne suis pas un étalon qu'on achète pour l'accoupler à une jument pur-sang ! Je ne veux pas d'une dot pour régler les dettes de jeu de quelqu'un d'autre. C'est trop injuste d'engager sa vie là-dessus !

– Je comprends, lui dis-je, désarçonnée, en me levant à mon tour. Dans ce cas, je suis sûre que la personne en question te prêtera la somme sans que tu aies à l'épouser.

– Écoute, Sorcha. Je pense que tu n'y connais strictement rien. Qui que soit cette personne, elle ne peut certainement pas disposer de la somme comme elle l'entend. Les dots sont gérées par les pères et non par les filles à marier...

– La personne à laquelle je pense est orpheline, Baltair. Je sais qu'elle possède cent quarante-trois livres en mains propres, et elle peut les dépenser comme bon lui semble.

– Quand bien même cette inconnue accepterait de me faire un prêt, Sorcha, il sera trop tard. Je dois avoir la somme après-demain, au plus tard... Le temps que nous préparions l'acte de prêt, qu'on le lui porte à Édimbourg, à Oban ou je ne sais où...

– À Mallaig », l'interrompis-je.

Il s'arrêta net de marcher et me dévisagea, les sourcils froncés, dans un effort de concentration. Il tentait d'éclaircir la situation que je lui exposais :

« Au bourg, aujourd'hui, tu as rencontré une orpheline qui a une dot de cent quarante-trois livres et qui veut m'épouser ou me prêter l'argent ? C'est insensé ! Sorcha, tu dois faire erreur, car je ne connais aucune jeune fille à Mallaig qui soit dans cette situation...

– Hier, cette jeune fille n'avait pas encore touché sa dot. Elle ne l'a eue qu'aujourd'hui », répliquai-je, la gorge serrée en le dévisageant.

Baltair écarquilla les yeux et déglutit. Il venait de comprendre que j'étais la personne en question et il

445

devait éprouver quelque difficulté à y croire. Je devins moi aussi confondue : ma proposition de mariage m'apparut soudain dans toute sa candeur. Tant pour chasser mon embarras que pour fournir les explications qui s'imposaient, je me rassis et racontai, d'une voix vacillante, l'histoire du « trésor du Fils » transformé en dot par Gabriel le Bègue.

« Je suis désolée de t'avoir proposé la somme comme dot, terminai-je, je ne voulais pas te forcer à m'épouser. Mais il n'y aurait aucun déshonneur à ce que tu acceptes mon argent comme un prêt. »

Baltair revint prendre place dans le fauteuil en face de moi et il s'empara de mes mains qu'il emprisonna dans les siennes. Je perçus immédiatement leur moiteur.

« Alors voilà donc ce que tu suggères, dit-il d'une voix sourde. Que je devienne le débiteur de la suivante de ma mère… C'est cela ? J'avoue que les MacNèil ont accepté plusieurs arrangements dans leur histoire, mais un plan dans lequel ils s'assujettissent à un membre de leur propre maison, c'est un peu difficile à admettre… »

Choquée par un tel raisonnement, je me levai d'un bond et marchai, tremblante, jusqu'à la porte, puis je fis volte-face.

« Ta mère m'avait bien dit que tu étais fier, mais, à ce point, prétentieux serait un qualificatif plus adéquat ! » sifflai-je.

J'eus à peine le temps d'amorcer un geste de retraite qu'il fut sur moi en deux enjambées et me bloqua l'accès à la porte.

« Un instant, Sorcha… J'accepte ta proposition. Je ne prends pas le prêt, mais la dot… si tu maintiens cette option, évidemment », souffla-t-il, haletant.

Indécise, je le regardai dans les yeux en me demandant jusqu'à quel point je ne lui forçais pas la main. Puis, je repensai anxieusement à sa sortie contre les dots, quelques minutes plus tôt.

« Baltair, je ne veux pas t'acheter et je ne suis pas une jument pur-sang. Pas plus que tu ne désires te marier pour de l'argent, je ne voudrais que tu m'acceptes pour cette même raison. »

À peine eus-je terminé ma réponse que Baltair m'entoura de ses bras et me serra contre lui avec une force frémissante, en balbutiant contre mon oreille, d'une voix étouffée :

« Ma chérie, Sorcha ! Tu ne comprends pas. Je ne m'opposais au mariage que parce que je ne voulais pas renoncer à mon amour pour toi… Il faut que tu saches que je ne peux imaginer autre compagne que toi à mes côtés. Ma bien-aimée, épouse-moi… »

Durant les minutes qui suivirent, le temps suspendit son cours. Je n'avais conscience ni de l'heure, ni des murs qui nous entouraient, ni du froid de la pièce sans feu, ni des bruits du château. Seuls nos souffles mêlés, nos bouches insatiables, nos mains avides de caresses et nos cœurs éperdus de bonheur existaient. « Je t'aime », murmurai-je inlassablement, entre chaque baiser.

L'arrivée inopinée de l'oncle Tòmas à la porte de la chambre interrompit nos transports amoureux. Je m'arrachai aussitôt des bras vigoureux de Baltair et m'enfuis, le cœur en fête, en laissant les deux hommes ensemble. Une course folle à travers les corridors du donjon me ramena, en nage, à ma chambre où je me précipitai sur mon lit. J'avais encore la brûlure des baisers de Baltair sur les lèvres, et, au creux des reins, une sorte de doux pincement.

Par un matin nuageux et frileux, le 17 décembre 1443, la cour du château s'était remplie d'une foule compacte, rassemblée pour saluer le nouveau seigneur de Mallaig. Manants et serfs étaient venus avec femmes et enfants de tous les coins du vaste domaine pour prêter serment au fils héritier MacNèil, dont c'était l'anniversaire et jour de sa majorité. La cérémonie devant se dérouler dans la salle d'armes, ce serait pour plusieurs une rare occasion de pénétrer dans le château. Une certaine excitation stimulait les esprits, on babillait fort et haut en battant la semelle à l'abri du vent dans l'enceinte.

À cette heure, la salle d'armes servait pour l'intronisation de Baltair, consacré dixième chef du clan Mac-Nèil. En réunion spéciale à Glenfinnan, quelques jours plus tôt, les trois lairds avaient unanimement approuvé la succession du fils héritier Baltair. Raonall avait alors aussitôt marié sa fille au comte d'Ardgour et les finances du clan MacNèil étaient reparties sur de nouvelles bases, grâce à l'argent de Sorcha qui servait à éponger la majeure partie des dettes encourues.

En ce samedi frisquet, l'anniversaire des dix-huit ans de Baltair s'effaçait derrière la cérémonie d'intronisation. Les lairds, leurs épouses et enfants, toute la famille MacNèil ainsi que ses gens d'armes et ceux des différents domaines du clan étaient présents dans la salle d'armes de Mallaig. Sous l'éclairage grésillant de plusieurs torches et lampes, une soixantaine de personnes se tenaient immobiles et solennelles. Elles avaient pris place sur des bancs disposés en arc de cercle, de part et d'autre de la stalle sculptée aux armoiries du clan.

Quand le silence fut complet, le son d'une trompette s'éleva du fond de la salle et la procession se mit en branle d'un pas très lent. Venaient en tête trois joueurs de piòb en grande tenue de cérémonie. Suivaient Tòmas qui avait assuré l'intérim depuis la mort d'Iain MacNèil, les lairds Raonall, Struan et Aulay, ainsi que le chapelain Henriot. Derrière lui, marchait Baltair, l'air grave et les épaules raides. Il avait coiffé le chapeau du chef et revêtu le haubert armorié de son père. La procession était fermée par deux porte-étendards soutenant la bannière des MacNèil.

Baltair gravit seul les deux marches de l'estrade et vint s'asseoir, pour la première fois, dans la stalle jadis occupée par son père. Le révérend Henriot prit la parole et adressa une courte homélie à l'assemblée qu'il invita ensuite à la prière ; puis ce fut le tour de Tòmas de prononcer l'ode relatant l'histoire du clan et des neuf chefs qui l'avaient successivement dirigé. Un joueur de clàrsash accompagnait de son instrument la narration glorieuse des ancêtres que chacun dans la salle connaissait, mais ne se lassait pas de réentendre. D'une voix chaude, l'oncle termina son discours en présentant son neveu, lequel se leva en tremblant imperceptiblement :

« Je vous présente ici Baltair le Jeune, fils d'Iain, fils de Baltair l'Ancien, fils de Mànas, fils de Neil Og Macnèil, fils de Neil Macnèil de Barra, fils de Sioltach le Jeune, fils de Sioltach l'Ancien, fils d'Aodàn, et fils d'Aodh O'Neil d'Irlande. Il devient le chef incontesté de ce clan, héritier par la loi de Dieu et celle des hommes. Il en accepte la charge.

– Dieu protège notre chef et nous-mêmes qui servirons sa cause », répondit l'assemblée d'une même voix.

Ému, le révérend Henriot reprit la parole pour faire prêter serment au jeune chef qui posa la main droite sur son torse, à la hauteur du cœur :

« Promets-tu à cette assemblée d'être un père chérissant pour son clan ?

– Je promets de toujours lever la main pour maintenir la paix, défendre les membres de mon clan et porter haut son nom, récita Baltair le Jeune. J'espère que Dieu me viendra en aide. Amen !

– Buaidh no bas*! » crièrent en chœur tous les membres de l'assemblée en faisant vibrer l'air enfumé de la salle d'armes.

Baltair sentit un frisson le parcourir de la tête aux pieds et, tandis qu'un hymne majestueux était entonné par les chevaliers et gens d'armes, il retira le haubert de son père, laissant paraître ses propres armoiries brodées sur son pourpoint. Puis il parcourut l'assemblée d'un regard circulaire, à la recherche de sa mère et de sa suivante. Il aperçut aussitôt le beau visage de la châtelaine. Il était encadré d'une guimpe de velours noir, paraissant encore plus pâle qu'à l'habitude, mais, malgré cela, empreint d'émotion et de fierté. Baltair vit sa mère se signer et il reporta son regard sur Sorcha à ses côtés qui fit de même. Le port de tête fier de la jeune fille, son allure élégante et sa beauté authentique le ravirent. Le cœur

---

* Expression gaélique : Vaincre ou mourir (devise du clan).

du jeune homme se gonfla alors d'amour pour les deux femmes.

Dans la foule en liesse, dame Ceit serrait les dents. L'anxiété était à son comble dans son cœur depuis que son frère avait fait part à leur mère de son projet d'épouser Sorcha. Quand elle surprit l'air comblé de Baltair, elle ne put en supporter davantage et sortit de la salle d'armes en remorquant Colm par le bras. Ce dernier avait l'habitude de déceler les excès de jalousie chez son exaspérante épouse et, chaque fois, il s'ingéniait à l'en distraire par ses talents de conteur. À ce moment-là, il choisit de relater, sur un ton de badinage, des épisodes de son périple d'Iona à Mallaig, en passant par Édimbourg.

Ceit prêta à l'histoire une oreille plus attentive qu'à l'habitude, sensible aux passages où son mari semblait louvoyer. Pensant pouvoir encore influer sur la promesse de mariage de son frère, elle était décidée à relever quelques tares dont elle pourrait accabler celle qu'elle continuait de considérer comme une rivale à Mallaig. Ignorant tout des intentions secrètes de Ceit, mais stimulé par l'intérêt inattendu qu'elle portait à son récit, Colm s'aventura à raconter l'événement survenu au broch abandonné. En quelques questions habiles, Ceit obtint suffisamment de détails pour se faire l'image d'un drame captivant et déshonorant. Elle en jubila, sentant qu'elle tenait là matière à retourner l'opinion du clan contre Baltair et à lui faire renoncer à une union avec Sorcha.

Elle observa d'un œil satisfait l'entrée massive dans la grand-salle des gens du bourg, maîtres, manants, serfs et menu peuple venus présenter leur respect à son frère et, pour certains d'entre eux, lui prêter serment. La présence de tout ce monde favorisait ses desseins. Elle pourrait à loisir s'entretenir avec les lairds et leurs épouses, et mener son opération dégradante à l'abri des oreilles de Baltair. Colm se tut, impressionné malgré lui par la ferveur qui émanait de l'assistance empressée qui envahissait la grand-salle et, abandonnant son épouse à ses plans, il porta son attention à l'organisation de cette foule confuse que le clerc tentait de diriger avec le capitaine de la garde.

Les membres de la famille, tous habitués qu'ils étaient à voir agir Ceit comme l'hôtesse des lieux, la gardèrent à l'œil afin de capter le moment où ils seraient conviés à une petite fête avec les invités de marque. On avait en effet convenu de les accueillir en privé dans le bureau, pendant que la cérémonie de prêt du serment à Baltair se déroulerait avec les serfs et les manants. Ceit regroupa rapidement les lairds et leurs épouses autour d'elle, laissant dans l'entourage de sa mère les connétables et la noblesse du comté.

La fille de la maison amena habilement la conversation sur la récente noce de Sine à Glenfinnan, dont elle félicita Raonall. Puis, comme il fallait s'y attendre, on aborda la question du mariage de Baltair, dont la nouvelle s'était déjà répandue dans la famille. Avec l'air de celle qui en savait plus que tout le monde, Ceit étonna son petit groupe d'intéressés en déclarant qu'elle y voyait un empêchement majeur. Elle ne se fit pas prier pour donner des détails truculents sur le viol de la promise durant son voyage de retour à Mallaig, prenant son mari Colm à témoin, au grand désarroi de ce dernier qui n'osa la contredire ouvertement.

J'étais très émue de voir tous ces hommes, pour la plupart d'âge mûr, venir s'agenouiller devant Baltair et prononcer d'une voix grave le serment au seigneur : « Je jure de vous garder ma foi, de rester loyal envers vous contre tous les autres et de protéger vos droits de toutes mes forces. » Baltair relevait et embrassait chacun d'eux en leur répondant avec ferveur : « Toi, je t'assure de ma protection et de mon amour puisque tu me reconnais pour ton seigneur. » Une bouffée de fierté s'empara de mon cœur pour celui que je m'autorisais à appeler « mon fiancé » depuis une semaine.

Dès que je vis le dernier manant s'avancer vers Baltair pour lui prêter serment, je m'en fus dans le bureau avertir ma maîtresse que la cérémonie était terminée, comme elle m'avait demandé de le faire. Je n'aurais su dire pourquoi, mais la réunion privée qu'elle tenait avec lairds et dignitaires m'impressionnait beaucoup. C'est pourquoi j'ouvris la porte le plus discrètement possible et je cherchai dame Gunelle des yeux. Alors que je la repérais au fond de la pièce, j'entendis prononcer mon nom dans le cercle de personnes près de l'endroit où je me trouvais et je prêtai l'oreille. La voix haut perchée qui ressortait était évidemment celle de Ceit et je tressaillis en l'entendant :

« Elle n'est probablement pas responsable de la perte de sa virginité, pas plus qu'elle ne l'est de l'ignoble sang qui coule dans ses veines, mais cela exclut irrémédiablement sa prétention à devenir la future châtelaine de Mallaig... Peut-on imaginer, sans se couvrir de honte, une pareille fille épouser notre nouveau chef ?

— Voyons, ma chère, tenta de répondre Colm, qui se soucie de nos jours de l'immaculée pureté de futurs époux ?

– Certainement pas un ancien geôlier d'Uist ! »
railla l'épouse de Struan.

Le reste des répliques lancées de part et d'autre se
perdit dans le bourdonnement qui emplit mes oreilles.
Frappée de stupeur et de honte, je sentis le vertige me
gagner et me tremper de sueur. Personne ne m'avait vue
entrer dans le bureau et je le quittai de la même façon.
Me précipitant dans le hall, je me fondis parmi les gens
du bourg qui s'agglutinaient à la sortie du donjon, après
la fin de la cérémonie du serment.

Mes jambes flageolaient et, l'esprit vide, je me laissai emporter par la foule à l'extérieur. Le froid me saisit
aussitôt et, instinctivement, je croisai les bras sur ma
poitrine. Devant mon air égaré et mon attitude frileuse,
une dame qui me reconnut me couvrit les épaules d'un
plaid en me faisant des recommandations que j'écoutai
à peine. Puis je courus me réfugier dans les écuries. Un
écuyer se redressa à mon arrivée et me demanda si je
voulais qu'on me préparât une monture, ce à quoi je répondis par la négative. Je filai tout droit à la stalle de la
monture de Baltair, à l'encolure de laquelle je m'accrochai en y déversant toute ma peine. Éteint, mon gra-
cieux rêve ! Finie, la félicité amoureuse de ces derniers
jours ! Envolé, mon bonheur inespéré à Mallaig ! Il ne
me restait plus rien.

« Oh, mon père chéri, sanglotai-je, venez-moi en
aide. Etta, frère Gabriel, Finella, ne m'abandonnez pas !
Haki, où es-tu ? Mes amis… qui voudra de moi maintenant ? »

Je restai ainsi de longues minutes, le front appuyé
sur le pelage humide de la bête, incapable de réfléchir,
mais appelant tous les êtres aimés à mon secours. Puis,

peu à peu, l'émotion fit place à la logique. Pourquoi, me demandai-je, l'annonce de Baltair concernant ses intentions de mariage avec moi n'avait-elle pas suscité de difficultés chez ma maîtresse qui connaissait pourtant mon état, puisque je lui en avais déjà parlé ? La perte de ma virginité n'avait-elle donc aucune importance à ses yeux ? Je fis un effort pour me rappeler les termes exacts que j'avais employés alors, et je dus reconnaître qu'ils n'étaient pas explicites. De la même façon que je n'avais jamais rien révélé à Baltair du viol à Édimbourg, j'avais tu cette certitude à sa mère. Il n'y avait que la haine de Ceit pour transformer en convictions les non-dits qu'elle avait sans doute glanés auprès de son mari.

Ainsi, en quelques minutes, j'étais devenue méprisable et indésirable aux yeux du clan, et, aux miens, une bien malheureuse jeune fille. La honte étreignait mon cœur plus fermement que les serres d'un faucon, sa proie. Fuir… il me fallait incessamment fuir Mallaig et ma disgrâce. Quand la cour se fut un peu vidée des visiteurs, je la traversai d'un pas rapide et grimpai l'escalier de l'aile ouest du donjon, désertée au profit de l'aile est où se déroulaient les festivités. Je gagnai ma chambre et m'emparai de vêtements chauds que j'enfilai. Puis je glissai dans mon aumônière trois livres que j'avais gardées de la dot de frère Gabriel. Le cœur battant, je redescendis dans la cour et retournai à l'écurie où je demandai qu'on me selle la jument paisible que j'avais déjà montée. Une fois sur la bête, qui se laissa mener avec une étonnante docilité, je sortis par le pont-levis et quittai ainsi le château de Mallaig en même temps que les derniers visiteurs. Personne ne m'interrogea et je m'en fus, seule sur la route boueuse.

Sans but précis, je laissai ma monture me porter au-delà du village, et s'engager sur le sentier qui longeait la côte vers le sud. Des larmes de honte et de dépit roulaient sur mes joues que le vent froid figeait une à une avant qu'elles ne glissent dans mon cou. Je songeais, avec une infinie tristesse, à l'amour de Baltair pour moi et au mien pour lui, et à l'impossibilité d'être son épouse sans l'entacher de mon indélébile souillure, lui, la châtelaine de Mallaig et toute la famille MacNèil.

Au bout d'une demi-heure de route, je commençai à m'inquiéter de la direction que j'empruntais. Je reconnus alors la route de Morar et mon cœur fit un bond dans ma poitrine. « Bien sûr, songeai-je. Morar adoré, le lieu de mon enfance ! On m'y donnera asile, j'en suis sûre. Le propriétaire du domaine se souviendra de mon père et m'ouvrira sa porte... » Mais je n'atteignis pas Morar : une troupe de cavaliers me rejoignit bientôt, menée par l'oncle Tòmas. Il avait dû quitter le château à la hâte, car il ne portait ni chapeau ni gants. Ses cheveux blonds s'étaient emmêlés dans sa course. Il m'aborda avec une mine très soucieuse et me parla sur un ton saccadé :

« Sorcha, où allez-vous ainsi ? Votre maîtresse est fort inquiète de vous et mon neveu réclame votre présence au banquet... »

Incapable de prononcer une parole, je détournai la tête pour lui dissimuler mes larmes.

« Allons, ma dame, ajouta-t-il sur un ton radouci, venez. Votre place n'est pas sur les chemins, mais au château, auprès de votre maîtresse et de votre fiancé. Nous connaissons les motifs de votre fuite et je vous assure que personne ne leur accorde crédit.

– Messire Tòmas, implorai-je, je ne me sens pas la force d'être confrontée…

– Vous ne le serez point ! vous dis-je. Les déclarations de dame Ceit ont été démenties par son mari et par mon neveu. Dame Gunelle s'est portée garante de votre intégrité. Et vous n'avez absolument rien à craindre de l'opinion de la famille. Vous êtes blanche !

– Je ne le suis point ! » m'exclamai-je, exaltée, en tentant de faire tourner ma monture.

Messire Tòmas s'empara des brides en m'intimant d'une voix autoritaire l'ordre de me taire :

« Sorcha, plus un mot ! Accrochez-vous bien, on retourne à Mallaig de ce pas. »

Sur ce, je fus ramenée au château sous diligente et silencieuse escorte. Je ne vis presque rien du paysage, tout attentive que j'étais à ne pas perdre l'équilibre sur ma monture lancée au galop. Mon arrivée dans la cour était attendue, car, aussitôt que l'on me fit descendre, Dudh, Malcom et Finella sortirent du donjon, se portèrent à ma rencontre pour m'escorter à l'intérieur.

Je m'aperçus que Finella avait pleuré et elle dut déceler des traces de larmes sur mes joues, car elle ne put réprimer un geste pour les caresser. Nous tombâmes dans les bras l'une de l'autre. Elle me murmura des paroles de consolation qui firent de nouveau jaillir ma peine :

« Quand cessera-t-on de me rejeter ? hoquetai-je.

– À brebis tondue, Dieu mesure le vent, me dit-elle doucement en cherchant mon regard. Ma chérie, les épreuves que tu traverses ne sont pas plus lourdes que ton cœur peut en supporter… Sois courageuse, tu es aimée. »

Comment réussis-je à entrer dans la grand-salle et à prendre place à la table du banquet ? Je ne le sais. Flanquée de Dudh et de Malcom, qui avaient visiblement reçu ordre de ne pas me quitter d'une semelle, je m'assis à une extrémité, gardai longtemps les yeux baissés, n'adressai la parole à personne et ne mangeai presque rien. Puis, discrètement, je me hasardai à parcourir des yeux les convives jusqu'à la table d'honneur pour constater, avec soulagement, que Ceit était absente. Baltair et ma maîtresse présidaient côte à côte, comme châtelain et châtelaine, entourés de messire Tòmas, des lairds et des dignitaires. Personne parmi eux ne regardait dans ma direction ou ne s'inquiétait de ma présence.

« Ma dame, vous devriez prendre un morceau de sanglier, me dit soudain Malcom en me tendant l'assiette d'un air engageant. Mon frère, le chef du clan, va danser avec vous et il me sermonnerait s'il apprenait que vous n'avez rien avalé…

– Oh… Nous allons danser ? Je ne sais nullement danser…, répondis-je, prise au dépourvu.

– Moi, je sais et je vais vous montrer, si vous le permettez. Mais avant, il vous faut bien manger ! »

Je ne pus résister à son sourire invitant et pris un morceau de viande dans le plat qu'il tenait toujours devant moi. Du coup, mon anxiété tomba et je me détendis en observant mon compagnon. Je grignotai la viande et le pain de bonne grâce sous son regard encourageant. Voyant le succès que son frère jumeau remportait auprès de moi, Dudh mit sa main sur mon bras et me chuchota à l'oreille qu'il était meilleur danseur que Malcom, et que je devrais prendre des leçons de lui. Son air impertinent me fit sourire et les deux garçons rigolèrent du résultat de leurs attentions pour moi.

À la fin du repas, avant même qu'on ne repoussât les tables pour dégager un espace de danse, les jumeaux m'entraînèrent au fond de la salle pour m'enseigner quelques pas et figures, ce qui prolongea le répit que j'avais goûté à table entre eux deux. Dans la demi-heure qui suivit, la démonstration de danse capta tant et si bien mon attention que je n'eus pas conscience du moment précis où le bal fut ouvert par Baltair. Je fus soudain surprise par lui, en pleine exécution d'une figure. Il se substitua à Malcom et attrapa ma main pour me faire pivoter. Je pâlis en croisant son regard et redevins agitée.

« Baltair, murmurai-je, je te dois une explication…

– Je ne veux pas l'entendre maintenant ! m'interrompit-il. Il n'existe aucun aveu de ta part capable de me faire reculer, Sorcha. J'ai annoncé que je t'épouserais et c'est ce que je vais faire quoi qu'il arrive. Tu m'expliqueras tout ce que tu voudras demain. »

Son ton sec me surprit, mais je me laissai néanmoins mener par lui au milieu des danseurs. Je sentais bien que les révélations de Ceit à la famille le troublaient et je soupçonnai que sa parole donnée l'obligeait à maintenir son engagement envers moi. Je fis un effort pour lui sourire et il me le rendit. Je me concentrai ensuite sur les pas nouvellement appris afin de ne pas paraître une piètre danseuse à son bras. Je virevoltai ainsi avec lui, puis avec mes professeurs Malcom et Dudh, messire Tòmas, et de nouveau avec Baltair, durant toute la soirée.

L'activité ne se prêtant guère aux conversations, je refoulai mon tourment au second plan et tentai de faire honneur aux différents cavaliers qui se relayèrent auprès de moi. Je dus y parvenir assez bien, car Baltair m'en fit compliment au moment où je m'apprêtais à me retirer de la grand-salle avec dame Gunelle :

« Bonne nuit, merveilleuse fée, me dit-il en embrassant mes doigts. Vous dansez à ravir et comblez tous ceux qui ont eu, comme moi, l'occasion de tenir votre délicieuse main...

– Baltair, si tu te moques, ce n'est pas bien, lui glissai-je à l'oreille. Pas ce soir... Je ne supporterais pas une critique de plus aujourd'hui. Demain, si tu veux... »

Soudainement, il me prit aux épaules et me plaqua dos au mur, derrière l'arche du portail, en écrasant sa bouche sur la mienne. Je ressentis plus de violence que d'affection dans ce brusque baiser. Il me lâcha aussitôt, salua sa mère qui se tenait à quelques pas de nous, puis il retourna dans la salle sans rien ajouter. Décontenancée, je regardai ma maîtresse qui nous avait observés à l'écart. Elle esquissa un sourire en s'avançant vers moi et me prit le bras tendrement pour m'inviter à la suivre dans l'aile des dames.

« Ne vous en faites pas, Sorcha, me dit-elle doucement. Baltair est parfois ombrageux. Vous nous avez causé une telle inquiétude en fuyant cet après-midi... »

Je l'écoutai me rassurer affectueusement tout en doutant que le comportement de son fils fût la conséquence de l'émoi provoqué par ma précédente fugue. Était-il convenable que je dévoile à ma maîtresse la nature des assauts que j'avais subis et qui m'avilissaient aux yeux de mon fiancé, comme à mes propres yeux ? À la seule idée de relater les faits et de faire la mise au point que je croyais essentielle à la poursuite de mes relations avec la famille MacNèil, je ressentais hâte et appréhension. J'aurais éprouvé du soulagement de pouvoir m'ouvrir à dame Gunelle, mais, en lui jetant un regard de biais, je décelai une certaine réserve dans son attitude bienveillante et je m'abstins de lui parler.

Chapitre XVII

Réhabiliter sa sœur

Il faisait encore nuit noire, mais le sommeil me quitta. Je repoussai les draps et descendis du lit. Attirée par l'âtre où une petite braise mourait, je m'en approchai lentement. Mes pieds nus se réchauffèrent à la pierre encore chaude du sol sur laquelle je m'accroupis en couvrant mes jambes de ma chemise légère. Je fixai les charbons rougeoyants, polis par les flammes, en tentant de mettre de l'ordre dans mes pensées fébriles.

Ma vie à Mallaig n'avait certes pas la tranquillité de celle à Iona. Que d'émotions et d'afflictions avais-je vécues depuis quatre mois ! Ma mère n'avait-elle pas raison de dire que la vie au couvent était une vie de paix, en marge des problèmes du monde ? Chaque jour au château m'avait apporté son lot de découvertes, tantôt heureuses, tantôt pénibles. De dame Gunelle, je m'étais fait une alliée ; de sa fille, une ennemie ; de son fils, un fiancé, mais je doutais, cette nuit, de son amour. Je poussai un soupir. Depuis quelque temps, il me semblait que j'avançais dans un enchevêtrement inextricable de convenances, de jugements, de principes de toutes sortes où

je me retrouvais souvent victime de ma propre ignorance et de mon éducation. « Qui suis-je ? me demandai-
je. Qu'est-ce que je fais chez les MacNèil ? »

Ainsi absorbée, je n'entendis pas la porte de ma
chambre s'ouvrir silencieusement. Derrière moi, une
main jeta un rondin qui atterrit sur le lit de braises en
faisant jaillir une volée d'étincelles jaunes. Effrayée, je
me retournai vivement et sentis aussitôt deux bras
m'entourer.

« Baltair ! fis-je.

– Nous sommes demain, ma mie. Je crois avoir réglé certains problèmes et je viens écouter ce que tu veux
tant me dire… »

Il s'assit derrière moi en m'emprisonnant entre ses
jambes allongées. Son nez plongea dans mes cheveux
tressés et il émit un soupir bruyant. Je pressai mes mains
par-dessus ses bras croisés sur ma poitrine et j'appuyai
mon dos contre son torse. Une haute flamme lécha de
ses multiples langues le rondin qui se mit à crépiter
doucement dans l'âtre subitement illuminé. Je fermai
les yeux et un grand calme glissa sur mon cœur apaisé
par la présence de Baltair. « Il est là, me dis-je, et il ma-
nifeste le désir de connaître le secret dont je veux me
libérer depuis si longtemps. »

Sans quitter le feu des yeux, je racontai donc, avec
une certaine inquiétude qui faisait trembler ma voix, la
tragédie survenue lors de mon séjour à Édimbourg. À
certains moments, je ne pus réprimer un frisson et Baltair, silencieux, resserra son étreinte. Je me tus enfin, vaguement angoissée, et je penchai la tête en avant. Alors,
Baltair écarta délicatement ma tresse dans mon cou et y
déposa un baiser qui me fit frémir.

« Et selon toi, devrais-je te rejeter pour ce qui est arrivé ? fit-il.

— Mais je ne suis plus vierge. Cela t'indiffère d'épouser une femme qui a été ouverte par d'autres, qui a été souillée ? répondis-je sur un ton anxieux, en me retournant vers lui.

— Sorcha, ce qui me blesse, c'est de n'avoir pas pu empêcher ce crime. De n'avoir pas été à tes côtés pour te protéger comme j'en avais pourtant la mission. Voilà avec quoi je me débats quand je songe à ton tourment. Si tu arrivais à oublier cet affreux souvenir, je m'en libérerais moi aussi… Veux-tu essayer ?

— Oh, Baltair, si personne ne m'y fait penser, je suis capable de tout effacer de ma mémoire ! m'exclamai-je, en me blottissant dans ses bras.

— Alors, il en sera ainsi », conclut-il d'une voix rauque.

Je ne perçus pas l'accent de menace dans son ton, ni l'allusion à Ceit qui se dissimulait dans sa réplique. Pour l'heure, j'étais parfaitement réconciliée et je me pressai contre lui, sans réserve. Baltair chercha ma bouche tout en me caressant le dos à travers ma chemise. Cette fois, ses lèvres se firent douces et suaves sur mon visage offert et, quand il m'embrassa, je ne pus retenir un soupir de plaisir.

« Sorcha, haleta-t-il, après son baiser, un détail à notre propos me dérange et je voudrais y remédier… Maintenant. Avant de me marier… »

Baltair s'écarta doucement de moi et se mit à détacher son pourpoint avec les gestes que je connaissais si bien pour les lui avoir vu faire chaque soir durant notre voyage, au moment de soigner son épaule. Fascinée, je le regardai enlever un à un ses vêtements, dévoilant ainsi son torse musclé à la peau soyeuse. Sous l'éclat scintillant de son torque, apparut la cicatrice oblique, légèrement rose et boursouflée, qui pointait comme une flèche en direction du cœur.

« Puisque tu n'es pas vierge, je ne veux plus l'être non plus, si tu y consens », poursuivit-il d'une voix sourde.

Le souffle court, j'avançai la main et, du bout des doigts, je caressai la marque laissée par mon couteau de chasse, puis je me penchai et j'y posai les lèvres. La peau était chaude, palpitante, et ma langue glissa lentement sur le pourtour de l'ancienne blessure. Je le sentis tressaillir sous cette caresse et il se redressa en m'enlevant dans ses bras. Je m'accrochai à son cou en le dévorant des yeux.

« J'y consens », affirmai-je.

Baltair me porta sur le lit où il m'allongea. Silencieux, dans la pénombre des courtines, il me contempla un moment en prenant de profondes respirations. Il détacha tranquillement sa ceinture, se défit de ses bottes et de ses braies. Enfin, dans un mouvement très souple, son corps nu se posa sur le mien qui vibrait, et nos bouches se rejoignirent de nouveau. Appuyé sur un coude, il passa une main fiévreuse sur mes jambes et mes cuisses en soulevant ma chemise, et il se fit ainsi un chemin jusqu'à ma poitrine qu'il dénuda complètement. Ses lèvres abandonnèrent les miennes et se posèrent sur mes seins qu'elles embrassèrent avidement durant de longues minutes. Ensuite il se redressa et prit ma tête d'une main tremblante. Je ne pouvais distinguer son regard, mais j'entendais son souffle se fondre au mien.

« Oh, Sorcha, je te désire tellement ! » fit-il, pressant.

Il enfouit le visage au creux de mon cou qu'il piqueta de baisers rapides qui m'arrachèrent un gémissement. Alors, ne pouvant contenir davantage son ardeur, il écarta mes jambes et me posséda. Son assaut fut très bref et je m'étonnai de n'avoir rien ressenti de remarquable. Baltair bascula sur le côté en soupirant et je me redressai à demi, un peu au-dessus de lui, pour l'observer. J'avais le cœur en fête et le goût de continuer à l'embrasser, mais je me contentai de déposer un baiser sur son épaule moite.

« Voilà, messire Baltair, vous n'êtes plus vierge… Satisfait ? lui demandai-je avec un sourire dans la voix.

– Ah, ne raille pas ! C'était une étreinte écourtée, mais ce sera mieux la prochaine fois.

– Quand ? m'enquis-je, immédiatement intéressée.

– Dans une semaine, quand nous serons mariés. Maintenant, je dois regagner ma chambre, répondit-il en se levant avec des gestes engourdis.

– Où ?

– Tu ne le sauras pas ! gloussa-t-il. La suivante de la châtelaine n'est pas censée coucher avec le châtelain, encore moins dans sa chambre. »

Il se vêtit, plutôt lentement me sembla-t-il, et je me délectai encore du spectacle de son corps délié en mouvement. Puis il se pencha sur mes lèvres qu'il prit une dernière fois à la sauvette avant de quitter la chambre silencieusement et sans lampe.

Je n'entendis pas le bruit de ses pas décliner dans le corridor et je me surpris à espérer qu'il attendait derrière la porte le moment de rentrer pour venir m'honorer de nouveau. Mais il était reparti et je dus me résigner à patienter jusqu'à Nollaig, dans une semaine, pour retrouver cette extase. Je m'enveloppai des draps encore humides de notre chaleur et sombrai aussitôt dans un sommeil de bienheureuse pour les quelques heures qui restaient encore de cette nuit du 17 au 18 décembre 1443.

Debout au milieu de la chambre de son père, Baltair promenait un regard circulaire sur les meubles et les objets du défunt. Ses yeux s'embuèrent soudain : des deux tâches auxquelles il allait s'attaquer ce matin-là, l'une l'emplissait de tristesse et l'autre, de colère. Il passa une main légèrement tremblante dans ses cheveux et redressa les épaules.

Ses frères furent les premiers au rendez-vous. Ils entrèrent, souriants comme à leur habitude, et s'installèrent dans les deux seuls fauteuils de la pièce sans attendre que Baltair ne les y invite.

« Alors tu t'es décidé à occuper la chambre de père ? lança aussitôt Dudh.

– À qui donnes-tu la tienne ? » enchaîna Malcom.

Baltair se planta devant ses frères, les poings sur les hanches, et les força au silence en les regardant sévèrement. Puis, levant la tête, il reprit leurs deux questions en utilisant le vouvoiement, précédé du vocable « mon seigneur ». Surpris, les garçons froncèrent les sourcils et pincèrent les lèvres en libérant les fauteuils, l'air contrit.

« En effet, messires Dudh et Malcom, poursuivit Baltair, je prends d'office cette chambre. Quant à la mienne, je la donnerai au plus méritant de vous deux au Tournoi des îles, l'été prochain. Nous allons faire face au clan Ranald avec lequel nous avons un duel inachevé, comme vous le savez. À moins d'un miracle avec mon bras droit, mes qualités de combattant devront être soutenues par les vôtres si la maison MacNèil veut l'emporter. »

À cet instant, flanquée de son mari, Ceit fit son entrée. Elle masquait mal sa nervosité derrière l'air ennuyé qu'elle s'était savamment composé. Le premier regard qu'elle jeta sur Baltair en fut un de défi.

« Colm, dit aussitôt Baltair, attends dehors. Je souhaite m'adresser en privé à mes frères et à ma sœur.

— Bien, mon seigneur », fit Colm en se retirant.

Tendu, Baltair assigna un fauteuil à sa sœur et des bancs à ses frères, puis il prit place dans l'autre fauteuil. Il observa un moment de silence en les regardant tour à tour et il se racla la gorge avant de parler d'une voix grave :

« Je vous ai fait venir ici tous les trois ce matin, car je vais désormais occuper cette chambre. Avant de l'aménager, je veux que chacun de vous prenne, en mémoire de notre père, certains de ses objets. À Malcom, sa dague, sa ceinture, son pourpoint noir et ses gants ; à Dudh, son manteau, ses éperons, son skean dubh* et son baudrier. À Ceit, ses parures, sauf la broche de plaid que mère a réclamée et sa bague que je garde. J'ai demandé à dame Jenny de procéder à la répartition et de vous faire porter chez vous ce qui vous est octroyé. »

---

* Skean dubh : petit poignard des Highlanders porté sur la cheville et inséré dans la botte.

Baltair se leva et marcha jusqu'à la fenêtre en continuant son adresse. Les jumeaux se jetèrent un coup d'œil discret et Ceit retint sa respiration.

« De plus, je souhaite que chacun de vous s'initie à la gestion du domaine et en supervise une partie comme son propre bien. Vous serez évidemment assistés par notre clerc dans cette tâche. Messires Dudh et Malcom se partageront toutes les terres de la péninsule au nord du loch Eil. Cela comprend les troupeaux d'Arkaig, le domaine de Knoydart et les pâturages jusqu'au Glen Shiel. Quant à vous, Ceit, vous prendrez le domaine de Roshven... et vous vous y installerez.

– Comment ça, m'y installer ? Vous ne voulez tout de même pas que j'aille vivre dans ce hameau perdu ? objecta aussitôt Ceit.

– Si fait, ma dame ! J'ai donné des instructions en ce sens hier à notre intendant au manoir de Roshven. Vous y êtes attendue demain avec messire Colm et vos affaires. Voyez avec dame Jenny ce que vous souhaitez emporter. Elle fera en sorte que votre bagage vous accompagne sur le navire que je mets à votre disposition pour le voyage. Oncle Tòmas est prévenu. »

Les yeux exorbités et les nerfs du cou tendus, Ceit bondit sur ses pieds et marcha vers son frère en vociférant :

« Tout est arrangé, à ce que je vois ? Vous me chassez de Mallaig, mon frère ! C'est bien cela ? Voilà ce que vous avez trouvé de mieux pour me punir de ma supposée indiscrétion d'hier... Dites-moi, mon seigneur, avez-vous eu cette idée tout seul ou votre insignifiante fiancée vous l'a-t-elle suggérée au lit ? »

La gifle cinglante de Baltair s'abattit sur le visage de Ceit avec une telle violence que la jeune femme fut projetée au sol. Instinctivement, les jumeaux s'élancèrent vers elle. Baltair immobilisa le poing qui avait frappé et il le serra à s'en faire éclater les jointures. Il aurait préféré ne pas lever la main sur sa sœur, mais, pour cela, il aurait fallu qu'elle ne le provoquât pas. Si Ceit avait surpris son escapade dans la chambre de Sorcha, comme sa remarque le laissait entendre, elle possédait ce qu'il fallait pour continuer à discréditer la jeune fille et, cette fois, il en aurait une part de responsabilité. Baltair sentit la colère monter en lui et il se tourna vers la fenêtre en tremblant.

« Ramenez-la à son mari. Je ne veux plus la voir… », gronda-t-il à l'intention de ses frères.

Tout le château de Mallaig se trouva sous le choc : on avait peine à croire au bannissement de la fille aînée, aussi insupportable qu'elle fût. Ébranlée, la domesticité féminine roulait des yeux effarés et chuchotait en coulisse que le règne de leur nouveau maître commençait sous de bien sombres auspices. Les hommes, serviteurs ou gens d'armes, démontraient moins d'émotion, mais ils n'approuvaient pas plus le procédé par lequel la fille de la maison était évincée. Tous s'abstinrent de commenter le fait et se gardèrent bien de critiquer la décision du jeune seigneur. Cependant, chacun prit bonne note que Sorcha Lennox, en sa qualité de fiancée, avait déjà acquis une position équivalente à celle de la châtelaine de Mallaig, avec toute la soumission et le respect que cela pouvait leur commander.

La journée se passa ainsi dans une ambiance étouffée. Peu avant le souper, Colm tenta d'intercéder en faveur de son épouse auprès de Baltair. Ce dernier s'était enfermé dans le bureau avec le clerc et le trésorier, et il n'avait reçu personne d'autre. Ne pouvant refuser un entretien à son beau-frère, Baltair congédia ses hommes afin d'être seul avec lui, et il l'accueillit, l'air renfrogné.

« Mon seigneur, plaida Colm, vous avez parfaitement raison d'avoir agi comme vous l'avez fait ce matin. Mon épouse ne sait pas tenir sa langue. Ni vous ni moi ne réussirons jamais à la corriger, devrions-nous y consacrer tout notre temps et la battre ferme jusqu'à nous en démancher le bras. Cependant, ce qu'elle a révélé aux lairds et à leurs épouses hier, elle ne le tient de personne d'autre que de moi. Évidemment, elle a maquillé mes confidences, comme elle seule sait le faire. Vous et moi, nous avons assez bien réussi, je pense, à rétablir la vérité par la suite, et l'opinion non équivoque de votre mère sur sa suivante a rallié tout le monde. Mais il n'en demeure pas moins que je suis à l'origine de l'information divulguée par Ceit. C'est pourquoi, si vous le permettez, je voudrais prendre une part de responsabilité dans l'affaire...

– Où veux-tu en venir, Colm ? dit Baltair, impatienté par le long préambule.

– Voilà, voilà ! J'y arrive. Au manoir de Roshven, démuni de défense comme il l'est, à moins que vous ne le dotiez d'une solide garnison, nous nous exposons aux incursions venant de pirates de tout acabit qui sillonnent la mer des Hébrides, notamment ceux de votre ami Ranald. Ce dernier, en particulier, aura vite fait d'apprendre mon départ de Mallaig pour cet endroit si bien exposé et il y a fort à parier qu'il va en tirer parti pour vous causer de nouvelles difficultés...

— Écoute, Colm, coupa Baltair, je comprends que Roshven ne te dise rien qui vaille, mais c'est, sur nos terres, l'endroit le plus éloigné de Mallaig où je puisse convenablement garder ma sœur. Je vais être honnête avec toi : si elle intéresse Ranald d'une quelconque manière, je ne la lui disputerai pas. Quant à toi, j'avoue que je serais vraiment chagriné si tu étais repris à Uist. Aussi, je veillerai à ce que tu possèdes toujours un excellent coursier dans ton écurie pour pouvoir t'enfuir… Je suis désolé, mais c'est tout ce que je peux et veux faire en ce moment.

— Je vois, mon seigneur, dit Colm sur un ton humble. Pouvez-vous me dire si vous êtes prêt à reconsidérer cette disgrâce plus tard ? Devons-nous, Ceit et moi, partir demain sans espoir de revenir à Mallaig un jour ?

— Ceit a voulu atteindre à ma réputation en salissant celle de Sorcha et, toi, tu lui as donné les munitions pour le faire. Je ne veux plus d'elle ici et tu vas la suivre. Mon pauvre Colm, en vérité, mon père t'a fait un cadeau empoisonné en te donnant ma sœur pour épouse…

— Je ne me suis jamais plaint d'un cadeau, mon seigneur. Pas plus de celui-ci que d'un autre… Heu… puis-je vous demander si nous pourrons revenir dans une semaine célébrer votre mariage ?

— Cela paraîtrait curieux aux yeux du clan si vous n'y étiez pas. Aussi, vous prétexterez un malaise pour ne pas venir. Ceit est certainement la dernière personne que je voudrais voir embrasser Sorcha. Elle pourrait la mordre.

— Mais, moi, mon seigneur, voyez-vous un problème à ce que je l'embrasse avant de partir ? J'en rêve depuis si longtemps… Je ne mords pas, mais je la mordillerais bien un petit peu ! Elle a vraiment la taille et les chevilles fines. Comment ma mère a-t-elle pu ignorer pareil détail ? »

Colm évita de justesse le sceau de marbre sculpté que Baltair tripotait nerveusement depuis le début de l'entretien et qu'il lui lança à la tête.

« Fripouille ! » siffla Baltair en s'efforçant de garder son sérieux.

L'instant d'après, les deux hommes, étouffés de rire, se tenaient les côtes en beuglant leur hilarité. Après cette distraction, Baltair se sentit plus léger. Il regarda son beau-frère en pensant qu'il allait beaucoup lui manquer à Roshven. « Je serai prêt à reconsidérer la disgrâce de ta femme plus tôt que tu ne le penses, Colm », songea-t-il.

Quand les deux beaux-frères se présentèrent dans la grand-salle pour le souper, ils s'attablèrent avec des mines si détendues et rayonnantes que les membres de la famille s'en inquiétèrent. En effet, après la calamité qui s'était abattue sur le château en matinée avec la terrible ordonnance de Baltair à sa sœur, chacun craignait de nouveaux éclats. Cette tension généralisée avait même relégué à leur chambre la châtelaine et sa fille qui ne se présentèrent pas à table.

Baltair ne prit conscience de l'absence de sa mère qu'au moment où il vit Sorcha prendre place seule, en face de lui, le visage fermé. Il perdit immédiatement son sourire, cessa de parler avec Colm et déposa son gobelet devant lui avec des gestes mesurés. Puis il leva la tête et chercha à capter le regard de la jeune fille qui ne se déroba pas. Immobile, Sorcha le fixa dans les yeux un long moment et Baltair capta son message muet : « Ta mère souffre de ta décision. »

Combien de fois suis-je venue sur le point de révéler l'état de mes relations avec Baltair à ma maîtresse durant cette épouvantable journée où Ceit fut chassée de Mallaig à cause de moi ? Vingt fois, je crois, mais le secret inavoué me tortura tout le jour. Je m'étais pourtant réveillée infiniment heureuse ce matin-là, encore tout exaltée par le souvenir des caresses de Baltair. Il était assez tard quand je m'habillai à la hâte et gravis presque en courant les marches menant à la chambre de dame Gunelle pour déjeuner avec elle. J'appris le drame dès que j'eus atteint l'étage. Ma maîtresse était chez sa fille et, par la porte restée ouverte, je l'entendis distinctement tenter de calmer Ceit qui se révoltait contre l'implacable punition que Baltair venait de lui administrer. Je m'avançai prudemment sur le palier et j'aperçus dame Gunelle de face, debout devant sa fille assise qui me faisait dos. Elle lui appuyait une compresse sur le côté du visage. Je distinguai du sang sur l'extrémité du linge et je m'en alarmai aussitôt. Elle leva les yeux, me vit et me fit discrètement signe de partir. Interdite, je reculai et j'allai l'attendre dans sa chambre.

Ma maîtresse mit beaucoup de temps à m'y rejoindre. Elle entra fort accablée, s'assit près de moi et me prit la main avec compassion, silencieuse, durant un moment qui m'apparut interminable ; puis, sur un ton résigné, elle m'exposa la situation. Étrangement, le fait que Baltair avait frappé sa sœur me rebutait davantage que sa décision de l'exiler au domaine de Roshven. Selon moi, un domaine restait un toit honorable, et c'était mieux qu'une cellule de couvent. J'ignorais alors dans quel pitoyable coin de pays se trouvait la future demeure de Ceit et de Colm.

À aucun moment, dame Gunelle ne revint sur l'odieux comportement de Ceit. Cependant, je sentis à quel point l'esclandre de la veille était la cause de son tourment et je compris que je devenais, par le fait même, l'obstacle à l'harmonie familiale. Si Ceit n'avait pas nourri de ressentiment à mon endroit, l'amour que me portait son frère ne l'aurait pas atteinte et elle ne se serait pas appliquée à tant me calomnier. Qu'y pouvais-je ? Rien. À l'évidence, il nous était impossible de cohabiter toutes les deux à Mallaig, et Baltair avait choisi d'éloigner sa sœur pour me garder.

J'observai attentivement dame Gunelle et, à la peine que je lus sur son beau visage blanc, je sus que le choix de Baltair n'était pas le sien. Dès ce moment, je conçus remords pour moi-même et tristesse pour ma maîtresse. Je m'appliquai toute la journée à atténuer son chagrin tout en me demandant ce qui pourrait modifier la décision de Baltair. Le cœur lourd, je l'accompagnai à la chapelle pour ses dévotions, la suivis dans la salle de couture où elle avait fait assembler les présents destinés aux familles du bourg, mangeai le repas du midi seule avec elle dans la chambre des dames. Puis nous assistâmes dame Jenny dans les nombreux préparatifs que commandait le départ de Ceit et de Colm.

Je n'eus pas à croiser Ceit et ne le cherchai pas non plus, car je n'aurais su quelle attitude adopter avec elle.

Pourtant, je devinais intuitivement que la solution au problème familial résidait dans son comportement.

« Sorcha, me dit ma maîtresse à l'heure du souper, descendez sans moi. Je vais prendre mon repas avec ma fille dans sa chambre et y passer sa dernière soirée à Mallaig. Allez, ne vous tracassez pas pour moi. Profitez de cette veillée avec mon fils… Commencez à parler de votre mariage. Nous nous y consacrerons après le départ de dame Ceit et de messire Colm… »

En me rendant à la grand-salle, ce soir-là, je me sentais indéniablement coupable. Les domestiques que j'entrevis baissèrent les yeux en me saluant et cela augmenta mon malaise. Lorsque, à table, je remarquai Baltair avec Colm, assis l'un à côté de l'autre, buvant et rigolant comme larrons en foire au milieu de la consternation générale des membres de la famille, je fus assaillie de sentiments contradictoires. « Tandis que fils et mari s'ébaudissent, mère et épouse se morfondent », songeai-je avec dépit.

Je tentai de surprendre le regard de Baltair. Comme s'il entendait un appel muet, il tourna soudain la tête dans ma direction, nota la place inoccupée à côté de moi et cessa de rire et de parler avec son compagnon de table. Je le vis déposer son gobelet et concentrer son attention sur mes yeux. « Qu'as-tu fait à ta sœur et à ta mère ? pensai-je en soutenant son regard. J'espère que je ne suis pas la cause de tes agissements. »

Notre échange silencieux n'échappa ni à Colm, qui se mit à frétiller sur son banc, ni à messire Tòmas, qui poussa du coude dame Jenny à ses côtés. J'eus tout à coup la désagréable impression qu'ils avaient perçu mon secret message de reproche à Baltair. Je baissai les yeux la première. Le large morceau de jambon fumant qui imbibait de son gras le tranchoir posé sous mon nez me dégoûta. La gorgée de vin que j'avalai ensuite me sembla acide et le verjus dans le bol devant moi dégagea une odeur rance. Je poussai un soupir résigné et me levai en retenant mon banc d'une main et ma robe de l'autre. Je n'avais qu'une envie : échapper aux regards de la famille posés sur moi.

Avant de sortir, je repensai à la recommandation de ma maîtresse lorsqu'elle m'avait laissée avant le souper : « Profitez de cette veillée avec mon fils... Commencez à parler de votre mariage », et je jetai un furtif coup d'œil en direction de Baltair qui s'était levé lui aussi et se penchait à l'oreille de son oncle. Ce dernier hocha la tête en signe d'assentiment et je compris que Baltair prenait congé de lui. Il me retrouva dans le hall et, sur le coup, nous ne sûmes que nous dire. Puis Baltair me tendit la main, saisit la mienne offerte et m'entraîna dans le bureau.

« Fallait-il absolument que tu chasses..., commençai-je, sitôt la porte refermée.

– Je sais, Sorcha, m'interrompit-il. Écoute, Ceit me pousse à bout en ce moment. Sa guerre contre toi s'est transportée sur mon terrain et elle n'aura de cesse de reprendre la domination qu'elle exerçait sur moi dans notre enfance. Ce n'est pas de toi que Ceit est jalouse à Mallaig, mais de moi. Et depuis toujours. Pourquoi ? Parce que je suis l'héritier, parce que je suis l'enfant légitime qu'elle n'est pas, parce que j'ai le respect de tous, parce que je suis le dixième chef MacNèil, parce que Colm m'a sauvé à Uist, parce que je plais et qu'on veut m'épouser, parce que je possède ce torque... Ceit est jalouse de tout ! Absolument tout... »

Baltair se tut, marcha jusqu'au fond de la pièce où il s'adossa au mur, dans la pénombre. Il reprit la parole d'une voix sourde :

« Cela fait des années que je l'endure et je serais capable de l'endurer encore longtemps si elle s'en tenait à des attaques contre moi. Mais contre toi, je ne le supporte pas. C'est comme ça… Je crois que je déteste ma demi-sœur. Si tu veux me faire plaisir, ne me parle plus d'elle.

– C'est cela, mon seigneur, lançai-je sur un ton sec qui me surprit. Parlons plutôt de notre prochain mariage, comme me l'a obligeamment suggéré votre mère tout à l'heure… Quel événement heureux ce sera ! D'autant plus qu'il suivra, et effacera peut-être, l'ignoble départ de la fille de la maison MacNèil… »

Incapable de continuer, étonnée par le fiel de mes propos, je me tus et me détournai en cachant mon visage entre mes mains. Le long silence qui s'ensuivit glaça mon cœur rempli d'amertume. Enfin, j'entendis Baltair se déplacer. Il s'approcha dans mon dos et il s'immobilisa. Il glissa les doigts le long de ma tresse en la palpant doucement.

« Si je comprends bien, c'est un désaveu de ta part…, fit-il.

– Baltair, dis-je en faisant volte-face, si tu peux endurer d'être agressé par Ceit, je peux faire la même chose. Je crois même que j'arriverais à la comprendre en y mettant de la bonne volonté et de l'amitié. Tu vois, nous sommes pareilles toutes les deux : la mère qui la chérit n'est pas plus sa mère que le lieutenant Lennox n'était mon père. Nous sommes, elle et moi, des bâtardes…

– Tais-toi ! siffla-t-il en s'éloignant vers la table de travail. C'est faux ! »

Je savais que cette vérité lui répugnait, mais il n'en demeurait pas moins que j'avais raison. Les origines de Ceit n'étaient un secret pour personne au château et ni elle ni ma maîtresse ne le taisaient. Autrefois, le défunt seigneur Iain avait séduit une suivante de sa mère qui avait donné naissance à Ceit ; la suivante morte en couches, l'enfant avait été élevée au château comme une orpheline jusqu'au jour où dame Gunelle avait demandé à son époux de la reconnaître. L'évocation de l'histoire de la demi-sœur de Baltair me fit soudain prendre conscience de la singulière ressemblance entre la situation du père et celle du fils MacNèil.

Baltair avait contourné la table et s'était installé dans le fauteuil avec un air hagard. Dans un geste désabusé, il s'adossa et croisa les bras. Je vins prendre place sur un tabouret en face de lui.

« As-tu réalisé que si je portais un enfant de toi en ce moment, et qu'il naissait, l'histoire du fils MacNèil qui engrosse la suivante de la châtelaine de Mallaig et donne au château un enfant bâtard se répéterait ? Imagine que l'enfant dans mon sein est Ceit... »

Baltair me jeta un regard abasourdi. Visiblement, mon envolée imaginative l'indisposait et le choquait.

« Sorcha, que vas-tu chercher là ? Ce n'est pas pareil... nous serons mariés dans quelques jours...

– Certes ! C'est pourquoi la comparaison entre la suivante de ta grand-mère et moi s'arrête là. Si je porte un enfant, il ne sera pas illégitime. Mais Ceit et moi avons été illégitimes et nous ne devons la reconnaissance de notre filiation qu'au bon vouloir des autres.

– Mais qu'est-ce que tu veux prouver avec ton discours ? Que toi et Ceit pouvez devenir amies parce que vous êtes bâtardes ? » s'insurgea-t-il en s'avançant, le regard courroucé.

Ce faisant, il avait posé les avant-bras sur la table, poings fermés. Ses yeux brillaient d'un éclat vif et sa mâchoire carrée se crispait en faisant saillir son menton. Une mèche de cheveux bouclés descendit sur son front et brisa la ligne de ses traits empreints de contrariété. Je ne pus résister à approcher mon visage du sien et je me penchai au-dessus de la table, sans réfléchir. Ma bouche atteignit aussitôt la sienne et je l'embrassai avec fougue. Il saisit fermement ma tête entre ses mains et me rendit mes baisers avec ferveur. J'enfouis mes doigts dans ses cheveux en les caressant de façon éperdue, ne sachant plus trop ce que je faisais.

Puis, à bout de souffle, frémissants et troublés, nous nous séparâmes et reprîmes nos places assises.

« Heu... est-ce que tu as l'intention de me faire comprendre ton point de vue toujours de la même façon ? me demanda-t-il en s'efforçant d'adopter un ton sérieux. Si c'était le cas, je devrais considérer que je suis sur le point de m'attacher une épouse déterminée et convaincante qui risque de devenir une châtelaine impitoyable pour l'inexpérimenté dixième chef MacNèil que je suis. »

En entendant ces paroles, j'éclatai de rire et l'étau qui enserrait mon cœur depuis une heure lâcha prise. Je me sentis voler dans la pièce, comme une feuille portée sur une brise légère.

« Mon seigneur, lui dis-je en hoquetant, il n'en tient qu'à vous d'employer les mêmes tactiques pour m'amener à votre raison et devenir aussi impitoyable que moi... »

Nous n'abordâmes aucun aspect de nos épousailles durant toute la soirée que nous passâmes, en catimini, dans le bureau, blottis au creux du même fauteuil. Baltair s'ouvrit avec franchise sur les émotions que sa difficile première journée de chef lui avait fait vivre. En toute humilité, il critiqua la sentence prononcée à l'encontre de Ceit et de Colm, et il regretta la profonde peine qu'elle avait causée à sa mère. Malgré ce qu'il m'en coûtât de retenue, je m'abstins d'émettre un commentaire sur la contestable décision. J'eus également le bon goût de ne pas user davantage de mes charmes ou donner libre cours à l'attirance qu'il exerçait sur moi. Je me sentais d'une grande vulnérabilité sur cet aspect et je devinais que ses résistances étaient aussi fragiles que les miennes.

À la nuit tombée, il me reconduisit à l'aile des dames en m'enlaçant la taille tendrement et, réconciliés, nous nous souhaitâmes une bonne nuit sur un chaste baiser.

Tòmas s'en fut d'un pas pressé dans l'aile des dames, à la recherche de son épouse. Il tomba sur sa fille aînée, âgée de neuf ans et sa benjamine, de cinq ans, qui sortaient de leur classe. Les deux fillettes, fort étonnées de voir leur père là, lui firent une révérence maladroite.

« Où est votre mère, damoiselles ?

– Chez dame Ceit, là-haut ! » ânonnèrent-elles en chœur.

Le père caressa furtivement les deux têtes blondes en souriant, puis grimpa quatre à quatre l'escalier qui menait au dernier étage. Il se heurta à un contingent de domestiques encombrés de malles, de coffres et de meubles qu'ils descendaient au rez-de-chaussée.

« Remontez-moi tout ça ! leur lança-t-il au passage en se dirigeant vers la chambre de dame Ceit.

— Pourquoi donc ? fit dame Jenny sur le seuil de la porte.

— Parce qu'ils ne partent pas aujourd'hui ! » lui répondit son mari, essoufflé.

En trois phrases, messire Tòmas rapporta à son épouse, à dame Ceit et à messire Colm réunis dans la chambre la subite décision du jeune seigneur qui reportait le départ de sa sœur et de son beau-frère après Nollaig. Ce faisant, il ne sut dire si c'était joie ou déception qui se lisait sur le visage du couple. Cependant, quand il apprit la nouvelle à la châtelaine, il n'eut aucun doute sur les sentiments de cette dernière. Un sourire radieux l'illumina et, d'un geste spontané, elle se précipita dans ses bras en laissant échapper d'une voix à peine audible : « Dieu soit loué ! »

La réaction la plus vive et inattendue provint de Sorcha, alors présente chez sa maîtresse. En effet, en entendant les paroles de messire Tòmas, la jeune fille s'envola dans la chambre voisine où elle surprit tout le monde en s'empressant d'exprimer son enthousiasme à Ceit.

« Ma dame, s'exclama Sorcha, comme je suis heureuse que vous restiez pour le mariage ! Je vais devenir votre sœur, moi qui n'ai jamais eu ni frère ni sœur. J'aurais eu un grand désappointement de ne pas vous avoir pour cet événement… »

L'effusion inattendue de Sorcha gêna fort Ceit, encore ébranlée par la nouvelle de son départ différé. Elle recula de quelques pas, cherchant quelle contenance se donner ; c'est son mari qui la tira d'embarras. Il embrassa la joyeuse fiancée.

« Permettez, Sorcha, fit-il en lui baisant la main. Ce sera un grand mariage, j'en suis certain… peut-être pas autant que le nôtre… N'est-ce pas que nos noces ont été somptueuses, ma dame ? ajouta-t-il à l'intention de son épouse. Je me souviens de la nuit, en particulier… Oh ! ma dame. Inoubliable, sublime ! Les fameuses épousailles que nous avons eues ! »

Interdite, Ceit regarda son mari, ne sachant comment accueillir l'air hardi qu'il affichait et qui la faisait rougir. Confuse, elle posa les yeux sur Sorcha et lui sourit avec une grâce feinte. Dans le regard aimable de celle-ci, elle décela une telle franchise que ses défenses s'abattirent et elle tendit brusquement la main à Sorcha.

« Allons chez ma mère, dit-elle, et laissons-les replacer la chambre. »

Tòmas et dame Jenny se retinrent de rire en voyant Colm se frotter les mains de satisfaction et lever un sourcil guilleret, en regardant s'éloigner son épouse au bras de sa future belle-sœur.

Maintenant que le fâcheux départ était reporté et que tout le monde au château pouvait se permettre de n'y plus penser pour un temps, les énergies et attentions furent tout occupées à préparer le mariage du jeune seigneur avec la fille du lieutenant Lennox ainsi que la fête de Nollaig. Aussi, dans les jours suivants, les domestiques s'affairèrent-ils aux différentes tâches sous la direction de dame Jenny et de Finella. Bon gré mal gré, Ceit accepta l'invitation de Sorcha de travailler à l'organisation des festivités du mariage qui se devait de revêtir une certaine modestie, compte tenu des finances réduites de la famille. Les deux jeunes femmes passèrent donc, en bonne intelligence, plusieurs heures ensemble dans la chambre des dames. L'apparente harmonie qui se dégageait de leurs rencontres gonfla d'espoir le cœur de la châtelaine de Mallaig et celui de son gendre.

Dame Gunelle profita des réunions de sa suivante avec sa fille pour se consacrer à la distribution des présents annuels aux gens du bourg. Cette tâche, qu'elle assumait pour la dernière fois en tant que châtelaine, était une première pour son fils, et elle ressentit un grand bonheur d'être à ses côtés pour visiter et récompenser leurs manants, comme elle l'avait fait durant près de vingt ans avec son mari. Au cours de sa tournée, au milieu de ses paquets qui s'entassaient dans la voiture, elle se prit à rêvasser à la manière dont Sorcha s'acquitterait de son rôle de châtelaine en soutenant son fils dans ses tâches de représentation ou en intercédant auprès de lui, au nom de ses gens. Dame Gunelle se doutait bien que Sorcha avait déjà adopté ce rôle d'intermédiaire en amenant Baltair à surseoir au départ de Ceit pour Roshven.

« Pourquoi souriez-vous, mère ? demanda Baltair qui chevauchait aux côtés de la voiture.

– Je songeais à vous, mon fils, répondit-elle. À vous et à Sorcha. Je crois sincèrement que ni moi ni votre père n'aurions pu trouver meilleure épouse pour vous, et aussi, meilleure châtelaine pour Mallaig…

– Alors, vous ne regrettez pas trop ma cousine Sine, que vous vouliez tant me voir épouser ?

– Je ne le puis, avança-t-elle. Je crois sincèrement que Sorcha est au-dessus de toute autre prétendante, et ce, par sa propre force autant que par l'amour qu'elle vous inspire. Mon fils, je considère que cela est un gage de réussite, tant pour votre union que pour l'avenir même de Mallaig. Votre défunt père accordait une très grande importance à sa châtelaine pour assurer la paix au château et j'espère que vous ferez de même avec la vôtre... »

Le temps pluvieux et venteux qui s'était abattu sur la péninsule depuis une semaine connut une accalmie et, le 23 décembre, le jeune seigneur de Mallaig invita ses lairds et leurs épouses à une grande chasse au cerf sur ses terres. D'un commun accord, les femmes demeurèrent avec dame Gunelle au coin du feu, mais Ceit voulut suivre la chasse de loin et elle invita Sorcha à l'accompagner. Ce fut une autre occasion pour elles d'être en compagnie l'une de l'autre durant toute une journée et elles la mirent à profit.

Le lendemain, une nervosité similaire s'était emparée des deux jeunes femmes qui s'enfermèrent dans la pièce de couture pour mettre la dernière main à leur toilette sous l'œil attendri de Finella. Elles y commandèrent une collation pour n'en pas sortir à l'heure du souper et cela n'étonna guère dame Jenny. Comme tous les habitants du château, l'intendante et la vieille servante considéraient l'amitié des deux jeunes femmes définitivement scellée.

Même si nos entretiens s'étaient limités à des questions de choix de mets pour le banquet et de tenues vestimentaires, ils nous avaient permis, à Ceit et à moi, de mieux nous connaître, en terrain neutre. Je crois que son bannissement de Mallaig pesait sur elle comme une épée de Damoclès et l'obligeait à surveiller de près son comportement envers moi.

La journée que nous passâmes à chevaucher côte à côte durant la chasse au cerf marqua un tournant dans mes relations avec Ceit. Je lui rapportai mes souvenirs d'elle, du temps que je vivais à Morar, en insistant sur l'admiration que j'entretenais pour ses toilettes et ses rendez-vous courtois à l'église paroissiale. Je lui mentionnai également que la correspondance établie entre Baltair et moi à Iona avait souvent fait allusion à elle et que la pensionnaire que j'étais alors évoquait, avec une inspiration exaltée, la vie qu'elle menait au château. Mes confidences l'incitèrent à me narrer ses deux années passées dans les grandes salles de Crathes, années infructueuses jusqu'à un certain point, et j'y perçus une ouverture de sa part.

En toute honnêteté, je pus dire que le matin de mon mariage, j'étais parvenue à me rendre moins menaçante aux yeux de ma future belle-sœur et à gagner son amitié. Cependant, les efforts que je dus investir pour amadouer Ceit m'avaient quelque peu détournée du service de ma maîtresse. Elle ne parut pas s'en plaindre, ayant elle-même beaucoup à s'occuper et probablement désireuse de me laisser en tête-à-tête avec sa fille. J'avais également négligé Baltair, mais son beau-frère l'avait si bien accaparé qu'il m'aurait été impossible d'assurer une plus grande présence auprès de mon fiancé.

En effet, Colm s'était attaché au pas de Baltair durant toute la semaine qui précéda notre mariage, voulant, comme ma maîtresse, favoriser l'amitié naissante entre son épouse et moi.

Ainsi, le soir du 24 décembre, j'étais satisfaite et très émue de constater que l'harmonie et la joie régnaient de nouveau dans la famille MacNèil. Je me présentai à la cérémonie de mariage avec un sentiment du devoir accompli et souris radieusement à mon futur époux qui me tendit le bras.

Toute décorée de branches de pin odorantes et illuminée d'une grande quantité de cierges, la chapelle avait un air de fête. Quand j'y pénétrai avec Baltair, un murmure admiratif s'éleva de l'assemblée qui ne se tut qu'au moment où nous atteignîmes l'autel. Je crois que les habitants du château, qui s'étaient tous entassés dans la pièce pour assister au mariage, furent frappés par l'éclat de notre apparence. C'est vrai que nous étions, lui dans son pourpoint or et noir et moi dans ma robe grenat, absolument magnifiques. Quand nous nous immobilisâmes devant le révérend Henriot, l'émotion m'étreignit et un coup d'œil furtif à Baltair me confirma qu'il était dans le même état d'esprit. Dudh et Malcom, le regard pétillant et le sourire espiègle, portaient le dais pourpre des mariés au-dessus de nos têtes, en le faisant osciller légèrement. Le révérend Henriot avait revêtu la chasuble des grands offices pour consacrer notre union et célébrer ensuite la messe de minuit.

Obnubilée par chaque détail de la cérémonie, je dus faire un effort de concentration pour écouter la déclamation de la lignée de Baltair, puis de la mienne, que le chapelain prononça en gaélique d'une voix mono-corde. Comme il enchaînait avec l'échange des vœux, Baltair me pressa la main pour forcer mon attention.

« Toi, Sorcha Lennox, de cet anneau, je t'épouse et de mon corps, je t'honore. Prends-moi pour mari et sois mienne jusqu'à ce que la mort nous sépare », proclama-t-il, d'un ton résolu, en passant l'anneau à mon doigt.

Je sentis le métal doux glisser et venir prendre la même place qu'avait occupée, durant quelques jours, le petit anneau du « tribut de la Vierge » qui faisait de moi une veuve du clan MacNèil. Je fermai les yeux un instant et ressuscitai dans ma mémoire frère Gabriel dont la présence à mes côtés se matérialisa presque : « Petite *ancilla Dei* », l'entendis-je murmurer en moi. Puis, je pris l'anneau de Baltair dans la soucoupe qu'on me tendait et je le passai à son doigt en déclarant ma promesse de mariage. Cette fois, je fus entièrement captivée par le regard intense de mon époux et un frisson me parcourut.

« Baltair et Sorcha de Mallaig, je vous déclare mari et femme », conclut le révérend à voix haute.

La messe de la Nativité suivit et elle me parut être parmi les plus rapides que j'avais entendues dans ma vie. L'avait-on raccourcie ou était-ce moi qui éprouvais du mal à l'écouter, trop absorbée que j'étais par la chaleur de la main de Baltair enserrant la mienne ? Bref, en un rien de temps, elle fut terminée et la chapelle se vida au profit de la grand-salle où sept tables immenses avaient été dressées pour le banquet de noce. Tous les habitants du château y avaient une place, celle des membres de la famille se trouvant au milieu, devant l'âtre et le groupe des musiciens.

Poussée dans la bousculade générale, je m'y amenai avec Ceit dont je m'emparai du bras pour la faire asseoir à côté de moi. Elle eut aussitôt un mouvement de protestation, m'expliquant qu'il s'agissait de la place de sa mère. Confuse, je me tournai vers dame Gunelle qui nous suivait et lui demandai la permission de modifier l'agencement prévu à la table d'honneur.

« Ma dame, lui dis-je, je gagne aujourd'hui une mère et une sœur. Je vais être à vos côtés tous les jours désormais, alors que je perds bientôt ma sœur… »

Elle n'eut pas le temps de me répondre, car Baltair m'interrompit en prenant place à mes côtés :

« Sorcha, dit-il, je ne saurais rien te refuser en ce jour. Tout ce que tu me demanderas que je peux t'accorder, tu l'auras. Y compris que je revienne sur une décision… Si tu souhaites ne pas perdre ta sœur, elle restera à Mallaig. »

Un flot d'émotions me submergea et je me jetai au cou de Baltair avec une telle vivacité qu'il en perdit presque l'équilibre. Il m'enserra de ses bras et me pressa contre sa poitrine.

« Dois-je comprendre que c'est la demande que tu me fais ? murmura-t-il à mon oreille.

– Si fait, mon seigneur, lui répondis-je en me dégageant. Je veux que Ceit et Colm demeurent à Mallaig ! »

En entendant les mots de Sorcha, dame Gunelle poussa un soupir de bonheur et posa des yeux soulagés sur sa fille Ceit et son mari auxquels elle sourit. Puis, avec grâce, elle prit place à la droite du jeune marié, tandis que sa bru s'assoyait à la gauche de ce dernier.

Paralysée par l'émotion, Ceit regardait avec hébétude sa nouvelle belle-sœur, n'osant croire à ce qu'elle venait de dire, haut et fort devant toute la famille. Colm se pencha à l'oreille de son épouse en l'invitant à prendre place près de dame Gunelle :

« Ma douce amie, dit-il, je crois que dame Sorcha de Mallaig sera une châtelaine redoutable. En tout cas, son pouvoir sur votre frère est déjà prodigieux. Plaise au ciel que vous restiez toujours dans ses bonnes grâces, et moi, dans celles de mon seigneur ! »

Quand tous furent assis, gobelet de vin à la main, messire Tòmas grimpa sur son banc pour bien se faire voir, demanda le silence d'un geste autoritaire, et, d'une voix forte, il invita les convives à porter une santé en l'honneur des nouveaux mariés :

« Longue vie aux épousés MacNèil ! Dieu protège le seigneur Baltair et son épouse et leur accorde une nombreuse descendance ! Slàinte !

– Longue vie aux épousés ! » tonnèrent les convives en chœur.

Puis, tous se turent en voyant dame Gunelle se lever, frêle entre son fils et sa fille, un hanap à la main. Elle le porta haut devant ses yeux, se tourna en direction de sa bru et, dans le silence général, lança d'une voix tremblante :

« Longue vie à dame Sorcha, la nouvelle châtelaine de Mallaig ! Slàinte ! »

La clameur qui répondit à la salutation se fit entendre dans tout le château.

Table

PREMIÈRE PARTIE (1437-1440)

SE DÉCOUVRIR UN ONCLE 13
QUITTER LE MANOIR 41
RENCONTRER UN MOINE PÊCHEUR 69
VIVRE AU COUVENT 96

DEUXIÈME PARTIE (1440-1443)

DÉCOUVRIR UN TRÉSOR 123
CHASSER POUR LE COUVENT 150
SOIGNER PAR CORRESPONDANCE 180
SUIVRE LES TRACES DE FRÈRE GABRIEL 206

TROISIÈME PARTIE (1443)

QUITTER IONA 237
TROQUER LA VIEILLE MONNAIE 266
CHANGER D'IDENTITÉ 294
DÉJOUER LES TRAQUES 323
CHEVAUCHER EN MONTAGNE 349
ÊTRE ACCUEILLIE AU CHÂTEAU 377
ACHETER UN MARI 406
SAUVER L'HÉRITIER 434
RÉHABILITER SA SŒUR 462

CET OUVRAGE
COMPOSÉ EN GARAMOND CORPS 14 SUR 16
A ÉTÉ ACHEVÉ D'IMPRIMER
EN MARS DEUX MILLE CINQ
SUR LES PRESSES DE TRANSCONTINENTAL
POUR LE COMPTE
DE VLB ÉDITEUR.

IMPRIMÉ AU QUÉBEC (CANADA)